LES BLONDES,
UNE DRÔLE D'HISTOIRE

Illustration de couverture : © Philippe HALSMAN, 1954/MAGNUM.
Première publication en langue anglaise sous le titre *On blondes*
by Bloomsbury Publishing.
© 2003 by Joanna Pitman
© 2005 Éditions Autrement,
77 rue du Faubourg-Saint-Antoine – 75011 PARIS.

LES BLONDES,
UNE DRÔLE D'HISTOIRE

D'Aphrodite à Madonna

Joanna Pitman
Traduit de l'anglais par Julie Sauvage

COLLECTION PASSIONS COMPLICES

À Giles

NOTE DE L'AUTEUR

L'origine étymologique du mot « blond » reste floue, bien qu'on puisse le rattacher au *blandus* latin, qui signifie « charmant », ainsi qu'au *blundus* du latin médiéval, qui veut dire « jaune ». Le mot apparaît au XIIe siècle en français, et au XIVe en anglais, sous la plume de Chaucer, qui utilise la forme « blounde ». En anglais, c'est *fair*, qui signifiait aussi « beau » ou « plaisant » au Moyen Âge, qui fut utilisé pour désigner des cheveux également dits *yellow* (jaunes) jusqu'au XVIIe siècle. C'est à cette époque que l'adjectif « blonde » est réintroduit en anglais, où il garde d'ailleurs le « e » du féminin français. Il faut attendre les années 1930 pour que les femmes fatales d'Hollywood fassent entrer le nom correspondant dans le vocabulaire courant.

REMERCIEMENTS

D'une façon ou d'une autre, la blondeur suscite l'intérêt et la réflexion. La grande majorité des personnes dont j'ai sollicité l'aide ou les conseils au cours de mes recherches ont gentiment accepté d'apporter leur contribution à ce livre. Étant donné l'ampleur de la documentation, je tiens à exprimer ma reconnaissance à tous les spécialistes qui m'ont fait profiter de leurs compétences, de la génétique à la coiffure en passant par le cinéma, l'histoire du costume et même la pomologie[1]. Je remercie plus particulièrement Michèle Thomas, de la Bibliothèque nationale de France, Susan Reed, de la British Library, Carrie Tovar, du Getty Museum, le professeur Jonathan Kuntz, de UCLA, Richard Jewell, de l'université de Californie du Sud, Christopher Horak, du Hollywood Entertainment Museum, le professeur Steve Jones, de UCL, et le professeur Jonathan Rees, de l'université d'Édimbourg.

Le professeur Aileen Ribeiro et le docteur Margaret Scott, de l'institut Courtauld, le docteur Jane Bridgeman, David Eskerdjian, Lesley Downer, Geraldine Sharpe-Newton et Olivia Stewart ont tous été assez gentils pour accepter de relire certaines parties de mon manuscrit. Virginia Darcy, qui coiffait Grace Kelly, et Brian Carter, coiffeur de Margaret Thatcher, m'ont fait partager leur savoir-faire en matière de coloration. Cally Blackman ainsi que tout le personnel de la British Library n'ont jamais hésité à fournir d'héroïques efforts de recherche pour répondre à mes étranges demandes d'obscurs documents. Je dois également beaucoup à Matthew Butson et Kate Berry, qui m'ont procuré une grande partie de l'iconographie. Je voudrais aussi remercier Bethan Davies,

---

[1]. Partie de l'arboriculture concernant les fruits comestibles.

Barbara Girardet, Charlotte Hoyle, Gill Morgan, Peter Pitman, Jenny Pitman, James Pitman, Matt Ridley, Ben Macintyre, Terence Pepper, Jamie Fergusson, Emma Bassett et Nicky Hirsch.

Il m'aurait été impossible d'écrire ce livre sans le généreux soutien ni les compétences d'Alexandra Pringle et Marian McCarthy, des éditions Bloomsbury, et de mon agent, Bill Hamilton, de A. M. Heath. Enfin, je voudrais exprimer toute ma reconnaissance et tout mon amour à Giles, qui m'a prodigué tant d'idées et d'encouragements, pour la finesse de son jugement.

INTRODUCTION

Il y a de cela une quinzaine d'années, on m'a brièvement prise pour une sainte en raison de mes cheveux blonds. Je travaillais pour une organisation humanitaire médicale, SAIDIA, dans la région de Samburu, au nord du Kenya. Il n'y avait probablement aucun autre Blanc sous ce soleil brûlant à quelque deux mille kilomètres à la ronde. Ou du moins pas d'autre femme blanche. Comme je travaillais toute la journée au soleil, à la confection des briques de terre qui devaient servir à édifier notre dispensaire, mes cheveux courts étaient devenus d'un blond clair et doré. Je me rappelle parfaitement les avoir coupés moi-même, sans miroir, avec les ciseaux d'un couteau suisse. J'avais été stupéfaite de découvrir leur nouvelle couleur.

La rumeur qu'il y avait là une femme blonde s'était répandue dans les vallées alentour, si bien qu'un soir, lorsqu'un guerrier indigène, avec une lance à la main et un large couteau à la ceinture, arriva en courant dans notre camp, terrifié, les yeux écarquillés, mes amis et collègues samburus ne furent pas surpris d'apprendre que c'était moi qu'il cherchait. Il venait de courir seize kilomètres pour venir nous dire que son frère avait été mordu par un serpent très venimeux. Je devais aller le sauver. Il bredouillait : « La blonde, la blonde ! Elle doit venir ! » Il criait en pointant vers moi sa lance, puis il s'approcha et me toucha la tête avant de se retourner vers les autres en leur montrant mes cheveux avec des gestes frénétiques, comme s'il s'agissait là de tout ce dont il avait besoin pour guérir son frère. Beaucoup de Samburus m'avaient déjà prise pour une missionnaire ou une infirmière, mais c'est à ce moment-là que je compris de quelle étrange association des cheveux blonds, de la femme blanche et de l'organisation humanitaire provenait cette image incongrue de sauveur divin.

En conduisant à toute vitesse mon quatre-quatre déglingué, pour aller trouver Isaac, la victime, je n'avais pas l'impression d'être un sauveur, mais bien plutôt une intruse vouée à l'échec. Je le trouvai étendu sur le sol. La morsure se situait au niveau de la cheville qui enflait. Sa femme avait coupé la chair tout autour et appliqué du sel et du tabac sur la plaie. Je suggérai un garrot. C'est alors que le frère d'Isaac réapparut, tenant à la main un kit antipoison qui avait l'air d'être assez vieux, et qui comprenait deux seringues rouillées et un sérum non identifié. Je n'avais aucune compétence médicale. Si j'essayais de m'en servir, j'étais pratiquement sûre de le tuer. On m'apprit que, si je ne faisais rien, il lui restait environ deux heures à vivre. Le médecin le plus proche se trouvait à deux heures de route. Dans la pénombre de la nuit tombante, deux douzaines d'yeux se retournèrent pour me fixer, moi et mes cheveux. « En route ! » dis-je.

Je suis en mesure d'affirmer que ce fut le trajet le plus éprouvant de ma vie. À l'arrière, Isaac gémissait en se tordant de douleur. Son pied enflé avait atteint les proportions d'un ballon de football, tandis que la voiture avalait les cahots de la piste. Lorsque, après avoir atteint Wamba, nous réussîmes à trouver le médecin, dans l'unique bar de la ville, il était inconscient et presque froid. Le médecin lui administra une piqûre et l'emmena. Notre travail s'arrêtait là.

Une semaine plus tard, je rendis visite à Isaac. Il était de nouveau sur pied et il se promenait sur la piste principale de Wamba. Il m'aperçut à quelque distance, me fit signe et s'approcha en boitillant. La poussière teignait ses pansements d'un rouge-brun. Il arborait un large sourire qui découvrait son unique dent. Il voulait me donner ses chèvres, son troupeau entier de vingt-huit bêtes. Sa femme arriva, annonçant qu'elle voulait m'offrir un de ses bébés, puisque je n'en avais pas à moi. Elle portait contre son sein une exquise petite reproduction d'elle-même. Cherchant confusément comment répondre à leurs offres, je réussis à m'en tirer en donnant un nom au bébé. Tous deux admirèrent fort mes cheveux, tendant timidement la main pour les toucher. Ma tignasse ébouriffée, décolorée par le soleil, était devenue dans leur esprit le signe de l'extravagante sainteté qu'ils m'avaient attribuée.

Dans certaines communautés isolées et poussiéreuses de l'Est africain, pour autant que je sache, il est possible que des humanitaires quelque peu crasseux passent encore pour des saints, sans même le savoir, en raison de leurs cheveux blonds. Voilà bien des années que les missionnaires commencèrent à y distribuer des images pieuses. Peut-être Isaac et sa famille avaient-ils vu ces représentations des anges, des saints et même de la Vierge Marie avec leurs cheveux blonds. La blondeur semble comprise comme une sorte d'atout mystique, un puissant symbole de pouvoirs magiques faisant de son possesseur un être à part.

Lorsque j'ai commencé mes recherches pour ce livre, j'ai pris conscience du fait que, tout au long de l'histoire, les cheveux blonds ont toujours inspiré une admiration mêlée de crainte. Au Moyen Âge, par exemple, la séduction qu'ils exerçaient et les pouvoirs surnaturels qu'on leur attribuait suscitaient chez les Européens une sorte d'ivresse. En revanche, dans les années 1930, le ss blond devint, en Allemagne, le symbole de la supériorité aryenne. On fit de la blondeur un critère de beauté masculine, au moment même où, paradoxalement, on l'associait avec la théorie raciale la plus grotesque qui ait jamais servi à justifier des actes de barbarie.

Le symbolisme de la blondeur est aujourd'hui si riche qu'il dépasse largement celui d'une simple couleur. Flamboyant signal codé, la blondeur s'intègre désormais dans un système de valeurs chargé de connotations morales, sociales et historiques profondément ancré dans l'inconscient collectif occidental, et qui tend à se répandre dans le reste du monde.

Son histoire commence dans l'Antiquité grecque, où la blonde chevelure d'Aphrodite, déesse de l'Amour et de la Fertilité, possédait un pouvoir de séduction légendaire. Un pouvoir tel qu'il inspira les ambitieuses tentatives d'imitation des brunes courtisanes grecques, et créa la mode d'un certain type de blonde qui, aujourd'hui encore, fait fantasmer les hommes et suscite l'envie des femmes. Mais l'histoire de la blondeur n'est pas si simple. Elle est d'une richesse inépuisable. Chaque époque l'a recréée à sa propre image et lui a conféré des valeurs qui reflétaient ses préoccupations. Elle devint un vice pendant les âges obscurs, une obsession à la Renaissance, une mystique dans l'Angleterre élisabéthaine, une peur mythique au XIXe siècle, une idéologie dans les années 1930, un signal d'invite sexuelle dans les années 1950, un credo à la fin du XXe siècle. Les images caractéristiques auxquelles elle s'associe, celles de la jeunesse, du dynamisme et de la richesse, ont mis des milliers d'années à se dessiner, en se faufilant dans le tissu de l'imaginaire populaire. Cette blondeur, nous l'apercevons chaque jour, et chaque jour nous assimilons les messages qu'elle véhicule. Une chevelure blonde est séduisante et sexy, on l'arbore comme un trophée. Sur tous les forums populaires de notre époque, au cinéma, à la télévision, dans la mode et la variété, comme en politique, les principaux rôles sont tenus par des blonds.

Mais il y a là quelque chose d'étrange car très peu d'entre eux le sont naturellement : un adulte sur vingt seulement aux États-Unis, et à peu près la même proportion en Europe. Jamais on ne pourrait le croire en se promenant dans les rues passantes d'une ville occidentale. C'est qu'une femme sur trois se teint les cheveux dans une nuance de blond, qu'on l'appelle « doré », « platine »,

« cendré », « taie d'oreiller sale » ou d'autres noms encore, issus de notre riche vocabulaire de la blondeur. Pour y parvenir, les femmes se sont donné un mal fou. Dans la Rome antique, les belles les plus intransigeantes utilisaient de la fiente de pigeon. Les Vénitiennes de la Renaissance recouraient, elles, à l'urine de cheval. Aujourd'hui, les femmes sont prêtes à dépenser des sommes faramineuses et à passer des heures dans les salons de coiffure pour se faire décolorer les cheveux.

Mais pourquoi diable ? Une de nos principales motivations, c'est la jeunesse. Le raisonnement est d'une logique imparable : les bébés ont souvent les cheveux et la peau plus clairs que ceux de leurs parents. Certains enfants gardent leur blondeur première, mais la plupart des gens la perdent à la puberté. Et, pour renforcer cette association de la blondeur à la jeunesse, les femmes s'aperçoivent souvent qu'après leur première grossesse leur peau et leurs cheveux restent définitivement plus foncés. Par conséquent, plus on a la peau et les cheveux clairs, plus on paraît jeune. Chez les femmes, la blondeur aurait très bien pu évoluer pour faire partie, avec d'autres caractéristiques enfantines, comme la voix plus aiguë et la pilosité plus légère, d'un ensemble de traits destinés à attirer sexuellement les hommes, traits qui se sont dessinés au cours de l'évolution de l'espèce. Tout comme les adultes peuvent trouver beaux les bébés, les hommes étaient attirés par les femmes qui montraient de tels signes de jeunesse. Les cheveux blonds, qui en eux-mêmes ne sont pas plus beaux que les bruns, ont été associés, par ces mécanismes complexes, à la jeunesse et à la fertilité dans les cerveaux masculins. La blondeur était une sorte de garantie de succès à la reproduction visible à l'œil nu.

Ces processus biologiques de sélection sexuelle se transformèrent, à travers les millénaires, en préférences esthétiques et culturelles. Les cheveux blonds, génétiquement attirants, se virent liés à la féminité et à la beauté. C'est pourquoi Marilyn Monroe teignait en blond ses cheveux châtains un peu ternes. La blondeur adoucit les traits et flatte les visages d'un certain âge, ce qui explique pourquoi la baronne Thatcher se fait teindre les cheveux depuis de nombreuses années.

En dépit de cette histoire culturelle fascinante, et de leur importance sociale et historique, on en sait encore très peu sur les origines des cheveux blonds. Des fouilles archéologiques récentes, dans le désert du Takla-Makan, en Chine, ont permis de mettre au jour des momies qui remonteraient au XIXe siècle avant J.-C., et dont les cheveux sont d'une blondeur éclatante. Des ethnologues du début du XXe siècle rapportent la présence de blonds dans le sud de la Russie au VIIIe siècle avant J.-C., ainsi que, vers − 200, dans des régions alors chinoises, qui se trouvent aujourd'hui au Turkestan, et où des documents d'époque attestent la présence de curiosités locales, des « démons jaunes aux yeux verts ». Mais les recherches de ce type cessèrent après la Seconde Guerre mondiale, en partie à cause de l'association de la blondeur à la race aryenne des nazis, en partie à cause d'un manque d'intérêt.

Il a fallu attendre notre époque pour que les cheveux blonds redeviennent un sujet d'étude scientifique acceptable. Une équipe de l'université de l'Utah a commencé des recherches sur l'origine de la prétendue race aryenne à l'aide de tests ADN. Une autre, à l'université d'Édimbourg, a déjà réalisé la moitié du premier projet d'étude génétique d'envergure sur les blonds.

Voilà quelques mois, je décidai d'effectuer mes propres recherches, plus modestes. Après avoir passé un an sous le soleil kenyan, j'étais rentrée sous les latitudes plus sombres d'Europe du Nord et mes cheveux avaient repris leur nuance naturelle de brun. Je décidai donc, pour l'amour de la science, bien sûr, de me refaire décolorer les cheveux pour voir en quoi cela changerait ou non ma vie.

Ce n'était pas une expérience à prendre à la légère. J'étais parfaitement consciente que les femmes qui essaient différents masques ou décident de changer radicalement leur apparence le font souvent à la suite d'une crise. Je passai un après-midi entier à me faire teindre les cheveux – pour une somme considérable. Je sortis du salon en clignant des yeux. Les gens semblaient me regarder fixement, et à la façon dont ils me regardaient, on aurait dit que ma tête dégageait une sorte de rayonnement spectral. Je rentrai chez moi tapie derrière le volant de ma voiture. Un véhicule de police me dépassa sans se presser et les deux agents eurent un sourire condescendant. Je pouvais lire sur leur visage : « Ah ! oui ! une blonde... »

À l'abri chez moi, je me rendis compte que, Dieu merci, mes filles ne remarquaient aucun changement. Mon mari, en revanche, me trouva une ressemblance avec Andy Warhol. À cause de la teinture, mes cheveux étaient d'une blancheur frappante, mais ils étaient aussi plus cassants, ce qui les incitait à défier les lois de la gravité pour se dresser sur ma tête. Mon coiffeur m'avait assuré que cela se calmerait et qu'ils retomberaient rapidement en un beau rideau brillant, d'un blond platine. Devais-je passer mes journées en kimono de soie, à jouer avec un caniche ? et compléter le cliché avec un Wonderbra ? À la maison, j'évitais les miroirs, mais dans la rue je devins bientôt une enquêteuse infatigable, examinant minutieusement les visages et guettant les réactions des passants. Certains ne me remarquaient pas, d'autres fuyaient mon regard. J'eus droit à des coups d'œil rapaces de la part de certains hommes et à des sourires complices de la part de certaines femmes blondes, qui semblaient reconnaître le signal lumineux de mes cheveux, comme si je faisais désormais partie d'un club très fermé. À la bibliothèque de Londres, où la majorité du personnel masculin a tendance à se plonger dans un livre, en laissant les femmes s'occuper des demandes des lecteurs, c'est tout juste si certains bibliothécaires ne sautaient pas par-dessus le comptoir du prêt pour venir s'occuper de moi. J'obtenais un traitement de faveur au marché aussi, quand il fallait jouer des coudes pour attirer l'attention des vendeurs. Mes amis pensaient que ma nouvelle couleur de cheveux me rajeunissait et certaines trouvèrent à cette expérience un charme si canaille qu'elles se dépêchèrent de m'imiter. De parfaits inconnus me souriaient sans que je leur aie rien demandé. Bientôt, je me mis à répondre à leurs sourires. Au bout d'un certain temps, je commençai à me demander si je pourrais me permettre de ne plus être blonde.

Cette onéreuse expérience dura quatre mois. Il est certain qu'elle m'attira plus de regards et me conféra une sorte de charme décadent et instantané. Elle contribua aussi à modifier mon humeur, à me rendre plus optimiste, d'une façon générale, un peu comme le beau temps. Tout au long de l'histoire, des millions de femmes eurent cette envie de devenir blondes et le résultat fit tourner la tête de millions d'hommes. Ce livre, je l'espère, contribuera à expliquer pourquoi.

Chapitre 1

LA NAISSANCE D'APHRODITE

Elle était grande, magnifique, avec des formes voluptueuses, une peau aussi lisse que la surface de l'huile, et sa gracieuse et généreuse nudité n'évoquait que le plaisir le plus pur. Ses traits étaient doux : des yeux exquis, une bouche appétissante et charnue, une chevelure d'une blondeur divine, si abondante qu'elle descendait en sinueuses cascades et s'enroulait en volutes dans un ample chignon. Elle se tenait, calme et insoucieuse, légèrement penchée en avant, un sourire jouant sur ses lèvres comme une pâle nuance de rose. D'une main, elle cachait son sexe, dans un geste d'une provocante modestie. Connaisseurs et fervents adeptes se penchaient pour glisser un œil derrière cette main, frissonnant à l'idée d'apercevoir ce qu'un contemporain enthousiaste décrivit comme « ces parties que chaque cuisse repousse vers l'intérieur... et quel sourire incroyablement doux que le leur ».

Les Grecs la nommèrent Aphrodite et les Romains, Vénus. Son image divine, cette statue grandeur nature connue sous le nom d'*Aphrodite de Cnide*, fut la première blonde universelle, l'archétype de ce puissant fantasme sexuel. La statue elle-même n'a pas survécu, mais Praxitèle la sculpta avec amour dans le marbre de Paros, vers 360 avant J.-C. Peinte d'or, entre autres couleurs, l'image de cette déesse hanta les fantasmes érotiques des hommes, mais aussi des femmes, pendant bien des siècles, d'Homère et Ovide à Botticelli et au préraphaélite Rossetti, en passant par Hitchcock et Monroe, sans oublier Madonna. Au cours du temps, suivant les modes, sa poitrine deviendrait plus grande ou plus petite, dressée vers les cieux par un corset de fanons de baleine ou bien serrée dans les bonnets pointus d'un soutien-gorge à la fin du XXe siècle. De même, ses hanches allaient s'élargir ou bien se faire plus osseuses et plus androgynes. Ses cheveux allaient se transformer en brillant rideau de soie dorée, se tordre en élastiques boucles anglaises ou bien se friser en un fantastique et moutonnant halo. Mais quels que fussent les détails imposés par la mode à ses incarnations les plus récentes, Aphrodite demeura blonde et frémissante de charme érotique.

Dans la Grèce d'il y a deux mille cinq cents ans, Aphrodite représentait l'amour sous toutes ses formes. Une certaine souplesse d'approche lui permettait de favoriser l'amour entre hommes et femmes, entre femmes et jeunes filles, entre hommes et jeunes gens. Cette déesse, la plus belle du panthéon méditerranéen, représentait le creuset de toutes les pulsions érotiques.

Heureusement pour le citoyen ordinaire de l'Antiquité grecque, dieux et mortels n'étaient séparés que par le plus diaphane des voiles. On pouvait faire confiance à Aphrodite, toujours généreuse de ses faveurs, pour accomplir chaque jour quelque miracle et s'autoriser à prendre une apparence mortelle. On se retournait donc sur son passage quand elle arpentait les rues de Corinthe ou d'Athènes, exhibant un corps terriblement tentant sous quelques couches de gaze légère, et une chevelure teinte d'un blond éclatant. Elle apparaissait lors des fêtes religieuses et des occasions civiles en se manifestant à travers le corps de ces femmes qui faisaient profession des arts de l'amour. Elles étaient indissociables de leur déesse. En effet, les prostituées grecques empruntaient ouvertement le vocabulaire idéologique et esthétique d'Aphrodite. Elles l'incarnèrent, contribuant ainsi à faire d'elle l'une des divinités les plus populaires du panthéon olympien.

Naturellement, pour emprunter ses attributs les plus intéressants, elles imitèrent sa soyeuse nudité et ses cheveux blonds. Pour mieux s'épiler, elles se brûlaient les poils pubiens, avant de s'adoucir la peau en la frottant avec une pierre ponce jusqu'à ce qu'elle devienne rouge et brillante – sans doute aussi jusqu'à l'irritation. Pas plus à cette époque que de nos jours, la douleur ne constituait un obstacle à l'embellissement personnel, et les travailleuses grecques ne cessaient de repousser leurs limites pour atteindre leur but. Mais, plus qu'à tout autre signe, c'était à sa chevelure blonde qu'on reconnaissait l'adepte dévouée d'Aphrodite.

En se battant pour soumettre leurs sombres boucles rebelles de Méditerranéennes, elles créèrent une nouvelle forme de génie cosmétique. Elles se frictionnaient le crâne avec de pleines poignées de teinture au safran, avant de se peindre les cheveux avec des poudres colorées pour obtenir leurs reflets blonds. Certaines enduisaient leur chevelure d'huile ou se tartinaient la tête de boues jaunes, car il existait toute une gamme d'onguents gluants que l'on appliquait, pour les laisser sécher et les éliminer ensuite en se brossant délicatement les cheveux. Cela représentait une peine et une dépense considérables. De plus, la puanteur était probablement intense. Mais, à cette époque, on se faisait de l'hygiène corporelle une idée quelque peu sommaire, et les effluves intéressants que ces femmes laissaient dans leur sillage devaient à peine se remarquer. Pas plus que les avanies que leur réservaient les poètes comiques et les dramaturges de l'époque. Ces hommes méprisants prétendaient, comme Ménandre, que « nulle femme chaste ne se devrait teindre les cheveux en blond ». Ménandre condamnait les blondes comme franchement dangereuses : « Que pourrions-nous faire de sage ou de brillant, nous qui restons assises sous nos cheveux teints en jaune, à insulter la personne de la digne dame, à causer le bouleversement des maisonnées, la ruine des mariages et à provoquer les accusations des enfants ? »

Mais tout le monde faisait la sourde oreille à ces sarcasmes. Les hommes continuaient de fantasmer sur les blondes et les prostituées de se tartiner la tête de teintures. Pour accomplir certaines missions particulièrement licencieuses ou rémunératrices, elles portaient même des perruques blondes, importées à grands frais de lointaines régions nordiques. Après s'être ainsi lustrées, peintes, colorées et poudrées, elles s'aventuraient dans les rues comme des vols d'oiseaux exotiques multicolores, brillant et scintillant au soleil, montrant leurs corps iridescents sous leurs robes d'une soyeuse transparence, rejetant en arrière leur chevelure blonde comme si elles concentraient dans ces grands voiles d'or brillants tous les désirs des hommes.

À bien des égards, c'était effectivement le cas. Les Grecs semblaient fascinés par les cheveux blonds. Objet d'adoration, signe de richesse, fantasme, ils étaient avant tout attirants. Clair et lumineux, leur miroitement incandescent contrastait fortement, dans ce pays où il y avait naturellement peu de blonds, avec la masse des cheveux bruns méditerranéens à l'entour, distinction rare et troublante. Symboliquement, les cheveux blonds représentaient aussi la fertilité et le pouvoir de procréation. Les hommes se pressaient pour admirer les blondes. Ils les adoraient et leur vouaient un véritable culte, les choisissaient entre toutes pour les célébrer dans leurs vers. Au VIIe siècle avant J.-C., Alcman se conformait déjà à ce code de couleurs dominant lorsqu'il louait dans ses vers les cheveux blonds, présentés comme l'aspect le plus désirable de la beauté féminine. La « jeune fille aux cheveux blonds » et celle dont la chevelure est « semblable à l'or le plus pur » sont élevées au rang des plus belles qu'il ait jamais vues. Alcman était originaire de Sparte, où les femmes accordaient une attention toute particulière à leur forme physique et à leur beauté, si bien que ses idéaux esthétiques ont certainement influencé bon nombre d'entre elles.

Avec la bénédiction d'Aphrodite, la blondeur devint non seulement le signe d'une grande beauté, mais aussi, de façon plus explicite, celui d'un grand pouvoir de séduction. Pour les Grecs, cette blondeur dorée s'associait à des images particulièrement prégnantes. Homère s'attarde longuement sur sa splendide Aphrodite, dont les formes vont sortir tout épanouies des flots écumants, recouvertes seulement des vagues dorées de sa chevelure. « Dorée » est l'épithète qu'Homère utilise dans toute son œuvre pour dépeindre la déesse. Pour lui, elle était essentiellement dorée. Elle avait aussi, nous dit-il, les yeux éblouissants, la peau douce, le sourire charmant et elle était parée de joyaux d'or. Sa poitrine était d'une beauté telle que Ménélas manqua de se couper les orteils en lâchant son épée lorsqu'il l'aperçut pendant le sac de Troie. Sapho, elle aussi, décrit Aphrodite comme la déesse dorée pour rendre hommage à sa beauté. Puisque l'or ne se peut corrompre, écrit-elle, ses cheveux d'or symbolisent la pureté de celle qui est exempte de toute souillure, et que ni l'âge ni la mort ne peuvent atteindre.

Il y a bien longtemps que l'or, comme couleur, fait partie des critères classiques de beauté et de puissance. Quelque deux mille ans avant Homère, au temps des Proto-Indo-Européens, cette couleur était liée au culte du soleil, du feu et de la déesse jaune de l'aurore. Les Phéniciens et les Mycéniens, deux civilisations d'ardents commerçants, considéraient la possession du métal jaune comme un signe de supériorité absolue. Les Perses tressaient dans leur barbe des fils d'or, portant ainsi leur richesse au menton. Les Assyriens étaient encore allés un peu plus loin, puisqu'ils dépensaient leur fortune pour l'exposer en se poudrant les cheveux d'extravagants nuages de poussière d'or.

L'esthétique des Grecs était donc pénétrée d'antiques allusions et d'exemples anciens. Aussi, au panthéon des images féminines les plus répandues, la femme aux cheveux d'or figurait-elle parmi les plus puissantes. Partout, elle se trouvait reflétée et adorée sous l'apparence d'Aphrodite, dont les statues parsemaient les espaces publics de la Grèce antique. On en sculpta plus en son honneur qu'en celui de n'importe quelle autre divinité. Qu'elle fût de marbre, de pierre ou de terre cuite, le corps peint de couleur chair et les cheveux d'or, Aphrodite s'insinuait, de façon à la fois naturelle et provocante, dans tous les jardins publics ou privés, dans tous les foyers de Grèce, à tous les niveaux de la société.

La plus célèbre reste sans conteste la statue qu'exécuta Praxitèle, et que l'on vénérait dans le sanctuaire de Cnide, port d'Asie Mineure. Cette sculpture lui fut à l'origine commandée par les citoyens de Cos, mais ceux-ci furent tellement choqués par sa nudité que, lorsqu'ils virent l'œuvre terminée, ils retirèrent immédiatement leur commande et choisirent d'acheter, pour le même prix, une autre statue de la déesse, du même sculpteur mais plus modestement drapée. Entre-temps, les gens de Cnide eurent vent du scandale et se précipitèrent pour contempler la statue refusée. Connaisseurs plus audacieux mais aussi, comme l'histoire le prouva, plus avisés, ils sautèrent immédiatement sur l'occasion. Il apparut que c'étaient eux qui avaient fait la meilleure affaire.

L'*Aphrodite* de Cnide fit de cette ville un passage obligé sur l'itinéraire touristique d'Ionie, et ce pendant plusieurs siècles. Elle constitua également une source de revenus stables pour la cité. Si précieuse, dit Pline l'Ancien, que, lorsque le roi Nicomède tenta de l'acheter aux Cnidiens, « il promit de payer l'intégralité des dettes – et elles étaient énormes – de leur cité. Mais eux préférèrent tout endurer, et non sans raisons. C'est en effet cette statue de Praxitèle qui fit la gloire de Cnide ». Étant donné la propension bien connue des Grecs à rechercher le plaisir sexuel sous des formes particulièrement ingénieuses, il n'est guère surprenant que cette grande blonde ait attiré, dans sa nudité, tant d'attention. Certains visiteurs vont jusqu'à relater les fantasmes les plus intimes que leur inspira la contemplation de la statue. Pline lui-même n'est pas insensible à ses charmes : « Sa Vénus est à la tête, je ne dis pas seulement de toute sa production, mais de celle de tous les artistes du monde, et bien des gens ont fait la traversée de Cnide pour aller la voir. » Il la décrit dans sa châsse, visible de tous côtés, et raconte la délicieuse histoire d'un jeune homme qui, emporté par l'émotion qu'elle lui inspira, réussit un soir à se faire enfermer dans l'enceinte du sanctuaire. « Il l'étreignit et une tache trahit sa passion[1]. » Dans une pièce attribuée au polygraphe grec Lucien, un autre voyageur décrit les foules qui se pressaient habituellement pour aller voir l'*Aphrodite* de Cnide, traversaient les odorants jardins plantés de myrrhe, de lauriers, de cyprès et de vignes. Dans les coins les plus reculés de cette sylvestre retraite, se trouvaient des loges destinées à répondre aux désirs de ceux que la plus exquise des déesses avait particulièrement inspirés.

L'*Aphrodite* de Cnide était tellement célèbre que des milliers de copies ne tardèrent pas à apparaître dans tous les temples, jardins et maisons d'un bout à l'autre de la Grèce. Au même moment, des représentations plus explicites d'Aphrodite Callipyge ou d'Aphrodite Anadyomène apparurent sur des piédestaux dans tous les lieux publics, merveilleuses évocations de ce que pouvaient inspirer l'amour et la beauté. Il subsiste aujourd'hui plus de deux mille marbres d'Aphrodite, et bien plus encore de statues de bronze ou de terre cuite provenant de temples, de tombes et de jardins. Il y a deux mille ans, tout le monde devait pouvoir regarder son image. C'était cette blonde déesse, universelle et démocratique, qui

---

1. Pline l'Ancien, *Histoire naturelle*, XXXVI, 20-21, traduction de R. Bloch, Paris, Les Belles Lettres, 1980.

inspirait les Grecs de tous âges, de tous penchants et de toutes classes sociales.

L'*Aphrodite de Cnide* reste l'une des statues les plus célèbres jamais sculptées, mais la femme qui aurait servi de modèle à l'artiste obtint, elle aussi, sa part de renommée. Il s'agit de Phryné, voluptueuse maîtresse de Praxitèle. Courtisane de grande classe, Phryné empruntait à Aphrodite la plupart de ses atouts sexuels. Son arme la plus redoutable était sa chevelure blonde, probablement décolorée, grâce à laquelle elle attirait un grand nombre de clients riches et puissants. Dans son histoire, il reste difficile de faire la part des faits et de la légende, mais on peut réunir autour de son nom assez d'anecdotes pour se faire une idée de sa personnalité de belle manipulatrice. De son vivant, elle jouissait d'un pouvoir et d'une réputation très étendus et sa sexualité semble être décrite dans les mêmes termes. Fille d'un certain Épiclès, elle naquit vers 370 avant J.-C. à Thespies, au nord-ouest d'Athènes. Elle était encore jeune lorsqu'elle vint y habiter. Elle y vécut un certain temps dans une pauvreté qui n'est pas sans rappeler celle de Cendrillon, et qui se révèle nécessaire à son histoire de réussite spectaculaire. Sa beauté exceptionnelle, cependant, lui permit bientôt de gagner sa vie en faisant payer ses amants, et elle fut rapidement élevée à la dignité d'hétaïre, ce qui faisait d'elle une compagne supérieure et recherchée. En quelques années seulement, elle parvint à devenir une courtisane de la haute société, entre les mains de qui les hommes n'étaient plus que des pantins.

Phryné avait un talent incontestable pour façonner son image et elle se transforma bientôt elle-même en convaincante imitation d'Aphrodite. Elle employait une douzaine d'esclaves à entretenir son apparence, à composer l'image de la douce et sensuelle déesse qu'Homère avait décrite avec tant d'amour. La beauté naturelle de Phryné, son pouvoir de séduction et sa faculté d'inspirer le désir, patiemment cultivés, devaient inspirer les poètes, les peintres et les écrivains pendant des centaines d'années. Une gravure du XIXe siècle, où les formes qui lui sont attribuées viennent probablement des fantasmes de l'artiste – anonyme –, la représente comme une grande et voluptueuse beauté, entièrement nue, tendant un bras délicat pour ouvrir un long voile de mousseline aérienne et transparente afin de révéler l'abondante crinière qui descend en cascades autour de ses seins. Sur son fin visage se dessine une expression altière et dégagée, tandis que son petit nez trahit des proportions typiques du XIXe siècle. Elle s'avance délicatement, sur la pointe des pieds, vers une foule d'hommes qui semblent très sensibles à ses arguments. Elle a le visage, le corps et l'attitude de la séductrice impudique, préfigurant étrangement la star de cinéma du XXe siècle.

Le talent de Phryné pour l'imitation lui valut une grande renommée. Ses nettes tendances exhibitionnistes lui permirent de devenir rapidement l'une des figures les plus populaires des fêtes religieuses athéniennes, notamment celles de Poséidon, où elle tenait son rôle préféré. Bien des années après sa mort, en 200 avant J.-C., le poète et essayiste Athénée décrit la scène où Phryné s'enfonce en marchant dans les flots, alors que ses cheveux détachés flottent sur ses épaules comme une provocation. C'est un passage qui reste, aujourd'hui encore, assez sexy, et que William Sanger a recréé en 1859, en laissant son imagination broder sur les fragments de texte antique : « Elle apparut sur les marches du temple au bord de la mer, dans sa tenue habituelle, et se déshabilla lentement devant la foule. Ensuite, elle s'avança au bord de l'eau, plongea dans les vagues, s'offrit en sacrifice... elle revint telle une nymphe marine, séchant ses cheveux d'où l'eau coulait le long de ses membres exquis. Elle s'arrêta un instant devant la foule qui, dans son enthousiasme, se mit à crier frénétiquement alors que la belle prêtresse disparaissait dans une cellule, à l'intérieur du temple[2]. »

Il est bien possible que Phryné ait rencontré Praxitèle à Éleusis, aux fêtes de Poséidon dont elle était la vedette. Athénée nous dit qu'elle attira aussi l'attention du peintre Apelle, qui aurait peint son *Aphrodite Anadyomène* en pensant à elle. Ce tableau ne nous est pas parvenu, mais on a retrouvé un bon nombre de statues de la naissance d'Aphrodite censées en être inspirées, où elle émerge des flots en tordant ses cheveux. Phryné passait pour la femme la plus belle d'Athènes, sa liaison avec Praxitèle se devait d'être passionnée afin d'exalter à la fois la réputation du sculpteur et l'exotisme de la profession de courtisane. Mais, au fur et à mesure que ses pouvoirs de séduction augmentaient, Phryné prit d'autres amants, si bien qu'elle devint fabuleusement riche. Elle offrit à sa ville natale, Thespies, une merveilleuse statue d'Éros, et l'on disait qu'avec sa fortune elle aurait pu faire reconstruire les murs de Thèbes, détruits par Alexandre le Grand en 335 avant J.-C. Mais elle était également cupide et rusée. Pausanias raconte comment elle harcela Praxitèle pour qu'il lui dise quelles étaient ses œuvres préférées. Après qu'il eut refusé de répondre plusieurs fois, elle lui fit envoyer un message l'avertissant que son atelier était la proie des flammes. Pendant qu'il se dépêchait de se rendre sur les lieux, il dit espérer qu'on avait pu sauver sa statue d'Éros, ainsi qu'un satyre. Phryné, ravie, lui avoua que ce n'était qu'un stratagème et lui demanda la statue d'Éros. Praxitèle se soumit docilement à ses exigences, et la lui offrit. Elle accepta avec avidité.

Orgueilleuse, ambitieuse, sans scrupules, vulgaire et vaniteuse, Phryné fut la Marilyn Monroe du IIIe siècle avant J.-C. Et, apparem-

---

2. William Sanger, *A History of Prostitution*, New York, 1859.

ment, elle ne pouvait vivre sans les sensations procurées par une bonne dose de scandale. Ses conquêtes, de plus en plus nombreuses, et la longue série d'hommes ruinés qu'elle laissait derrière elle, semblaient aller contre les lois ; elle fut accusée d'avoir profané des cérémonies religieuses. Traînée devant un tribunal entièrement constitué d'hommes, alors que la foule se pressait dans l'assistance pour l'occasion, elle comprit que son affaire mettait en lumière les sentiments mitigés des Grecs cultivés envers la classe des hétaïres, prestigieuses et séduisantes. L'orateur Hypéride, son amant, entreprit de la défendre devant les juges. Mais l'affaire s'annonçait mal pour elle : courtisane indépendante, cultivée, avec ses idées bien arrêtées et son goût immodéré pour la publicité, elle représentait l'exacte antithèse de tout ce que l'on demandait à l'Athénienne modèle, dont les seules attributions étaient, selon certains, de porter et d'élever des héritiers, discrètement et en silence. Il y eut des moments critiques, où les accusateurs de Phryné avancèrent des arguments convaincants et bien étayés. Le procès semblait perdu, jusqu'à ce qu'Hypéride, dans un dernier effort pour sauver sa maîtresse, déchirât sa robe pour révéler à l'assistance sa poitrine nue. Ce fut un argument massue. Comment, allégua-t-il en montrant ses seins dénudés, comment d'aussi divins attributs pourraient-ils profaner une cérémonie religieuse, quelle qu'elle fût ? Accuser Phryné, c'était intenter un procès à Aphrodite elle-même, au risque de provoquer sa divine vengeance. Les juges, sans doute saisis par ce spectacle inattendu, tombèrent d'accord pour abandonner toutes les charges. L'anecdote survécut ; plusieurs siècles après, les poètes vénitiens de la Renaissance, obsédés par les cheveux blonds, la ressassaient encore, de même que les peintres du xixᵉ siècle. En 1861, Jean Léon Gérôme peignit cette scène spectaculaire représentant Phryné devant ses juges : entièrement nue, aussi lisse qu'une statue classique, avec une chevelure d'un blond doré, elle se cache le visage derrière un bras replié dans un mouvement de pudeur supposé. Les vieux juges ont abandonné toute dignité : on peut les voir se pencher en avant pour mieux lorgner avec des expressions de connaisseurs.

Sans doute les liens qu'entretint Phryné avec l'une des œuvres d'art les plus célèbres au monde firent d'elle une hétaïre tout à fait exceptionnelle. Si elle exerçait effectivement une séduction dangereuse, la société de son temps ne la considéra cependant jamais comme immorale. Dans le contexte de l'époque, elle fut la meilleure avocate de sa classe. « En un sens, dit Elaine Fantham, l'hétaïre était la seule femme grecque à jouir d'une liberté comparable à celle des hommes, à diriger sa maison et ses finances, à avoir le droit de choisir la compagnie qu'elle admettait chez elle et de participer aux banquets et aux fêtes des hommes[3]. »

Alors qu'une masse hétéroclite de prostituées soutiraient quelques drachmes au petit peuple pour survivre aux marges de la société, les hétaïres représentaient le rang le plus élevé, non seulement de leur profession, mais aussi de l'ensemble de la société féminine. Elles seules se rendaient dans les ateliers des plus grands artistes, écoutaient les arguments de Socrate, s'entretenaient de politique avec Périclès. Elles étaient les seules femmes à prendre part aux polémiques des intellectuels grecs. Par conséquent, nombre d'entre elles étaient bien informées, elles avaient des relations ; elles créèrent même leurs propres « salons », où les hommes se rassemblaient pour discuter, entendre les philosophes, écouter de la poésie. Dans ces conditions, il n'est guère surprenant que les Athéniens n'aient pu se passer de la brillante compagnie

---

3. Elaine Fantham, *Sex, Status and Survival in Hellenistic Athens.*, Phoenix 29, 1975.

des hétaïres, alors même qu'ils réduisaient leurs épouses au statut de bêtes de somme.

Il ne s'agissait pas là de démocratie sexuelle, encore moins d'utopie féministe. Tandis que les hétaïres se voyaient attribuer le privilège de l'impudeur et le droit de parcourir les rues en arborant crinière blonde et magnifiques vêtements, la plupart des historiens s'accordent à dire qu'à Athènes les femmes mariées menaient une vie recluse dans leur maison, une vie de patience, de dépendance et d'obéissance. Lors des rares occasions où elles étaient autorisées à sortir de chez elles, pour les enterrements ou pour des fêtes religieuses bien précises, elles étaient priées de se couvrir entièrement de voiles bien épais. Chez elles, elles étaient cantonnées dans leurs appartements, gardées scrupuleusement hors de vue des étrangers et des visiteurs. Si jamais on les avait autorisées à entretenir un contact avec les hommes très cultivés de leur classe sociale, elles n'auraient rien eu à leur dire, puisqu'on leur refusait éducation et connaissances intellectuelles, apanage de la prostituée.

Il est difficile de trouver plus grand contraste qu'entre ces femmes mariées, muettes, cachées, enveloppées de voiles, et ces courtisanes de grande classe, riches et audacieuses, avec leurs beaux vêtements et leur chevelure dorée. C'est Aphrodite qui inspirait ces femmes et leur conférait son pouvoir. Son influence devait traverser les siècles, sous des aspects différents mais tout aussi irrésistibles.

Chapitre 2

LA PERRUQUE DE L'IMPÉRATRICE

On dit que Cléopâtre était blonde. Grande reine exceptionnellement riche et puissante, séductrice irrésistible, d'une ambition
sans limites, elle représente une source d'inspiration inépuisable.
Chaque époque l'a réinventée en suivant ses propres inclinations.
Pline prétend qu'elle mit au défi Marc Antoine de dépenser plus
qu'elle, et que, pour gagner son pari, elle laissa la plus grosse
perle du monde se dissoudre dans une coupe de vinaigre qu'elle
but. C'est une histoire bien connue, mais assez invraisemblable.
Un chroniqueur plus ancien raconte une anecdote tout aussi
improbable, qui veut qu'elle ait provoqué sa rencontre avec César
en se faisant rouler dans un tapis qu'on lui livrait. Properce prétend qu'elle « forniquait même avec des esclaves » ; une autre
légende fantasmatique veut qu'elle ait copulé avec des crocodiles.
Quel que fût vraiment ce personnage ensorcelant, sa réputation
d'insatiable et fatale tentatrice était déjà fermement établie de son
vivant. Il n'est donc pas étonnant que ses admirateurs l'aient ima-
ginée en blonde. Tiepolo fit d'elle une blonde aux yeux bleus, aux
boucles frémissantes d'énergie érotique et de vie. Vasari, lui
aussi, la représenta blonde, tout comme Cagnacci et de nombreux
autres peintres de la Renaissance. La vie de Cléopâtre fut brève et
intense. Elle mourut au moment où son empire commençait à
décliner, mais la fascination qu'elle suscitait lui survécut, précisément parce qu'elle fut l'inspiratrice d'un mythe intemporel et
merveilleux.

Vers la fin du IIe siècle avant J.-C., la civilisation grecque
antique avait atteint son radieux apogée dans tous les domaines

d'activité humaine. La religion, la littérature, la musique, l'art, l'architecture et la science avaient connu des progrès et des réalisations magistrales et constituaient de solides bases culturelles qui devaient, par la suite, devenir celles de l'Europe occidentale. Rome commençait à unir sous sa domination toutes les régions qui entouraient la Méditerranée, et ses légions progressaient inexorablement. Trois ans après la mort de Cléopâtre, en 30 avant J.-C., Auguste dominait un empire qui s'étendait de l'Espagne à la Syrie, et où la suprématie absolue de Rome était incontestée.

Mais Rome avait envers Athènes une dette culturelle inestimable. Sa littérature, sa philosophie et sa science imitaient consciemment celles des Grecs. Les Romains avaient toujours adoré les dieux du panthéon olympien, sous des noms différents. Zeus devenait Jupiter et Arès, Mars tandis que l'éminente Vénus remplaçait ouvertement Aphrodite, devenant une divinité aussi importante pour les Romains qu'elle l'avait été pour les Grecs. Vénus gardait bien des aspects de son ancêtre : sa naissance miraculeuse dans les flots, sa beauté et son pouvoir de séduction, son corps éternellement jeune et sa nudité enchanteresse. Les représentations cultuelles de Vénus, peintes d'une pâle couleur chair, avec des cheveux d'un blond doré, ornèrent bientôt théâtres, thermes, fontaines et palais, et il n'était pas rare de les trouver dans les espaces privés. Les écrivains se mirent, eux aussi, à défendre la déesse, et lui dédièrent un vaste corpus de poèmes, d'éloges et de pittoresques épigrammes érotiques dont nous avons hérité aujourd'hui.

Malheureusement, tous les historiens, poètes et satiristes de Rome étaient des hommes. Peu de femmes écrivaient et leurs œuvres ne nous sont pas parvenues. Mais des sentimentaux comme Catulle et Properce composèrent des pages et des pages de prose passionnée pour leurs maîtresses. Ovide et Horace, séducteurs impénitents et éminemment cultivés, produisirent des volumes entiers de littérature érotique, fût-elle satirique ou lyrique. Ces auteurs, dont les œuvres étaient pleines d'allusions érudites, tendaient naturellement à produire pour un public féminin qui appréciait leurs ouvrages. Ils n'écrivaient pas pour les chastes épouses qui cultivaient leur ignorance sous leurs voiles épais, mais pour leurs maîtresses, Romaines élégantes et cultivées, spirituelles et extraverties. Ce sont ces femmes, ces adeptes de Vénus, aux cheveux minutieusement teints, que nous devons remercier pour tout ce que la littérature latine compte de charmant et d'extraordinairement obscène. Catulle donne à sa maîtresse le surnom de Lesbia, et Ovide adresse la plupart de ses poèmes à une certaine Corinne, grande dame, blonde et – si nous l'en croyons – d'une beauté exceptionnelle. Clairement obsédé par sa beauté physique, il célèbre sans retenue tous les plaisirs de la chair. Il était notamment fasciné par sa chevelure, par la façon dont elle en usait et en abusait :

> Je te disais bien : « Cesse de teindre ta chevelure. » Maintenant, tu n'as plus de cheveux à teindre. Et pourtant, si tu les avais laissés sans les coiffer, qu'y avait-il de plus long qu'eux ?
>
> Non, cette injure n'est pas due aux herbes enchantées d'une rivale ; une vieille sorcière d'Hémonie ne les a pas mouillés d'une eau funeste ; ce n'est pas l'effet d'une maladie grave (que le ciel écarte ce présage !), et ce ne sont pas davantage les imprécations de quelque envieuse qui ont éclairci ton épaisse chevelure. Cette perte qui t'afflige, elle est due à ta main, à ta faute. C'est toi-même qui répandais le poison sur ta tête.
>
> Maintenant la Germanie t'enverra les chevelures de ses femmes, nos esclaves. Tu seras tranquille grâce au présent d'une nation sur laquelle nous avons célébré le triomphe. Combien de fois,

lorsqu'on admirera ta chevelure, tu rougiras, disant : « C'est pour une marchandise achetée que l'on me loue aujourd'hui, moi ! Je ne sais quelle femme sicambre [peuplade germanique] cet homme loue maintenant au lieu de moi. Et cependant, je m'en souviens, il fut un temps où ces éloges s'adressaient à moi »[1].

Des milliers de Germaines blondes se retrouvaient captives rien que pour se voir couper les cheveux, qui servaient à confectionner des perruques destinées aux Romaines à la mode. Les victoires militaires fournissaient de nombreux esclaves nordiques car, bien souvent, à la suite d'une défaite, des peuplades entières étaient asservies. L'enlèvement d'hommes valides et de femmes, en particulier des blondes, constituait un autre moyen de se procurer des esclaves, moyen qui fut employé pendant des siècles à travers tout l'Empire. Les marchands avaient l'œil perçant et ils étaient toujours prêts à s'emparer d'un homme ou d'une femme assez beaux pour alimenter le marché romain.

L'une des bénéficiaires les plus célèbres de ce genre d'enlèvements fut l'excentrique impératrice Messaline, épouse de l'empereur Claude. Ses vices abominables étaient connus de tous et sa réputation de débauchée devint légendaire. Elle adorait porter des perruques blondes. Juvénal, poète satirique, adorait dénoncer ces monstrueux petits conflits et adultères qui faisaient fi de toutes les barrières de classe et de toutes les conventions. Il composa sa *Sixième Satire* afin de prévenir les hommes contre les appétits sexuels insatiables des femmes.

> Tu avais ton bon sens. Et tu prends femme, Postumus ? Voyons !
> Quelle Tisiphone [Furie], quelles couleuvres sont à tes trousses ? [...]

---

1. Ovide, *Les Amours*, Livre I, 14, v 1-3 et 39-50, traduction d'Henri Bornecque, Paris, Les Belles Lettres, coll. « Classiques Poche », 1997, 53-57.

Bien mieux, te voilà en quête d'une épouse de mœurs antiques.
Médecins, ouvrez-lui la veine médiane ! Ah ! le bon naïf[2] !

Et d'enchaîner sur le récit des incroyables pulsions sexuelles de Messaline. Lassée des plaisirs traditionnels, accessibles à l'intérieur même du palais, elle se rendait régulièrement, de nuit, dans un bordel, cachant ses cheveux bruns sous une perruque blonde. Là, elle se déshabillait dans la chambre d'une prostituée, puis elle recevait les clients à sa place, les uns après les autres, pour de l'argent, jusqu'à ce que la propriétaire de l'établissement ferme ses portes, au petit jour. Elle partait toujours la dernière, tristement, en traînant des pieds :

> Encore ardente du prurit de ses sens tout vibrants, elle s'en va fatiguée, mais non point rassasiée. Hideuse, avec ses joues plombées que souille la suie de la lampe, elle apporte au lit impérial les relents du lupanar[3] !

Le choix d'une perruque blonde, évidemment, visait plus à attirer l'attention qu'à dissimuler l'identité de Messaline. Souvent, elle l'oubliait sur place, avant de rentrer au palais, et, le lendemain, elle acceptait publiquement la perruque qu'on lui faisait rapporter du bordel. Comme l'écrivit plus tard sur cette femme fatale un Martial avide de relater dans ses vers des comportements aussi déplacés : « Sa toilette comprenait mille mensonges ; et pendant qu'elle était à Rome, ses cheveux poussaient sur les bords du Rhin. Aucun homme ne pouvait dire l'aimer car ce qu'il aimait n'était pas elle-même et qu'elle-même, il était impossible de l'aimer. »

---

2. Juvénal, *Seize Satires*. Satire VI, v. 28-30, traduction de P. de Labriolle et F. Villeneuve, Paris, Les Belles Lettres, 1971.
3. *Ibid.*, v 127-132.

De là vient la spectaculaire mythologie qui entoure ce personnage. Jacques Roergas de Serviez, historien du XVIIᵉ siècle et spécialiste de la cour impériale romaine, esquisse un bref portrait de Messaline :

> Il est difficile de concevoir la misérable condition d'un Empire gouverné par une femme qui ne tient à rien qu'à la satisfaction de ses appétits, et dont la violence, ne rencontrant aucune résistance, répand aveuglément leur fatale influence sur tous ceux que ses caprices l'incitent à persécuter.

Lorsqu'elle n'exhibait pas sa perruque blonde dans les maisons closes, Messaline ourdissait de noirs complots, dignes des Borgia, pour faire assassiner ses rivales. Elle avait beaucoup d'imagination, surtout en matière de fausses accusations. Tout homme assez stupide pour la repousser, ou pour refuser d'accéder à tous ses désirs, se voyait rapidement accusé de trahison et jeté en prison pour y être discrètement exécuté. Des hommes puissants, comme Vitellius, l'un des courtisans les plus corrompus de l'empereur Claude, qui avaient attiré le regard vagabond de Messaline, devaient recourir à la flatterie la plus basse pour assurer leur survie. Vitellius avait en permanence avec lui une vieille chaussure de l'impératrice, qu'il passait son temps à embrasser sans vergogne, en public, comme une sorte de relique.

Cette étrange assurance-vie resta plutôt efficace, puisqu'il réussit à lui survivre, mais d'autres n'eurent pas sa chance.

Messaline dut pourtant affronter son triste destin lorsqu'elle commit une entorse supplémentaire aux bonnes mœurs, une transgression impardonnable cette fois, en prenant publiquement pour second mari le riche, beau et noble Silius. Elle choqua même l'empereur Claude, pourtant habitué à ses dépravations et à sa cruauté dans les affaires d'État. Peu après, en 48 après J.-C., fut donné l'ordre impérial qui causa sa mort.

Messaline ne fut pas la seule impératrice chez qui se manifesta la manie des cheveux blonds et de leur pouvoir sexuel. Autre blonde tristement célèbre, Poppée lui dispute la palme de l'extravagance, de la soif de pouvoir et de la luxure. Poppée était dure, belle et capable de toutes les intrigues. Elle usa de sa beauté, de sa ruse et de ses charmes pour convaincre Néron de lever tous les obstacle qui l'empêchaient de monter sur le trône. Elle persuada l'empereur, pour qui la goinfrerie, la luxure et le meurtre, ainsi que les pratiques sexuelles infamantes les plus spectaculaires n'avaient plus de secrets, de faire assassiner sa propre mère, Agrippine, en 59 après J.-C., puis sa jeune épouse, Octavie, pour la punir d'un prétendu adultère. Selon Tacite, Octavie mourut dans un bain trop chaud, étouffée par la vapeur, laissant Poppée devenir impératrice et triompher ainsi de toutes ses rivales.

Néron, fasciné par Poppée, selon Serviez, « admirait sa beauté autant qu'elle l'estimait elle-même, et n'omettait jamais une occasion de lui rendre l'hommage de ses éloges les plus délicats et les plus recherchés. Il alla même jusqu'à composer des vers sur l'éclat délicieux de ses cheveux, qu'il comparait à l'ambre ». L'ambre, lorsqu'il est jeune, est d'un jaune clair : Poppée optait évidemment pour la couleur la plus éclatante. Elle n'omettait rien qui pût lui permettre d'attirer et de retenir l'attention de son empereur. Sa vanité faisait sensation, prétendaient ses rivales jalouses, qui la voyaient se regarder attentivement dans son miroir dès qu'elle en avait l'occasion. Un jour que cette altière impératrice s'observait dans son miroir, elle s'y trouva moins belle qu'à l'accoutumée, raconte Serviez. « Prévoyant, le cœur serré, le triste mais inéluctable déclin de ses charmes, elle versa des larmes amères, et supplia les dieux de la laisser mourir avant que de vieillir. »

Poppée était sans nul doute d'une beauté exceptionnelle, mais peu de femmes auront consacré autant de temps, d'argent et d'énergie à préserver et à accentuer leurs charmes pour masquer les ravages du temps. Lotions, onguents pour le teint et autres teintures au safran pour les cheveux de Poppée engloutissaient des fortunes entières. Elle faisait également entretenir un troupeau de cinq cents ânesses qui lui fournissait le lait de ses bains quotidiens. Rien, pensait-elle, ne se pouvait comparer à cette remarquable substance pour protéger la peau.

Ivre de son pouvoir et de sa propre beauté, elle portait des robes magnifiques, des joyaux inestimables et des chaînes d'or. Les mules qui tiraient sa litière étaient ferrées d'or massif, leurs rênes étaient tissées de fils d'or. Bien entendu, des fastes aussi inconvenants ne laissaient rien présager de bon. Les sujets de l'Empire ne fermaient pas les yeux sur les ruses malveillantes de leur impératrice. Sa vanité criante et son extravagance nourrissaient leurs inquiétudes et ils raillaient publiquement la bêtise de Néron. Mais Poppée devait connaître une mort particulièrement horrible, vers l'an 65 après J.-C. Alors qu'elle venait de réprimander l'empereur pour le plaisir qu'il prenait à jouer de la musique et à conduire des chars, elle provoqua de sa part une rage telle qu'il se retourna et, dit-on, donna dans son ventre de femme enceinte un coup de pied qui la tua sur-le-champ. Les Romains pavoisèrent. Mais Néron, lorsque sa fureur fut retombée, resta inconsolable. Selon Pline, le corps de Poppée fut empli d'épices d'Arabie, maquillé et paré, avant d'être embaumé à la mode orientale, dans des nuages d'encens. On brûla sur son bûcher funéraire plus de parfums que l'Arabie n'en aurait pu fournir en toute une année. Finalement, les dieux avaient exaucé le souhait de la vaine Poppée.

L'histoire de cette impératrice nous donne une idée des efforts et des dépenses auxquels les riches Romaines pouvaient consentir afin de se faire belles, fussent-elles nobles dames ou courtisanes de haut vol. Nous pouvons dire à coup sûr qu'elles gardaient à l'esprit le modèle de Vénus, déesse de l'Amour et de la beauté, lorsqu'elles mettaient en pratique les élégants vers de Martial, d'Ovide et de Lucien. Martial, auteur du premier siècle après J.-C., conseille à celles qui souhaitent décolorer leurs cheveux l'utilisation d'une teinture connue sous le nom de *sapo*, à base de graisse de chèvre mêlée de cendres de hêtre, et conservée sous forme de petites balles. À celle qui serait plus délicate que vaniteuse, il suggère d'essayer la *spuma batava*, la « mousse batave », genre de savon décolorant dont on avait découvert l'usage dans la région du Rhin. Pline, dans son *Histoire naturelle*, conseille aux femmes les plus déterminées d'utiliser le *lees*, la lie de vinaigre, façon plus caustique – et plus malodorante – d'obtenir la blondeur recherchée. Les plus courageuses ajoutaient au mélange des fientes de pigeon pour tirer partie des pouvoirs décolorants de l'ammoniaque qu'elles contiennent.

Mais Martial réserve ses sarcasmes les plus piquants à celles qui succombent ainsi à la vanité :

C'est dans le quartier de Suburre
Tandis que tu l'attends,
Qu'on te prépare une coiffure
Pour singer tes cheveux manquants.
Tes dents, de même que ta robe,
Un coffret, la nuit, les dérobe.
Sans ton visage, tu t'endors.
Mais au matin, tu viens alors,
D'un clin de tes faux sourcils, sans honte,
Me proposer ce... troublant,

Si vieux qu'on ne sait plus le compte
Des ans qui l'ont rendu tout blanc[4].

En dépit de leur plume sans pitié, ces poètes n'en étaient pas moins sensibles à la séduction qu'exerçaient sur eux leurs blondes maîtresses. Toute nuance de blond, du cendré à l'ambre, faisait l'affaire, pour peu qu'elle puisse évoquer Vénus et éveiller leurs fantasmes. Certains attribuaient à telle ou telle couleur une signification particulière. La nuance appelée « jaune carotte », probablement obtenue à partir de safran, était ainsi réservée aux courtisanes influentes. C'était l'épice la plus chère du monde, au point qu'à une certaine époque on la mesura en carats, et l'on disait qu'elle valait plus que son poids en or. Dérivée des stigmates orangés de la fleur de crocus, elle colorait les cheveux d'un jaune intense. De la même façon, celles dont on décrivait les cheveux comme « blancs », c'est-à-dire très décolorés, se signalaient ainsi comme des femmes « dont les intentions n'étaient pas très sérieuses ». S'agirait-il là des premières potiches blondes de l'histoire ?

Properce, dans ses *Élégies*, attaque toutes ces vanités féminines :

> Et maintenant, dans ta folie, tu t'en vas imiter les Bretons barbouillés et tu fais la plaisante avec ta chevelure teinte d'un éclat étranger. Toute beauté doit convenir telle que la nature l'a faite [...] que mille châtiments frappent sur terre celle qui, la sotte menteuse, a changé ses cheveux[5].

---

4. Martial, *Épigrammes*, Livre IX, épigramme 37, « Contre Galla », traduction de J. Malaplate, Paris, NRF Gallimard, 1992, p. 115.

5. Properce, *Élégies*, Livre II, 18, traduction de Pierre Boyancé, Paris, Les Belles Lettres, 1968, p. 79-80.

Quant aux gracieux poèmes érotiques d'Ovide, plus flatteurs, ils décochaient des traits subtils dans la chair délicate des dames de la bonne société. Et bientôt, elles se gargarisèrent des longues considérations sur l'apparence et la beauté qu'il leur livra dans son *Art d'aimer* :

> C'est la simple élégance qui nous charme. Que votre coiffure ne soit pas en désordre. Les mains [de la coiffeuse], augmentent la beauté ou la retirent [...]
>
> La femme, elle, teint ses cheveux blancs avec des herbes de Germanie et leur procure artificiellement une couleur plus seyante que la couleur naturelle. La femme, elle, s'avance parée d'une épaisse chevelure qu'elle a achetée et, à prix d'argent, les cheveux d'une autre deviennent les siens. Et elle ne rougit pas d'en faire ouvertement l'achat : on les vend sous les yeux d'Hercule et du chœur des Muses [...].
>
> J'étais sur le point de vous avertir que la forte odeur du bouc ne devait pas siéger sous vos aisselles et que vos jambes ne devaient pas être hérissées de poils rudes[6].

Ces auteurs ne laissaient rien au hasard et se mêlaient des détails les plus intimes des soins de beauté quotidiens[7].

Aux premières heures de la République romaine, des cheveux blonds ou une perruque auraient trahi la profession de prostituée. À la fin de cette période, et sous l'Empire, il était devenu plus difficile, en dépit de certains codes, comme l'emploi du « jaune

---

6. Ovide, *L'Art d'aimer,* III, v. 123-125, 163-168 et 190-192, traduction d'Henri Bornecque, Paris, Les Belles Lettres, 1924.

7. Ils proposent même certaines méthodes contraceptives : Pline recommande l'usage d'une amulette à fabriquer en ouvrant la tête d'une araignée velue et en ôtant les deux petits vers censés y loger, pour les envelopper d'une peau de daim. Aetius, lui, suggère l'emploi d'un foie de chat, à porter dans un tube attaché au pied gauche.

carotte », de distinguer les courtisanes professionnelles aux coiffures élaborées des dames de la bonne société, elles-mêmes de plus en plus libres. Sans doute poussées par les poèmes provocants d'Ovide, ces sages et austères matrones d'autrefois, tenues de respecter les vertus de frugalité, de modestie et de simplicité, commençaient à se transformer en papillons frivoles et extravagants. Ne craignant plus de montrer leur chevelure en public, elles devinrent d'impitoyables beautés, prêtes à tout pour entrer, comme leurs maris, dans cette compétition quotidienne pour l'image et pour le rang social qu'elle était susceptible de leur procurer.

Une coiffure et une tenue sophistiquées étaient encore le meilleur moyen de faire étalage de sa richesse et de son oisiveté. Au premier siècle après J.-C., la belle Julie, fille de l'empereur Titus, inaugura, en matière de coiffure féminine, une période de complète fantaisie qui n'eut d'égale que la fin du XVIIIe siècle et sa passion pour les coiffures en pièce montée. On employait des coiffeurs professionnels, des équipes dont dépendait entièrement la réputation de femmes puissantes. D'émouvantes épitaphes nous sont parvenues, composées par des dames pleurant la mort de leurs coiffeuses les plus habiles et les plus dévouées. Ces femmes, expertes dans leur art difficile, mélangeaient les ingrédients de l'épaisse teinture, l'appliquaient sur la tête en couches brillantes et visqueuses, la faisaient pénétrer en frottant vigoureusement les cheveux, qu'elle raclaient une fois secs pour l'enlever quelques heures plus tard. Elles lavaient ensuite les cheveux, les séchaient et appliquaient encore quelques poudres colorantes, avant d'entreprendre la tâche délicate de coiffure proprement dite. Dans ce domaine, si une réussite pouvait rapporter d'importantes récompenses, un échec, en revanche, pouvait exposer à de graves déconvenues. Une maîtresse furieuse pouvait très bien poignarder sa coiffeuse avec une épingle à cheveux d'ivoire, ou pis encore.

Les coiffeuses empilaient les cheveux, mèche sur mèche, fixant chaque couche sur une armature métallique en forme de croissant jusqu'à ce que l'ensemble s'élance vers le haut dans une extrême profusion et se dresse majestueusement au-dessus du front. Ces édifices de merveilleuses boucles aux splendides couleurs ne devaient être vus que de face. Pendant les grandes occasions, parmi les dames de la bonne société, c'était à qui saurait le mieux cacher l'échafaudage complexe qu'elle portait derrière la tête, afin de ne présenter au public qu'une façade impeccable. Juvénal raille joyeusement cette mode dans sa *Sixième Satire* :

> Que d'étages superposés, quelle architecture dans cet édifice dont elle charge et surcharge sa tête ! Vue de face, on la prendrait pour une Andromaque. Vue de dos, sa taille diminue, on dirait une autre femme[8].

Certaines femmes trouvaient un heureux compromis : elles se faisaient faire toute une collection de perruques pour diverses occasions. On dit que Faustine l'Ancienne, épouse de l'empereur Antonin le Pieux qui régna de 138 à 161, usa plus de trois cents perruques en dix-neuf ans. Nous avons la preuve qu'il était courant à l'époque de concevoir chaque buste de femme avec plusieurs perruques de marbre détachables, comme en témoigne un fragment de statue romaine aujourd'hui conservé au Getty Museum de Los Angeles.

Les hommes, eux aussi, se permettaient d'en porter. Caligula dissimulait ainsi son identité lorsqu'il rôdait la nuit dans les maisons closes. Pour les grands banquets et les grandes occasions, il se fixait également une fausse barbe d'or au menton. Cette couleur

---

8. Juvénal, *Satires*. Satire VI, v. 501-505, traduction de P. de Labriolle et F. Villeneuve, Paris, Les Belles Lettres, 1962.

était probablement choisie pour montrer sa richesse tout autant que son bon goût. Néron, méticuleux amateur de mode, qui n'apparaissait jamais en public sans que ses cheveux fussent coiffés avec art, les recouvrait de poussière d'or et de poudres colorées. L'empereur Commode, lui, portait une perruque huilée recouverte de copeaux d'or de bon augure, afin de créer le halo destiné à persuader le peuple de son caractère divin. Caracalla porta une perruque blonde pour se faire mieux accepter lorsqu'il visita un campement de Germains. Hadrien se faisait teindre et friser les cheveux, tout comme ses fils adoptifs, Lucius César et Lucius Verus. Plus tard, il dut porter une perruque pour cacher sa calvitie, et se fit teindre la barbe de la même couleur.

L'attrait croissant qu'éprouvaient les Romains, hommes et femmes, pour les cheveux blonds pourrait bien être lié à l'ascension sociale de Germains de plus en plus nombreux. Certains acquirent même un pouvoir considérable vers la fin de l'Empire. Depuis le premier siècle, c'était un flot ininterrompu de Germains qui se déversait sur Rome, dans le sillage des conquêtes militaires, pour travailler dans les domaines agricoles de toute la péninsule italique. Chaque victoire introduisait des individus nordiques toujours plus nombreux, comme esclaves, dans les foyers romains. Sous le règne des derniers empereurs, les Germains s'élevèrent jusqu'aux grades les plus élevés de l'armée, plusieurs devinrent consuls et quelques-uns furent même admis dans les cercles de l'aristocratie. Nombre de ces officiers furent des hommes brillants, à la noble allure, comme le consul Ricimer. Hommes du monde, raffinés, ils détenaient parfois une influence sociale considérable. Trois édits d'Honorius, par exemple, interdisent le port des pantalons longs, des manteaux de fourrure et les cheveux longs dans le style « barbare » (c'est-à-dire germanique) à l'intérieur de la ville. Il est donc évident que cette mode était très en vogue. Comme les nobles romaines étaient chaque jour plus nombreuses à découvrir le penchant de leur mari pour l'exotisme des esclaves blondes, elles se firent blondes, elles aussi. Avant de reprendre l'avantage sur ces esclaves, avec leurs extravagantes coiffures, leurs vêtements et leurs bijoux.

L'éclat de ce mode de vie ostentatoire, la débauche habituelle de nourriture et de boisson, la vanité, la morale laxiste et le caractère efféminé de toutes ces occupations contribuèrent à créer cette impression générale de dissolution de mœurs que dénoncèrent avec véhémence les moralistes et les premiers adeptes du christianisme, religion promise à un brillant avenir. Pour les prédicateurs, cette magnificence se comparait à une maladie contagieuse, une infâme dégénérescence qui ne pouvait aboutir qu'à gaspiller jusqu'au déclin les ressources matérielles et morales de Rome.

Au IIe siècle, certains s'en prirent même à Vénus et à son influence sur les femmes. Clément d'Alexandrie, féroce propagandiste, se fit son détracteur et la qualifia de « petite servante à l'esprit mal tourné ». Il réprimanda toutes les Romaines, et non plus seulement les prostituées, qui se soumettaient à son influence au point de teindre leurs cheveux ou de porter des perruques blondes. Clément d'Alexandrie considérait comme un danger majeur le fait que les femmes se teignent les cheveux et l'effet que cela produisait sur les hommes. Et pendant qu'il y était, il les compara aussi à des « singes maquillés ».

> L'ajout de cheveux d'une autre personne doit être entièrement rejeté, et c'est un sacrilège que de se couvrir la tête de faux cheveux et le crâne de boucles mortes [...]
> Sans le savoir, ces malheureuses gâchent leur beauté en y ajoutant ce qui est faux [...] Ainsi, déshonorent-elles leur Créateur, comme si la beauté qu'il leur a donnée n'était d'aucune valeur.

Pendant bien des siècles, toutes sortes de fanatiques écumants reprendront ces mêmes cris d'indignation, sans jamais produire le moindre effet.

Tertullien, autre prédicateur chrétien, défendit la cause de ces puritains dans son *De cultu feminarum (La Toilette des femmes)* au début du IIIe siècle. Il avait une aversion particulière pour les cheveux décolorés. « J'en vois également qui se teignent les cheveux au safran : elles rougissent même de leur nation, regrettant qu'on ne les ait pas fait naître en Germanie ou en Gaule. Ainsi changent-elles de patrie... par leurs cheveux ! » Quant aux perruques, Tertullien tonne contre de telles aberrations : « N'allez pas ajuster sur une tête sainte et chrétienne la dépouille d'une tête profane, peut-être impure ou peut-être coupable et vouée à l'enfer. D'ailleurs, chassez loin d'une tête libre tous ces embellissements qui vous asservissent[9]. »

Constantin le Grand, premier empereur chrétien, qui régna de 306 à 337, sensible au changement d'atmosphère, prépara son attaque contre la vieille mythologie païenne. Ses soldats jetèrent les statues à bas de leur piédestal et les sortirent des sanctuaires pour les exposer en pleine lumière. Le peuple les raillait en criant, alors qu'il s'attaquait à leurs ornements et, nous dit un partisan de Constantin, « exposait au regard toute cette disgracieuse réalité, qui avait été cachée sous des dehors peints[10] ». Les statues profanées, privées de leurs peintures, furent réduites à la blancheur nue du marbre. Des bras, des jambes, des nez furent arrachés, des corps furent mutilés. On ne laissa de ces élégantes beautés passées que les torses démembrés que nous voyons aujourd'hui dans les musées.

---

9. Tertullien, *De cultu feminarum*, II, 6, 1 et II, 7, 2. *La toilette des femmes*. Marie Turcan, trad. Paris, Éditions du Cerf, 1971.

10. Goeffrey Grigson, *The Goddess of Love*, Londres, 1976.

Pour les Pères de l'Église, la blonde Vénus dans sa nudité représentait le plus terrible démon, la forme la plus scandaleuse adoptée par les démons olympiens, exemple par excellence de l'odieuse immoralité des païens. On dut détruire des milliers de représentations de la déesse, symboles du passé honteux de Rome. Pourtant, c'était précisément cette déesse à l'érotisme torride qui devait, bien plus qu'aucune autre divinité ancienne, survivre à toutes les attaques, et ce pendant des siècles. Vénus allait trouver forme nouvelle et durable dans la chrétienté médié-vale, où sa chevelure à la blondeur abhorrée deviendrait un élé-ment essentiel de son pouvoir.

Chapitre 3

LE SAVON DU DÉMON

Quel que fût par ailleurs le trouble mélange de superstitions, de brigandage et de grandes épidémies qui, à certaines époques du Moyen Âge, s'abattit sur l'Europe, c'est au XIIIe siècle que l'Église connut sa crise la plus grave. Le peuple se rendait bien compte que les idéaux du christianisme n'avaient plus aucun rapport avec la réalité. Sa vie semblait osciller entre joie et désespoir, pieuse ferveur et désastres. De spectaculaires contrastes entre les tournois, les dames parfumées et les lépreux agitant leur crécelle devaient alors rendre la vie quotidienne palpitante et théâtrale. Les hommes d'Église, en revanche, devant ce bourbier spirituel, désespéraient de leur aptitude à exercer une quelconque influence. L'un des problèmes majeurs qu'ils rencontraient, c'étaient les femmes.

Ces clercs avaient peur des femmes. Et surtout de leur sexualité, dont l'un des principaux emblèmes était une cascade de cheveux blonds. Les femmes étaient toutes des sorcières à certains égards, disait-on. Nombre d'entre elles étaient de mèche avec le diable. Leur corps était une masse d'instincts animaux et leur esprit, un insatiable enfer. Chargées de tous les péchés du monde, fornicatrices impénitentes, elles ensorcelaient volontairement les hommes et les enflammaient par de viles ruses.

Au Moyen Âge, la plupart du temps, les femmes mûres et mariées devaient vivre sous les voiles dont les enveloppait l'autorité masculine. On s'imaginait qu'il suffisait d'apercevoir une mèche de cheveux dorés, une petite boucle à côté d'une oreille ou même le moindre reflet blond sur un front pour sentir s'allumer la fièvre du désir. Ce pouvoir de séduction était intimement lié à l'exaltation que procuraient la tentation et son déni. Tout comme à l'époque victorienne, où il suffisait à un homme d'apercevoir une jolie cheville sous des couches de jupons superposés pour être la proie d'un désir sexuel irrésistible, au Moyen Âge, la dissimulation presque totale des cheveux accentuait leur pouvoir érotique. Peur et fascination ne faisaient qu'un dans les chevelures blondes qui venaient hanter les rêves des hommes.

Partout en Angleterre, comme dans toute l'Europe, prédicateurs, prêtres et moines martelaient inlassablement le même message devant leurs ouailles : les femmes étaient des êtres diaboliques, de dangereuses créatures du Malin qu'il fallait tenir à l'écart et contrôler. Et personne ne devait en ignorer la cause : c'était le pouvoir de séduction exercé par les femmes qui leur attirait ces cruelles condamnations. Tous les dimanches, ils égrenaient en chaire le catalogue des vices féminins pour mieux les pourfendre. Ce goût scandaleux des femmes pour les modes diaboliques et les cosmétiques, leur habitude de se contempler dans des miroirs, d'user de teintures pour se décolorer les cheveux ou de porter des perruques blondes, tout cela apportait la preuve irréfutable de leur perfidie. Même les meilleurs des hommes n'étaient pas à l'abri de la tentation charnelle. Brunton, évêque de Rochester, le frère John Waldeby, du Yorkshire, John de Mirfield, de Saint Barthomolew à Smithfield, et d'autres grands virtuoses du prêche apocalyptique déclamèrent en chaire d'exceptionnels morceaux de bravoure à ce sujet. Ils fustigeaient toutes celles qui avaient pris l'habitude de modifier l'œuvre de Dieu en teignant leurs cheveux de couleurs artificielles et en appliquant sur leur visage le « savon du démon » (des cosmétiques). « Chacun sait, fulminait le moine bénédictin Robert Rypon pour mettre en garde ses ouailles avec une comparaison particulièrement frappante, comment les truies se frottent le groin dans l'ordure la plus infecte. Ainsi font les femmes impudentes qui frottent leur beauté dans l'ordure la plus infecte de la luxure... Il en est d'elles comme des vers qui brillent d'un éclat resplendissant pendant la nuit, mais qui, le jour, paraissent des plus vils[1]. » Pour être certain que personne ne le surpasserait, le dominicain John Bromyard, de Hereford, condamna les coiffures fantaisistes des femmes, leurs teintures et leurs perruques blondes en les comparant aux flammes de l'enfer. « Chacune d'entre elles est une étincelle du brasier infernal... si bien qu'en une seule journée, qu'elle passe à déambuler et à se pavaner en ville, une seule femme allume la flamme du désir chez, peut-être, une vingtaine de ceux qui l'ont regardée[2]... »

Saint Bernardin, prédicateur franciscain qui sillonnait l'Italie au début du XVe siècle, consacrait souvent ses sermons aux œuvres du diable qui, parfaitement au courant des modes, incitait les femmes à venir à la messe avec de faux cheveux blonds :

> Quelle vanité que la tienne, femme, toi qui t'ornes la tête d'une telle multitude de vanités. Rappelle-toi cette Tête divine devant laquelle tremblent les anges... Cette tête est couronnée d'épines alors que la tienne est ornée de joyaux. Ses cheveux sont souillés de sang, mais les tiens, ou plutôt ceux d'une autre, sont décolorés par artifice[3].

Saint Bernardin était un célèbre orateur, dont les prêches débordants d'énergie prenaient souvent la forme d'un dialogue improvisé avec ses auditeurs. L'annonce de son arrivée faisait sensation dans toutes les villes où il passait, et il y attirait des foules

---

1. Harleian Manuscript, 4854, fol. 177.

2. *Ibid.*, fol. 395.

3. A. Howell, *San Bernardino of Siena*, Londres, 1913.

venues des campagnes alentour. Attendus avec impatience, ses sermons bouleversaient les gens et provoquaient parfois de soudains accès de pénitence collective. Ses prêches attisaient une telle ferveur qu'ils étaient souvent suivis d'énormes bûchers, où l'on entassait ces masses de faux cheveux blonds, objets de l'ardent courroux ecclésiastique.

Ce thème de prêche misogyne et traditionnel se fondait sur une solide croyance en la culpabilité d'Ève, source de tous les maux féminins. Dès le haut Moyen Âge, la littérature avait fait d'elle un personnage perfide, dont l'Église s'était amplement servie pour essayer de jeter le discrédit sur la sexualité féminine et l'étouffer. Désobéissante, subversive, licencieuse et (ce qui était sans doute plus grave encore) belle, Ève était considérée comme l'ancêtre de toutes les femmes. Naturellement, grognaient les prédicateurs, ses descendantes avaient toutes hérité de cet affolant mélange de séduction et de traîtrise. La peur terrible que ressentaient les tout premiers chrétiens de Rome devant les comportements efféminés et la luxure des païens s'était amplifiée pour devenir crainte des pouvoirs de séduction féminins en général. Ultimes exemples de beauté et de tentation charnelle, Aphrodite et Vénus se retrouvaient dans le personnage d'Ève. Une fois encore, un signe très clair permettait de reconnaître la tentatrice : sa blondeur.

Ève est l'héroïne d'une histoire que les mots et les images ne cessèrent de raconter partout pendant tout le Moyen Âge. Elle apparaît au début du livre de la Genèse, qui relate les origines de l'humanité, la fondation d'une morale et d'un ordre social. Les Pères de l'Église, dans tous les monastères et les lieux de culte d'Europe, très curieux du texte, l'examinèrent mot à mot afin d'en clarifier le sens. Ils en conclurent logiquement que c'était Ève, la tentatrice, qui portait la plus grande responsabilité dans la Chute. Ils la considéraient aussi comme responsable de la forme humaine de la sexualité, de la culpabilité et du désenchantement qui s'y rattachait. Par concupiscence, Ève avait succombé à la tentation, c'était son goût pour le plaisir qui avait causé la perte de la grâce divine.

Vers la fin du XIVe siècle, les descriptions et les représentations d'Ève ne manquaient pas de la doter d'une cascade de cheveux blonds qui descendaient librement sur ses épaules, signe de reconnaissance de la diabolique tentatrice. En 1356, à San Gimignano, Bartolo di Fredi peint la naissance d'Ève, une pâle et sensuelle blonde émergeant de la cage thoracique d'Adam pendant son sommeil. Dans les années 1420, Masolino représente également ce splendide couple : Ève est encore sur le point de céder à la tentation, voluptueuse et séduisante, avec sa chevelure blonde délicatement tressée. Bien sûr, le réalisme n'était pas de mise, ces artistes peignaient des symboles. Mais ce sont leurs œuvres, renforcées par les sermons des prédicateurs, qui créèrent les images acceptées par la société dans son ensemble. En l'occurrence, le message était clair : la blondeur était à la fois belle et dangereuse, éternellement désirable et interdite.

Non que l'alphabétisation fût très répandue, surtout dans les couches sociales inférieures, mais pour les femmes qui savaient lire comme pour les autres, la grande majorité, qui connaissaient les textes à travers ce qu'elles entendaient à l'église, l'Ancien Testament fournissait maints exemples de récits pertinents et bien codés destinés à les remettre à leur place. Mais, si Ève était désignée comme l'archétype de la blonde perfide, Marie Madeleine, l'une de ses descendantes aux mœurs légères, n'était jamais bien loin derrière elle. Marie Madeleine elle aussi représentait ce mélange désormais classique de beauté féminine, de sexe et de péché. Elle se devait donc d'être blonde. Marie Madeleine, une des principales saintes de l'Église médiévale, mais aussi sa pénitente préférée, apparaît dans d'innombrables images et représentations pieuses de la vie de Jésus. On peut la voir sur les crucifixions et les résurrections, habituellement habillée de rouge. Sa blonde chevelure flotte sur ses épaules et elle lève les yeux vers le visage du Christ, ou bien, encore aguichante prostituée, se prosterne sans honte à ses pieds. Dans la *Crucifixion* de Masaccio qui date de 1426, l'effrontée s'agenouille au pied de la croix, levant les bras au ciel. Sa longue chevelure blonde se répand avec exubérance sur son manteau écarlate. Son ascension spirituelle, du vice à la sainteté, fascina tellement les fidèles qu'on la vit bientôt devenir l'héroïne d'une histoire particulière, et qu'on lui consacra vitraux, fresques, décorations d'autels, tableaux, miniatures et statues. Et, bien entendu, ses cheveux, toujours détachés, n'étaient jamais voilés. Elle exhibait ce qu'Eudes de Châteauroux put appeler le « bien le plus précieux des femmes ». Une fois encore, elle attirait les hommes et les effrayait en même temps. Dans leur esprit, les cheveux détachés d'une femme pubère étaient étroitement liés aux plaisirs de la chair. Quant à la peau de Marie Madeleine, entr'aperçue sous son abondante chevelure, c'était sans doute là l'image ambiguë et troublante qu'ils retenaient d'elle. C'est bien cette image qui s'est transmise à travers les sensuels tableaux du Titien, entre autres, et l'image que nous avons d'elle aujourd'hui encore.

Son histoire est une histoire de luxure. Ève était déjà incapable de maîtriser son penchant pour le plaisir, Marie Madeleine la rejoignit bientôt dans les rangs de ces personnages féminins qui affichaient leurs désirs charnels. Dans le climat de misogynie frénétique qui caractérisait le Moyen Âge, la luxure, la débauche, le vice étaient systématiquement incarnés par des femmes blondes. *L'Enfer*, une fresque de Taddeo di Bartolo datant de 1396 qui se trouve à San Gimignano dépeint la *lussuria* sous l'aspect d'une blonde lascive. Ses cheveux d'or s'enroulent autour de la queue de serpent d'un démon, tandis qu'un autre souffle des flammes au-dessus d'elle et qu'un autre encore la chatouille de façon très suggestive avec sa queue à tête de serpent.

Bromyard, le prédicateur dominicain de Hereford, était un détracteur invétéré de Marie Madeleine, cette dangereuse séductrice. Dans son anthologie de sermons, elle illustre le thème de la luxure, incarnant toute l'impureté des désirs sensuels et des plaisirs interdits. La fornication, pensait-il, était un crime typiquement féminin, et les femmes se servaient de leur beauté pour tenter les hommes. « Une belle femme est un temple édifié sur un égout[4] », déclarait-il pour avertir ses fidèles du danger qu'il y avait ne serait-ce qu'à les regarder. Pour surmonter ses pensées impures, il fallait fermer les yeux et s'occuper l'esprit avec de pieux sujets de méditation. La beauté, cet instrument du diable, se manifestait surtout à travers les attraits féminins, en particulier la chevelure. Et celles qui se teignaient les cheveux en blond le faisaient avec des arrière-pensées sexuelles. Le frère dominicain Thomas Cantimpre fulminait contre la vanité des femmes qui passaient des heures à soigner leurs cheveux, à l'image de la séduisante Marie Madeleine. Elles les lavaient, les peignaient et les décoloraient, disait-il, afin de « consumer d'affolement[5] » les hommes avec leur crinière. Pour faire bonne mesure, il faisait également cette réflexion répugnante : ces complexes coiffures et perruques de cheveux achetés étaient un paradis pour les vers, poux et autres bestioles. Ses paroles font écho à celles de Gilles d'Orléans, contemporain français de Bromyard, qui avait pris l'habitude de rappeler à ses ouailles que porter les perruques blondes alors en vogue, c'était porter les

---

4. Susan Haskins, *Mary Magdalen, Myth and Metaphor*, Londres, 1993.
5. *Ibid.*

cheveux de gens qui pouvaient bien, au moment même où il parlait, rôtir au purgatoire ou même en enfer. Il est impossible de savoir combien de tombes et de cadavres féminins furent profanés dans le seul but de voler des cheveux, mais, pendant des siècles, cette accusation fournit des arguments aux moralistes.

Cependant, il n'est guère surprenant que les femmes aient cherché à imiter la chevelure de Marie Madeleine, dans la mesure où les preuves de ses pouvoirs ne manquaient pas. En effet, ses magnifiques cheveux, qui effrayaient tant les clercs, lui avaient servi alternativement à séduire et à se repentir de ses péchés. Ce rideau d'or qu'elle avait préparé et soigné dans l'intention d'attirer les hommes, elle s'en servit aussi pour essuyer humblement les pieds du Christ. Dans le *Livre de la Passion* de la bibliothèque Vaticane, qui date de la fin du XIVᵉ siècle, une illustration légendée par « *Marie Magdaleine coppe ses cheveux et offrit contrition* » la montre en train de couper sa scandaleuse chevelure.

Pour les femmes du Moyen Âge, qui jouissaient de peu de liberté, les cheveux blonds devenaient le moyen inattendu, mais efficace, d'exercer une influence. Nombreuses devaient être celles qui aimaient se teindre les cheveux. Sinon, les clercs n'auraient pas eu besoin de tonner contre cette pratique dans leurs sermons. Ces attaques verbales se manifestèrent, par vagues, pendant des siècles, et des générations entières d'hommes d'Église employèrent tout leur talent et leur imagination à effrayer les femmes afin de les en détourner. Ils citaient fréquemment la Grande Prostituée de Babylone, toujours blonde, démon d'une malveillance extrême. L'une de ses représentations les plus anciennes et les plus somptueuses, qui figure dans un manuscrit enluminé de la fin du XIIᵉ siècle, l'*Hortus deliciarum*, la montre vêtue de parures, sa longue chevelure blonde flottant librement dans son dos. Incarnation de la luxure, du vice, de la tyrannie, de toutes les abominations et de toutes les obscénités, elle disparaît, léchée par les flammes éclatantes du purgatoire. Voilà la punition qui attendait celles qui seraient tentées d'utiliser l'artifice pour provoquer les hommes grâce aux attraits perfides de leurs cheveux d'or. On rédigea à l'usage des femmes bien des traités de savoir-vivre qui condamnaient ces comportements d'une abominable vanité sur lesquels pesait la menace d'un châtiment divin. On faisait circuler ces ouvrages et on en faisait la lecture à voix haute pour l'édification des analphabètes.

Mais la colère divine ne semble pas avoir eu l'effet dissuasif escompté. Les femmes oisives et aisées recelaient chez elles de vastes collections de cosmétiques et de produits de beauté avec lesquels elles commettaient leurs vains forfaits. Une femme assez privilégiée pour rendre visite à une dame dans ses appartements privés aurait sans doute dû se frayer d'abord un chemin dans la pénombre, jusqu'à un cabinet entièrement consacré aux plaisirs de la toilette, encombré de petites tables et de coffres débordants de précieux instruments de beauté. Dans le demi-jour, elle aurait aperçu une montagne de fers à friser, de petits miroirs mouchetés par le temps, appuyés contre des cassettes contenant de délicates pinces à épiler et des rasoirs menaçants. Peut-être aurait-elle vu également un cure-oreille d'ivoire ou d'os, tout comme des cure-dents de bois, et même un racloir à langue chez les plus méticuleuses. Voilà pour les instruments. Ensuite venaient les crèmes et les fards : peut-être un tas de petites boîtes d'où s'échappait un nuage de poudre, blanche pour le front et le nez, rouge pour les joues, sans oublier la farine qu'il fallait s'appliquer la nuit sur le visage et le cou. Et, tout au fond, dans leurs flacons bien rangés, les préparations pour la décoloration des cheveux, qu'on mélangeait chaque semaine dans un bassin de cuivre. La dame du Moyen Âge se lavait les cheveux à la soude caustique, un mélange d'eau et de cendre de bois. On pouvait aussi utiliser un composé savonneux de cendre de hêtre et de suif de bouc pour donner aux cheveux un blond « safran ». Parfois, on ajoutait un doigt de vin, avec plus d'espoir que de certitude scientifique, afin de renforcer la couleur et la brillance. *L'Ornement des dames*, écrit au XIIIᵉ siècle, donne une foule de remèdes pour la chute des cheveux et cinq recettes de teinture. L'une d'elles requiert « de l'herbane et de l'orpiment », c'est-à-dire de l'arsenic jaune. Une autre, fort renommée et sans doute efficace, puisqu'elle se transmit jusqu'à l'époque élisabéthaine, consiste en une sorte de salade vaudoue : « un quart de soude caustique, à base de cendres de sarments, de vigne blanche, de racines de chélidoine et de curcuma, de chaque, une demi-once ; safran et racines de lys, deux drachmes de chaque ; fleurs de molène, stechas jaune, genêt et sureau, une drachme de chaque. »

Se procurer les ingrédients, mélanger le tout et se baigner les cheveux pendant des heures dans cette mixture putride demandait beaucoup d'efforts. Aussi semble-t-il peu probable que toutes les femmes adultes et mariées aient couvert d'un voile ou d'une coiffe les cheveux qu'elles venaient de teindre. À l'église, il était d'usage qu'elles en portent toutes. D'ailleurs, les moines qui faisaient vœu de silence se passaient la main sur la tête, mimant un voile, pour signifier « une femme ». On peut néanmoins raisonnablement supposer que seules les femmes les plus dévotes et les plus ferventes gardaient la tête couverte du matin au soir. Il est également vraisemblable que rares étaient celles qui suivaient à la lettre les instructions des prédicateurs et avaient sur elles en permanence une pince à épiler destinée à enlever les cheveux assez audacieux pour dépasser de leur voile, sur le front ou sur la nuque.

Quant à celles qui se donnaient tant de mal pour faire blondir leur chevelure, elles ne devaient pas être mécontentes de découvrir que cela leur conférait des pouvoirs inattendus. La blondeur se trouvait en effet fréquemment mêlée à des histoires fantastiques et surnaturelles, équivalents médiévaux de nos légendes urbaines. Dans ces créations de l'imaginaire populaire, bien sûr violemment condamnées par l'Église, la blonde était la « victime » préférée d'un démon à la sexualité torride et surnaturelle, connu sous le nom d'incube. Chaucer mentionna ce phénomène, en remarquant avec espièglerie qu'on entendait beaucoup moins parler des incubes depuis qu'étaient apparus des groupes de moines itinérants. Un peu comme les représentants de commerce des années 1960, ces bienheureux moines vagabonds avaient la réputation de se précipiter dans le lit des femmes dont les époux étaient absents. L'Église ne pouvait pas, bien entendu, reconnaître un tel comportement chez ses clercs ; elle dut se résoudre à admettre l'existence d'être surnaturels, et à prétendre qu'il s'agissait de démons anthropomorphes. À l'époque où saint Thomas d'Aquin fulminait longuement contre eux, on considérait comme une hérésie de ne pas croire en leur existence.

La rumeur voulait que les blondes reçoivent plus fréquemment la visite d'incubes. Dans *Discoverie of Witchcraft* (*La Découverte de la sorcellerie*), une histoire écrite au XVe siècle, on trouve l'idée que les blondes, sûrement plus perfides que les autres femmes, devaient aussi s'amuser beaucoup plus que leurs sœurs. Le chapitre intitulé : « De l'évêque Sylvanus, de sa lubricité, découverte puis à nouveau cachée. De ce que les blondes sont plus importunées par les incubes » raconte l'histoire d'un incube qui entra dans le lit d'une dame et lui fit ardemment l'amour. La blonde dame cria assez fort pendant ces étreintes pour qu'on l'entende et qu'en volant à son secours on trouve un incube dissimulé sous son lit, sous l'apparence de l'évêque Sylvanus. Cette croyance en une séduction surnaturelle opérée par les cheveux blonds se prolongea assez pour qu'en 1650 John Bulwer cite dans son ouvrage *The Artificial Changeling* une parole de saint Paul : « Les femmes devraient se couvrir les cheveux, à cause des anges. » Et Bulwer d'expliquer : « Certains y ont compris : "à cause des mauvais anges", dont le désir ardent est, pensaient-ils, suscité et enflammé par la beauté des cheveux des femmes. D'où vient que les incubes sont plus entreprenants et plus prompts à l'attaque avec les femmes qui ont une chevelure blonde[6]. » Il est probable que le mythe des incubes a non seulement provoqué une augmentation de la demande de teintures, mais aussi encouragé l'Église dans ses condamnations hystériques du charme scandaleux des blondes. Pourtant, elle était en train de développer un nouveau symbolisme et un nouveau vocabulaire de la blondeur. Paradoxalement, c'est l'Église elle-même qui devait en faire un sortilège plus puissant et plus durable encore.

---

6. John Bulwer, *The Artificial Changeling*, Londres, 1650.

Chapitre 4

UNE FEMME EN OR

Les cheveux blonds et l'attirance sexuelle étaient indissolublement liés. Dans le monde païen, Aphrodite puis Vénus déterminèrent les canons de la beauté et de la sexualité. Ève puis Marie Madeleine, dans le rôle des mauvaises filles types, dont l'attitude suscitait une imitation méfiante, voire un culte ou une adoration, vinrent ajouter à ce mélange un nouveau parfum de scandale et de traîtrise. Pourtant, malgré ce puissant signal sexuel, incontrôlable, que représentaient pour l'Église les cheveux blonds, elle disposait d'un parangon de blondeur que sa vie et sa nature mêmes abritaient de tout soupçon, que sa suprême puissance transformait en contre-exemple, et dont la chevelure ne signalait plus qu'une exquise pureté. Si Ève et Marie Madeleine constituaient les blonds archétypes du vice, la Vierge Marie, Sainte Mère de Dieu et reine des Cieux, une fois dévoilée, vers le XIVe siècle, devint un blond pilier de vertu.

À l'opposé de ces dévergondées et de leurs filles humaines, qui évoquaient la mort et la damnation, Marie travaillait en faveur de la rédemption pour faire don aux hommes du salut et de la vie éternelle. Marie était en tout point parfaite. Elle se caractérisait en particulier par une totale absence de désir charnel. Non seulement elle avait été conçue sans péché, par intervention divine, mais sa pureté avait également été préservée par la naissance miraculeuse de Jésus. La Vierge Marie était tout ce que Marie Madeleine n'était pas. Elle était sainte et sans tache, modeste et humble. Elle n'essayait pas d'aguicher les hommes avec des fanfreluches à la dernière mode. Par opposition à Ève et à Marie Madeleine, dans la plupart de ses représentations pieuses les plus anciennes, elle porte un voile sobre. Gilles d'Orléans, en 1350, avait déjà bien précisé en chaire que jamais la Vierge Marie, cette chaste femme, n'aurait imaginé porter ceintures de soie ou autres parures, ni teindre et exhiber ses cheveux à la façon des Parisiennes à la mode. Pour insister sur le fait qu'elle était admirablement exempte des péchés de la mode, certains peintres la représentaient même brune...

Mais Marie elle-même devait succomber au charme des cheveux blonds et réapparaître avec une éblouissante coiffure, d'un tout autre genre il est vrai. Ce changement s'opéra au XIVe siècle, lorsque la nouvelle des visions, fort picturales, de sainte Brigitte se répandit dans toute l'Europe et commença à influencer les représentations de la Vierge Marie. Brigitte, qui naquit en Suède en 1303, fonda l'ordre des brigittins et passa la plus grande partie de sa vie en Italie, à faire le tour des lieux de pèlerinage, à soigner les pauvres et à réaliser ces guérisons inexplicables nécessaires à une canonisation posthume. Ses visions, transcrites en suédois puis traduites en latin, la rendirent célèbre de son vivant. Mais, à mesure que son culte se répandait, ses récits furent traduits dans la plupart des langues européennes (il en subsiste plus de cent cinquante exemplaires en latin dans le monde et son ouvrage est fréquemment mentionné dans les testaments du XVe siècle). Quelques dizaines d'années après sa mort en 1373, ses visions étaient devenues un grand classique de la littérature dévote. Sainte Brigitte fut canonisée en 1391, pour avoir mené une existence vertueuse, fondé un ordre monastique, secouru les pauvres et les malades, et aidé les pèlerins.

Mais ce furent ses visions qui séduisirent l'imagination populaire. Les plus vivantes et les plus imagées sont sans doute celles de la Vierge Marie. Ces hymnes louent sa beauté et mentionnent bien ses longs cheveux blonds, aussi lumineux que le soleil, flottant librement sur ses épaules.

On considère sa vision de la Nativité comme particulièrement importante, car il est frappant de voir à quel point elle diffère des représentations alors traditionnelles de la scène. L'original en latin donne ainsi une longue description détaillée :

> Je vis une vierge d'une grande beauté... enveloppée d'un manteau blanc et d'une tunique délicate, à travers laquelle je pouvais apercevoir distinctement son corps virginal... À ses côtés se tenait un vieil homme d'une grande honnêteté et, avec eux, ils emmenaient un bœuf et un âne... Alors, la vierge ôta ses chaussures, ouvrit le manteau blanc qui l'enveloppait, ôta le voile qui lui couvrait la tête, le déposa à côté d'elle et resta ainsi, dans sa seule tunique, avec ses longs cheveux d'or qui lui tombaient librement sur les épaules[1].

Et la vision continue, avec Marie agenouillée, comme pour prier, au moment de la naissance de Jésus, et non allongée comme on avait coutume de la représenter jusqu'alors. Certains historiens de l'art pensent que les visions de sainte Brigitte ont révolutionné l'iconographie chrétienne de la Nativité. Désormais, d'abord en Italie, puis dans toute l'Europe, la scène qui montrait Marie allongée dans l'étable fut remplacée par celle où la Vierge est agenouillée, comme en adoration devant le nouveau-né, à l'extérieur de l'étable, devant la porte. Les artistes adoptèrent également ces extraordinaires cheveux blonds auxquels on doit quelques-unes des plus sublimes représentations de la Vierge au XIVe et au XVe siècle.

Grâce à la nouvelle chevelure de Marie et des anges qui l'accompagnaient, la blondeur se vit conférer un symbolisme alors inédit.

---

1. Sainte Brigitte, *Révélations*, VII, 21.

Pour la Vierge, elle devenait l'ultime symbole d'une beauté et d'une pureté transcendantes. L'exquise vierge blonde et ses anges, les célestes messagers de Dieu, se situaient bien au-dessus des humbles mortels. Aux yeux de l'Église, leur culte était donc parfaitement légitime.

Sans que les contemporains en fussent conscients, la blonde chevelure de Marie, devenue symbole de pureté, fut la première manifestation d'une ambivalence de la blondeur qui tourmenta et intrigua hommes et femmes pendant des centaines d'années. Dévoiler Marie, c'était dévoiler cette dangereuse ambiguïté des cheveux blonds, qui pouvaient tout aussi bien être le signe d'une beauté immaculée, innocente et incorruptible (puisque nulle ne surpassait la Vierge Marie en sa divine beauté) que le signe d'un désir de séduire manifesté par d'avides manipulatrices aussi perfides et rusées qu'Ève et Marie Madeleine. Dans ces conditions, le contexte revêtait une importance capitale et il fournissait en général des indices assez clairs. Ainsi, les deux types de blondes sont représentés sur un tableau du Maître de la Madone Straus intitulé *Vierge à l'Enfant* trônant avec anges et saints. Ève, habillée d'un voile diaphane, est allongée au pied du trône où siège une Vierge Marie superbe et hautaine. La chevelure d'Ève se répand en abondantes cascades sur ses épaules et indique ses seins de façon assez suggestive. Celle de Marie, d'un blond tout aussi éclatant, reste cependant plus sobre et en partie voilée. Le symbolisme divergent de la blondeur est ici évident, mais cela ne devait pas toujours être le cas. Au cours des siècles suivants, toutes sortes de blonds apprendront à utiliser cette ambivalence à leur avantage.

À cette époque, l'engouement esthétique pour les cheveux blonds, qu'ils fussent miel, or, ambre ou safran, provenait du goût contemporain pour la lumière et la couleur. C'était une réaction spontanée au spectacle de la beauté, pure et simple, qui s'exprimait dans les tableaux, les miniatures, les fresques, la prose et la poésie de ce temps. Un poète du XVᵉ siècle, Olivier de La Marche, s'émerveillant de la beauté des reflets du soleil sur des cheveux dorés, se plaît à évoquer ce fantasme érotique. Quant à Baldwin de Canterbury, il s'étend sur le plaisir esthétique que lui procurent de brillantes tresses d'une épaisseur exceptionnelle. Ce plaisir des couleurs vives était en rapport avec la lumière et ils trouvaient ensemble leur expression la plus éblouissante dans les vitraux des cathédrales gothiques. Les gens du commun, à cette époque, semblent avoir été enchantés par la lumière et la clarté, par l'éclat du jour, du soleil et même du feu. Ils se représentaient souvent Dieu dans son extatique beauté comme une brillante lumière dorée. La lumière et le décor des églises étaient faits pour exalter d'humbles esprits, relever la fade vie des petites gens et la rendre supportable en suscitant l'espoir d'un autre monde. Ils produisaient un effet comparable à celui du cinéma à une autre époque. Les blondes lumineuses de l'Église médiévale furent les premiers avatars de ces déesses hollywoodiennes qui attendront les années 1930 pour apparaître sur les écrans.

Les artistes du Moyen Âge suivaient donc des règles iconographiques qui faisaient de l'or la couleur du sacré[2]. On peignait les saints personnages sur un fond doré, avec une autre nuance pour la chevelure souvent abondante qui couronnait leur tête. La théorie esthétique de l'époque voulait que les figures fussent plus lumineuses sur cet intense fond doré. Plusieurs théories optiques se trouvaient en vive concurrence et de nombreux artistes étaient convaincus qu'un fond doré, qui ne représentait

---

2. L'or étant la couleur la plus chère qui se pouvait trouver, c'était tout naturellement celle que l'on choisissait pour honorer Dieu, mais aussi tous les personnages célestes.

rien de concret, affermissait les contours et rendait les personnages presque tangibles. Tout le monde s'accordait à dire que cette aura dorée avait un pouvoir considérable sur l'imagination des gens du commun et qu'elle exerçait sur eux une grande influence. Pour les clercs qui se préoccupaient d'inspirer au peuple un respect mêlé de crainte, ces analyses revêtaient une importance particulière.

Des foules d'anges, toujours blonds, venaient rehausser la symbolique blondeur de l'immaculée Marie. Les anges n'avaient pas de sexe et, par conséquent, ils étaient purs, et représentés sous les traits de jeunes gens innocents. Des centaines de milliers d'anges prirent forme sous le pinceau des artistes médiévaux. Certains, comme ceux de Fra Angelico, sont des créatures d'une grâce exquise. Sur le célèbre diptyque Wilton, œuvre d'un anonyme vers 1395, les anges, d'une sublime beauté céleste, sont gratifiés de pâles boucles dorées, retenues par des couronnes de fleurs bleues et blanches.

Globalement, les anges connurent un immense succès populaire au Moyen Âge. C'est au cours du XIIIe siècle qu'ils se multiplièrent, si l'on peut dire. On en compta quelque trois cents millions, ce qui préludait à une sorte d'obsession des anges. On pensait en effet qu'ils gouvernaient non seulement les sept planètes, les quatre saisons, les mois de l'année et les jours de la semaine, mais aussi les heures du jour et de la nuit. La tradition voulant que chaque brin d'herbe ait son ange gardien – qui l'incitait à pousser – présidait également à une prolifération vertigineuse de blonds, là-haut, dans les cieux.

L'archange Gabriel est presque toujours représenté avec une chevelure d'un blond éclatant. Sur les panneaux extérieurs du triptyque de *L'Adoration des mages* de Stephan Lochner, datant de 1445, figure une *Annonciation* qui nous montre un Gabriel d'une blondeur chatoyante apportant son message à une Vierge Marie tout aussi rayonnante. Leurs longues chevelures dorées ondulées symbolisent leur pureté et leur sainteté.

Bien souvent, les cheveux et les auréoles de ces êtres célestes étaient vraiment dorés, peints à la feuille d'or. L'or était martelé et battu, réduit en feuilles délicates, extrêmement fines, si minces que le moindre souffle pouvait les emporter et les disperser en particules presque imperceptibles. Il était très difficile d'appliquer ces feuilles sur les tableaux. Il fallait les lisser millimètre par millimètre, avant de les maintenir en place à l'aide d'un fixatif. À cette époque, la fascination pour l'éclat des cheveux blonds dérivait en partie d'une obsession pour l'or, suprême objet du désir. Les ressemblances étaient en effet importantes. Comme les cheveux, l'or est extrêmement malléable. On peut le chauffer, l'étirer, le marteler, le recuire, le ciseler et le faire onduler sans jamais ternir son lustre. Il résiste à l'oxydation et à la corrosion et ne perd jamais ses reflets étincelants. Un gramme d'or peut être étiré en un fil d'environ trois kilomètres de long et, selon Pline, il suffit d'une once d'or pour obtenir 750 fines feuilles de plané de 10,2 centimètres chacune. L'ardent pouvoir de l'or venait, pensait-on, de sa pureté, tout comme celui de la Sainte Vierge et, dans l'Antiquité, celui d'Aphrodite, dont la pureté éclatante était, nous dit Sapho, exempte de toute souillure.

L'abbesse Hildegarde, fondatrice du monastère bénédictin d'Eldbingen, mystique et prédicatrice du XIIᵉ siècle, a longuement développé dans ses écrits les pouvoirs et les propriétés thérapeutiques de l'or. Aux yeux des gens ordinaires qui eurent vent de ses visions et de son enseignement à travers des morceaux choisis, elle contribua à amplifier encore la fascination spirituelle et esthétique exercée par ce métal. L'or est chaud et d'une nature comparable à celle du soleil, écrit-elle dans son traité intitulé *Physica*. Quiconque souffre de *Virgichtiget* (peut-être l'arthrite) devrait réduire en poudre un morceau d'or, y ajouter de la farine et de l'eau, pétrir cette pâte et la faire cuire pour la consommer le matin à jeun. L'or, pensait-elle, pouvait même guérir les sourds : « Préparer une pâte avec de la poussière d'or et de la farine très fine et en introduire une petite quantité dans les oreilles. La chaleur passera dans l'oreille et, s'il le fait assez souvent, [le sourd] recouvrera l'ouïe. » Sinon, il aura payé le prix fort pour se boucher définitivement les oreilles.

Visionnaire reconnue, célèbre pour ses dénonciations d'évêques et d'empereurs, Hildegarde fut l'une des grandes autodidactes de l'histoire. Elle se saisissait avidement de tout ce qui passait à sa portée, des commentaires bibliques aux traductions de traités médicaux arabes, empruntés à ses amis religieux. Elle fit des incursions dans les domaines de la médecine, de la musique et de l'astronomie, mais ce sont probablement ses visions qui la rendirent célèbres. Dans les apparitions dont elle fut témoin, la lumière dorée s'impose comme métaphore première de la réalité spirituelle. Les tableaux peints pour répandre la nouvelle de ses visions attribuent souvent des cheveux d'or aux personnages associés à l'Église.

Quant à la chevelure d'Hildegarde elle-même, elle nous est cachée par son voile de nonne et obscurcie par le passage du temps. Cependant, un exemplaire du livre de ses visions daté de 1175 comporte une des plus anciennes représentations de la sainte, sans voile, qui nous soit parvenue. Elle montre une femme vêtue de rouge sombre, avec une longue chevelure blonde ondoyante, et entourée de huit vierges blondes. Un bois gravé provenant de Nuremberg, coloré à la main en 1493 (c'est-à-dire trois cents ans après la date présumée de sa mort), montre une jeune femme vêtue d'un habit de nonne tenant à la main un roseau tandis qu'une abondante chevelure dorée descend en cascade sur ses épaules.

Quelle que fût sa couleur véritable, la chevelure d'Hildegarde possédait des vertus curatives. En tant que mystique attirant des foules venues de France et d'Allemagne, qui se pressaient pour recevoir sa bénédiction, la sainte acquit en quelque sorte une réputation de thaumaturge.

Le moine Theodoric d'Eternacht, ultime éditeur de la biographie d'Hildegarde, explique dans sa *Vita* que, lorsqu'on appliquait une petite boucle de ses cheveux à un malade quel qu'il fût, il recouvrait la santé. Par exemple, on donna une tresse d'Hildegarde à la femme d'un mayeur de Bingen en proie aux douleurs de l'enfantement. Une fois qu'elle en eut ceint sa taille nue, « l'accouchement se déroula avec bonheur et la mort fut éloignée d'elle ». Il rapporte qu'Henry, chanoine de Bingen, déclara sous serment avoir appliqué des cheveux de la bienheureuse Hildegarde à deux femmes malades, qui furent immédiatement délivrées du démon. Pendant les années qu'Hildegarde passa à voyager à travers son pays en tant que mystique, beaucoup de miracles, de guérisons subites et de prouesses inexplicables s'accomplirent grâce à sa chevelure.

Au Moyen Âge, les populations d'Europe du Nord avaient de nombreuses raisons d'accorder une importance particulière à la blondeur. Associée à tous les vices, elle dénotait, leur disait-on, la luxure et la lubricité, la faiblesse et la paresse. Mais la blondeur était aussi considérée comme un attribut particulier, puissant, sacré et presque surnaturel. Chez les femmes, c'était le critère suprême de la beauté. De plus, les cheveux blonds en eux-mêmes étaient devenus une monnaie d'échange, une marchandise désirable, surtout au Proche-Orient et dans le monde arabe, où leur rareté garantissait une demande constante. Les croisades jouèrent un rôle prépondérant dans cette commercialisation de la blondeur, créant au Levant un négoce fructueux pour les Européennes blondes de petite vertu qui avaient le sens des affaires. Des milliers de femmes firent le voyage vers les pays musulmans pour suivre et soutenir les armées. Voici la pittoresque description que livre Imad ad-Din, chroniqueur arabe du XIIe siècle, des passagères arrivant par bateaux entiers pour servir les croisés :

> Sur un navire arrivèrent trois cents belles femmes franques ornées de leur jeunesse et de leur beauté, qui provenaient d'outre-mer et s'étaient offertes à commettre le péché. Elles s'étaient expatriées pour venir en aide à ceux qui se battaient loin de la patrie, pour rendre heureux les malheureux. Elles collaboraient réciproquement à apporter aide et secours, et brûlaient du désir d'accomplir l'union charnelle. C'étaient toutes des fornicatrices effrénées, orgueilleuses et moqueuses, qui prenaient et donnaient la chair solide, qui péchaient, chantaient et jouaient les coquettes, qui se montraient en public, superbes, fougueuses et enflammées teintes et fardées [...] amoureuses ou mercenaires, entreprenantes et ardentes ou amantes passionnées, pudiques et effrontées [...] les yeux bleus ou les yeux gris, simplettes ou à bout de ressources[3].

Ces femmes d'Europe du Nord, à la peau claire et aux cheveux probablement teints, connues des Byzantins et des Sarrasins sous le nom de Franques, ressortaient sans doute de façon spectaculaire parmi les foules basanées aux cheveux noirs des pays arabes, ce qui augmentait leur pouvoir de séduction et, sans nul doute, faisait grimper leurs prix.

---

3. Gabrielli, Franco, *Chroniques arabes des Croisades*, d'après la traduction de Viviana Pâques, Paris, Actes Sud, Sindbad, 1996, p. 230.

Non que l'Europe ignorât la traite des femmes. Les marchands de chevaux et autres commerçants itinérants qui vivaient en marge des structures sociales avaient longtemps exercé ces activités secondaires. Au début du Moyen Âge, ils organisaient la vente de jeunes femmes blondes en Europe de l'Est et au-delà. Plus les cheveux étaient blonds, plus les prix étaient élevés. Un juif espagnol converti à l'islam, Ibrahim Ibn Jaqub, nous a laissé un récit de son périple à travers la Bohême, l'Europe centrale et les pays baltes à la fin du Xe siècle, récit qui montre que l'un des buts de son voyage était d'acheter des prisonnières blondes capturées par les tribus baltes lors de leurs batailles contre les Germains. De tels récits sont difficiles à vérifier, car les chrétiens accusaient souvent les infidèles de se livrer au trafic des femmes et dénonçaient, en général, les marchands arabes comme les ultimes acheteurs pour qui travaillaient les intermédiaires.

Le pouvoir de séduction exercé par les blondes, à la fois symboles de beauté immaculée et démons sexuellement attirants, fit plus que perdurer à travers tout le Moyen Âge. Il est indéniable qu'il s'amplifia, à la fois en raison du magnétisme divin exercé par la figure de la Vierge Marie et des invectives misogynes que proférèrent pendant plusieurs siècles les clercs de l'Église.

Cependant, une autre figure fantasmatique de blonde devait émerger, imposante, au Moyen Âge. Elle allait profondément influencer la sensibilité de l'élite intellectuelle et colorer de façon vive et tenace les arts, la littérature et la poésie des siècles qui suivirent. Le culte de la chevalerie, qui se développa à la fin du XIIe siècle, glorifiait, entre autres, la vénération de la noble dame, après des siècles de répression de la féminité. La chevalerie et l'amour courtois firent usage de la passion amoureuse pour masquer l'infériorité supposée des femmes ; et, pour la première fois depuis des siècles, des œuvres d'art et des chansons de geste furent adressées à de grandes dames. On plaça les femmes sur un piédestal pour célébrer leur beauté. L'idéal chevaleresque qui codifiait l'adoration de la gente dame la rapprochait de la divinité. Ces grandes dames devinrent l'unique source d'inspiration de tous les romans d'amour courtois et l'objet de toutes les dévotions. C'était pour elles que l'on accomplissait tous les exploits. Leurs désirs étaient des ordres.

La blondeur constituait un élément essentiel du code de beauté féminine profane, que l'on retrouve dans les chansons de geste. Vaillants chevaliers, poètes et troubadours célébraient leur amour des blondes en leur donnant d'ardentes sérénades. Des plumes des amants passionnés jaillirent d'innombrables poèmes, chansons et romans, pleins d'héroïnes aux cheveux d'or. Bientôt, la blondeur de ces beautés profanes fut officiellement adorée, au grand dam de l'Église[4].

Pendant ce temps, des groupes de troubadours errants parcouraient les campagnes en quête d'aventures amoureuses, une tradition originaire de Provence qui allait se répandre ensuite dans toute l'Europe. Ils se produisaient dans les châteaux de puissants seigneurs, dont ils déclaraient aimer les épouses ou les filles. Chevaliers servants, ils répondaient au moindre désir de ces dames. Les troubadours étaient souvent les fils cadets de familles aristocratiques dont le père avait refusé d'arranger le mariage pour éviter le partage des terres familiales.

Ils s'engageaient à servir les belles dames de la maison de leur suzerain, se livrant avec elles à des jeux sophistiqués de séduction

---

4. Certains historiens pensent que l'Église, incapable de réprimer le mouvement florissant de l'amour courtois, s'appropria par la suite ses images, y compris le culte de la blondeur, pour l'incorporer au culte de la Vierge Marie afin de capter et de retenir les dévotions.

et de coquetterie, et s'adonnant même souvent à des liaisons sur lesquelles on fermait plus ou moins les yeux. Nombre d'entre eux exprimaient leurs aspirations dans de sensuels poèmes lyriques, louaient avec raffinement l'objet de leur passion, tout en masquant galamment son identité, la plupart du temps. Arnaud Daniel, poète du Périgord, qui écrivit au XIIᵉ siècle, évoque ardemment l'objet idéalisé de sa blonde passion :

> J'entends et j'offre mille messes et je brûle flamme de cire et d'huile à cette intention que Dieu me donne bonne réussite avec elle contre qui toute défense m'est inutile. Et quand je contemple sa chevelure blonde, son corps joyeux, svelte et neuf, je l'aime mieux que si l'on me donnait Lucerne[5].

Quant à cette chanson allemande du XIIIᵉ siècle, elle fait l'éloge de la longue chevelure d'un blond pâle comme élément essentiel de la beauté féminine :

> Où vit jamais œil mortel plus belles joues offertes ?
> Blanches comme le lys et, sans mensonge, prouesse doucement façonnée.
> Longs, pâles et dorés ses cheveux, si sa chevelure et la mienne étaient tout mon royaume, à nul autre je n'en céderais part.

Romans de chevalerie et longs poèmes lyriques d'amour courtois permettaient à la classe supérieure de s'évader de la réalité (les nobles dames ou seigneurs qui ne savaient pas lire écoutaient les récits des troubadours), et leur héroïne était souvent une blonde séductrice.

---

5. A. Janroy (dir.), *Anthologie des troubadours, XIIᵉ-XIIIᵉ siècles*, traduction de J. Boelke, Paris, Nizet, 1974, p. 73

Elle apparaît dans le rôle d'Iseult, au XIIe siècle, dans le *Roman de Tristan et Iseult*, la blonde « reine à la chevelure d'or » dont le charme était si puissant qu'elle reparaîtra des siècles plus tard dans l'opéra de Wagner *Tristan et Isolde*. Figure emblématique de la féminité, Iseult était la plus belle femme « d'ici jusqu'aux Marches d'Espagne ». Elle avait les yeux clairs, le visage rayonnant et pour couronner le tout ce suprême atout de séduction, une cascade de cheveux dorés. Cousue dans la chemise de Tristan comme talisman, une mèche de ses cheveux inspire au jeune homme le courage d'entreprendre un périlleux voyage et d'affronter de terribles dragons pour rejoindre Iseult.

Chrétien de Troyes, l'un des maîtres incontestés de l'amour courtois et du roman de chevalerie, utilisa souvent les cheveux blonds. Il en fit même un élément essentiel de ses *Romans de la Table ronde*, composés à la fin du XIIe siècle : *Érec et Énide, Cligès, Le Chevalier à la charrette, Le Chevalier au lion* et *Perceval ou Le Conte du Graal*. Naturellement, Guenièvre est blonde, et ses nombreux admirateurs gardent une mèche de ses cheveux dans un médaillon contre leur cœur. Dans une de ces histoires, Lancelot trouve au hasard de ses pérégrinations un peigne d'ivoire doré oublié au bord d'une route. Quelques cheveux blonds y sont restés emmêlés. Lorsqu'on lui révèle que le peigne et les cheveux appartiennent à la reine Guenièvre, il s'évanouit. Le texte de Chrétien de Troyes semble alors sombrer, lui aussi, dans une blonde démence :

> Jamais personne ne verra de ses yeux accorder tant d'honneur à une chose, car il leur voue une adoration. Il les porte bien cent mille fois à ses yeux et à sa bouche, à son front et à son visage ! Il en tire toutes les joies : en eux, son bonheur, en eux, sa richesse ! Il les serre sur sa poitrine, près du cœur, entre sa chemise et sa peau. Il ne voudrait pas avoir à la place un char entier d'émeraudes

et d'escarboucles. Il se jugeait désormais à l'abri de toute infection ou de tout autre mal. Le voici qui méprise la poudre de perles, l'archontique, la thériaque et tout autre saint Martin ou saint Jacques ! Il n'a plus besoin de leur aide, tant il a foi en ces cheveux. Avaient-ils donc, ces cheveux, une qualité spéciale ? Si j'en dis la vérité, on me tiendra pour un menteur et pour un fou. Imaginez la foire du lendit, quand elle bat son plein à l'heure où il y a le plus de richesses ; lui donnerait-on le tout, le chevalier n'en voudrait pas, rien n'est plus certain, s'il fallait pour cela qu'il n'eût pas trouvé ces cheveux ! Vous exigez de moi la vérité ? Eh bien, l'or qu'on aurait cent mille fois affiné et après chaque passe, autant de fois recuit serait plus obscur que n'est la nuit auprès du plus beau jour d'été que nous ayons eu de toute cette année, si on les mettait côte à côte, sous nos yeux, l'or et les cheveux[6].

Un autre roman de Chrétien de Troyes, *Cligès*, fait l'éloge de la blonde chevelure d'une demoiselle à la majestueuse beauté qui répond au nom de Soredamors. Elle coud un de ses cheveux dans une chemise qu'elle offre à son vaillant héros, Alexandre. Quand la reine lui révèle la vérité sur Sordamors et la chemise,

[...] en contemplant le cheveu, il se retient à grand-peine de l'adorer en s'inclinant. Ses compagnons et la reine qui se trouvaient là avec lui le font souffrir et le contrarient, car, pour eux, il s'abstient de le porter à ses yeux et à sa bouche, ce qu'il aurait volontiers fait s'il n'avait pensé qu'on le vît. En avoir autant de son amie fait sa joie, mais il ne pense ni n'espère avoir jamais autre chose d'elle. Son désir le remplit de crainte, mais dès qu'il en a le loisir, il le baise plus de cent mille fois, en revenant de chez la reine. Il est

---

6. Chrétien de Troyes, *Romans de la Table ronde, Le Chevalier à la charrette*, J.-M. Fritz, C. Méla, O. Collet, C. Blons-Pierre, D. Hult, traduction de Paris, Le livre de Poche classique, 2002, p. 182.

né, se dit-il, sous une bonne étoile. Mais il prend bien garde de n'être vu. Il ressent toute la nuit une immense joie une fois couché dans son lit. Il fait ses délices, bien vains, et sa joie, d'un objet où il n'y en a point. Toute la nuit, il embrasse la chemise et quand il contemple le cheveu, il se croit maître du monde. Amour fait d'un sage un fou quand celui-ci est heureux d'un cheveu et qu'il en tire un pareil plaisir[7].

L'une des œuvres les plus célèbres du Moyen Âge fut sans aucun doute le *Roman de la Rose*, ce long poème d'amour allégorique, écrit au XIIIe siècle par deux auteurs, Guillaume de Lorris et Jean de Meung. Pendant les trois siècles qui suivirent sa composition, il fut l'une des œuvres de langue française les plus lues. Et comme le français était aussi la langue de la cour d'Angleterre, il y trouva également un public important. Les blondes héroïnes du *Roman de la Rose*, figures fantasmatiques de l'amour et de la séduction, se rattachent aux personnages d'Ève ou de Vénus à travers un symbolisme très sophistiqué. À cette époque, elles représentaient le *nec plus ultra* du pouvoir des blondes.

Vers le début de l'histoire, le héros rencontre une belle jeune femme qui garde l'entrée d'un jardin, charmant mais inaccessible. Elle a « des cheveux blonds comme un bassin de cuivre, une chair plus blanche qu'un poussin, le front luisant, les sourcils fournis ». Des vers et des vers d'éloges exaltés tentent de rendre justice à ses grands yeux bleu-gris, à son nez droit, à sa douce haleine, à la fossette de son menton, à la blancheur neigeuse de sa gorge, et ainsi de suite. Sur la tête, elle porte une couronne de roses, attribut des adeptes de Vénus. Dans une main elle tient un miroir et un peigne,

7. *Ibid.*, p. 303-304.

emblèmes traditionnels de l'allégorie de la « luxure ». « Une fois qu'elle s'était bien peignée, qu'elle avait mis ses parures et ses atours, elle avait accompli sa journée... "Ceux qui me connaissent, dit-elle, m'appellent Oiseuse. Je suis une femme riche et puissante et il n'y a qu'une seule chose qui me donne du bon temps, car je ne me consacre à rien d'autre qu'à jouer et à m'amuser, à peigner mes cheveux et à en faire des tresses. » Bientôt, Oiseuse laisse entrer le héros dans son jardin. « Sachez que je m'imaginai pour de vrai être en paradis terrestre », dit-il. Plus tard, il y rencontre Liesse, autre parangon de beauté. « Elle avait un front blanc, lisse et sans rides, les sourcils bruns et arqués, les yeux gais et si enjoués, qu'ils avaient avec la petite bouche un pacte pour rire toujours les premiers... elle avait une chevelure blonde et brillante. Que vous dire pour continuer ma description ? Elle était belle et bien parée, avec ses cheveux galonnés d'un fil d'or.[8] »

À la fin de l'histoire, le héros regrette sa faiblesse pour les blondes : « Il est insensé, celui qui s'acoquine avec Oiseuse : sa fréquentation est par trop périlleuse, elle a trahi et trompé. Amour ne t'aurait jamais vu si Oiseuse ne t'avait conduit dans le beau verger qui appartient à Déduit. » La fin de ce long poème avance la théorie bien connue que les femmes utilisent leurs appas pour piéger les hommes. Si une femme ne possède pas de séduisante chevelure blonde, elle trouvera de faux cheveux, de la soie blonde ou les « *cheveux de quelque fame morte* » dont elle tissera ses charmes.

Toutes ces histoires célèbres, ces poèmes et ces chansons qui faisaient l'éloge de blondes, tantôt innocentes, tantôt malveillantes mais toujours séduisantes, subsistèrent tout au long du Moyen

---

8. Guillaume de Lorris et Jean de Meung, *Le Roman de la Rose*, traduction d'Armand Strubel, Paris, Le Livre de Poche classique, 2002, p. 71-73-83-189.

Âge. Si les deux vedettes incontestées, aux deux extrêmes du mythe religieux, restaient la Vierge Marie dans sa perfection et Ève dans la souillure de la Faute, ces œuvres en constituaient la dimension humaine. Ces magnifiques personnages, objets d'amour courtois, s'inspiraient souvent de femmes réelles, en chair et en os, des femmes que l'on pouvait adorer, et même imiter. L'enchantement qu'elles suscitaient devait repousser les frontières géographiques de l'influence des blondes vers un nouveau domaine, tout à fait surprenant celui-là.

Chapitre 5

LA BLONDE LUCRÈCE ET LE CARDINAL

À son apogée, aux XIVe et XVe siècles, Venise fut la ville la plus magnifique, la plus fascinante et la plus puissante d'Europe, une capitale cosmopolite, immensément riche, débordant d'énergie et de créativité. Vers 1500, Venise possédait l'Istrie, la plus grande partie de la côte dalmate et des îles qui lui font face, Céphalonie, mais aussi l'Eubée, les îles de la mer Égée, la Crète et Chypre, de même qu'une partie de la péninsule italique s'étendant à l'est jusqu'à Crémone, à l'ouest jusqu'au Frioul. Les navires de la puissante flotte vénitienne rentraient au port chargés de trésors exotiques, d'or, de pierres précieuses et de reliques. La lagune était devenue la plaque tournante du florissant commerce entre l'Orient et l'Occident. Dans ses innombrables boutiques, on pouvait trouver une éblouissante variété de magnifiques soieries, d'épices, de joyaux, de porcelaines, de l'ébène et des verreries d'une étonnante extravagance, aussi bien que des philtres d'amour, des remèdes exceptionnels à des maux non moins extraordinaires, et tout ce qu'il fallait pour gréer un navire. La passion des Vénitiens pour le faste public s'exprimait à travers diverses fêtes et cérémonies qui comptaient parmi les plus somptueuses d'Europe. Fiers de leur aristocratie, amateurs d'art, ils se délectaient de leur habileté de commerçants, si doués et si retors qu'ils parvenaient à piller tous les partis, du fournisseur à l'acheteur. Naturellement, cette ville brillante de vanités et de péchés véniels, bruissante de rumeurs et de marchandages, attirait les visiteurs comme un aimant. Il y venait des pèlerins, des marchands et des touristes. Poètes, peintres et mécènes s'y pressaient en masse. Thomas Coryate, visiteur du XVIIᵉ siècle, originaire du Somerset, en extase devant la cité, affirme qu'il préférerait renoncer aux quatre plus riches manoirs de sa contrée plutôt que vivre sans connaître Venise.

Quelle que fût la splendeur de la ville, avec ses trésors étranges, ses dômes étincelants, son panache et ses spectacles stupéfiants, l'un de ses principaux attraits n'en restait pas moins ses femmes. Elles avaient la réputation d'être les plus belles d'Europe, et les Vénitiens étaient fiers de leur grand discernement en matière de beauté féminine.

Ces femmes magnifiques paradaient partout, telles de vains oiseaux de paradis, exhibant leurs atours et leurs charmes, qui inspirèrent les hommes de lettres et les artistes de Venise. Les maîtres célébrèrent leur beauté comme il se devait dans leurs tableaux, les musiciens les évoquèrent dans leurs compositions, les poètes chantèrent leurs louanges. Les créations italiennes de la Renaissance témoignent d'une grande assurance, d'une confiance en l'avenir, et elles se réfèrent constamment aux chefs-d'œuvre de la Rome antique pour apporter leur contribution aux nouvelles formes artistiques qui émergeaient alors des bouleversements du Moyen Âge. La beauté des Vénitiennes fut pour les artistes une source d'inspiration qui leur permit d'élaborer un idéal physique, classique mais enivrant. Cette beauté manifestait la perfection divine et sa contemplation devait mener à une meilleure compréhension de Dieu.

Au Moyen Âge, c'étaient surtout les grandes dames de l'aristocratie que l'on vénérait et que de chevaleresques amants célébraient dans leurs ballades raffinées. Désormais, la sensualité se joignait au culte de la beauté et de l'amour, et celui-ci s'étendait à des femmes que leur profession de libertinage avait, jusqu'alors, rejetées aux marges de la société. À la fin de la Renaissance, la courtisane vénitienne avait rejoint la pure aristocrate sur son piédestal ; toutes deux étaient également vénérées comme des saintes ou des déesses.

Vénus était très à la mode, et c'étaient ses généreuses courbes roses et ses cheveux blonds qui exerçaient l'influence la plus prégnante sur les canons de la perfection féminine, dans les lettres et les arts aussi bien que dans la pratique quotidienne. À cette époque, il devait bien se trouver à Venise quelques vraies blondes, mais en petit nombre, et cela ne les empêchait sans doute pas d'avoir, tout aussi naturellement, la peau mate et des yeux sombres aux sourcils foncés. Or c'étaient les cheveux blonds et le teint pâle des mythiques beautés d'un passé légendaire que l'on prisait le plus. Leur rareté ainsi que leur statut séculaire d'idéal érotique en faisaient l'aspiration suprême des belles ambitieuses.

Les poètes italiens de la Renaissance connaissaient aussi bien la littérature antique que les ballades des troubadours. Ils créèrent un style et un vocabulaire qui vinrent encore renforcer les canons de beauté féminine établis par le passé, en comparant sans cesse les belles Vénitiennes aux ravissantes blondes de la Grèce et de la Rome antique. Pétrarque, qui vécut à Padoue au XIVᵉ siècle, institua un imposant idéal de beauté blonde dans son recueil d'exquis poèmes d'amour, les « Rimes » du *Canzoniere*, qui immortalisait Laure, vénérée et perdue. Bien que les différences entre l'œuvre de Pétrarque et celle des troubadours fussent minimes, son *dolce stil nuovo* préfigurait la Renaissance, à laquelle il donna le ton. L'éloge passionné de la blonde chevelure de Laure envahit sa poésie, avec des vers tels que : « Les tresses d'or qui devraient en sa course remplir le soleil d'une envie profonde[1] » ou encore : « Je veux parler des blonds cheveux et du réseau bouclé qui arrête si délicieusement mon âme[2]. »

---

1. Pétrarque, *Canzoniere*. XXXVII, traduction de F. L. de Gramont, Paris, Gallimard, 1983.
2. Pétrarque, *op. cit.*, CXCVII.

Pietro Bembo, cardinal né à Venise en 1470, qui écrivit une des plus anciennes grammaires italiennes et se fit connaître du grand public par son œuvre poétique, rendit lui aussi hommage aux blondes beautés de sa cité. *Les Azolains*, traité des tourments et des joies de l'amour pour les hommes et les femmes, publié en 1505, était dédié à sa maîtresse, Lucrèce Borgia, blonde duchesse de Ferrare.

Jamais voleur d'amour au pied si léger
Ne laissa dans l'herbe son empreinte
Jamais si accorte Nymphe ne leva rameau feuillu
Ni ne laissa flotter au vent ses cheveux dorés
Jamais ne vêtit si légèrement ses membres gracieux
Dame plus rayonnante et captivante que
Ma belle adversaire.

C'est sous l'aspect d'une perfide traîtresse que Lucrèce Borgia entra dans l'histoire populaire, accusée d'avoir participé aux nombreux crimes et débordements qui rendirent sa famille infréquentable. Elle naquit en 1480, fille du cardinal espagnol Rodrigo Borgia, qui devint ensuite pape sous le nom d'Alexandre VI, et de sa maîtresse Vannozza Catanei. C'était une belle blonde, au teint pâle, avec un sourire enjôleur, et qui avait hérité du goût familial pour l'ostentation.

Il Pinturicchio, qui représente cette ravissante jeune fille, alors âgée de douze ans, dans sa fresque de *La Dispute de sainte Catherine,* lui attribue une peau laiteuse, de grands yeux, une bouche en bouton de rose et des torrents de cheveux blonds ondulant sur ses épaules. Quelques années plus tard, un portrait de Bartolome Veneto, qui selon certains historiens de l'art serait celui de Lucrèce, la présente comme une créature délicate, presque éthérée, avec un visage de madone, mais qui n'en lance pas moins au spectateur un regard assez suggestif. Sa peau, d'une blancheur d'albâtre, ses lèvres rosées et ses yeux sombres ne l'empêchent pas d'exhiber des seins mutins et ronds comme des pommes. Entre ses doigts fins, elle tient un bouquet de pâquerettes, d'anémones et de renoncules ; elle porte une coiffure blanche couronnée de myrrhe. Mais ce qui frappe dans ce portrait, ce sont ses cheveux, qui descendent sur ses épaules en boucles d'or métalliques et serrées. Un observateur moderne dirait qu'elle vient juste de rater sa permanente.

Enfant, Lucrèce fut la coqueluche du Vatican. Mais cela ne dura pas car elle grandit entourée de deux hommes éminemment puissants : son père, que Machiavel décrit avec approbation comme un homme « dont l'idée fixe était de tromper les gens », et César Borgia, son très ambitieux frère aîné. Dans leurs sombres complots, Lucrèce fut moins une actrice qu'un pion fort commode. En dix ans, elle se trouva ainsi fiancée avec cinq hommes et mariée avec trois d'entre eux, au gré des desseins politiques et dynastiques des hommes qui dominaient la famille.

Les fiançailles avec deux nobles espagnols furent suivies de deux mariages très rapprochés, avec Giovanni Sforza, seigneur de Pesaro, puis Alfonso, duc de Bisceglie. En 1500, Lucrèce fut témoin du meurtre de ce deuxième époux, étranglé dans ses appartements malgré les efforts désespérés qu'elle fit pour le sauver. Quelques mois plus tard, on lui réservait Alphonse d'Este, fils aîné du duc de Ferrare, l'une des cours les plus illustres d'Italie. Ce troisième mariage eu lieu en février 1502, après un spectaculaire voyage d'un mois à travers les territoires récemment conquis par les Borgia, voyage minutieusement orchestré par Alexandre VI et César. Plus d'un millier de personnes accompagnèrent la future épouse, nobles espagnols et italiens, ambassadeurs, prélats, hommes d'armes, domestiques, artisans, cuisiniers, sans oublier les dames de compagnie ni même les cent cinquante mules qui portaient le trousseau. Dans cette longue procession de voyageurs et de badauds, Lucrèce devait se remarquer au premier coup d'œil avec son spectaculaire manteau de soie rouge bordée d'hermine et son chapeau à plumes d'où dépassait sa longue chevelure blonde.

Le voyage se fit avec de nombreuses étapes afin que les montures puissent se reposer, mais aussi pour permettre à la future épouse de soigner sa présentation. Quelques jours avant l'arrivée à Ferrare, elle ordonna une étape à Pesaro, où elle fut accueillie par les nobles dames locales et menée dans un appartement privé. Elle s'y enferma pour se laver les cheveux et rafraîchir leur couleur. En lisant entre les lignes de l'histoire officielle, on peut imaginer les servantes qui s'activent à préparer les mélanges à l'odeur aigre, avec des racines de chélidoine, de l'huile de cumin, des copeaux de buis et du safran, tandis que la jeune femme ôte ses riches vêtements de voyage pour se tremper les cheveux dans un bassin de cuivre avant de se les faire oindre de cette boue. Pendant vingt-quatre heures, elle se reposa tranquillement, pendant que le tout séchait et que la couleur prenait. Enfin, les cheveux furent lavés avec une décoction de tiges de chou et de cendres de paille de seigle – à l'odeur méphitique.

Quelques jours plus tard, la mariée arriva à Ferrare montant un étalon gris pâle, pour ce qui devait être l'une des plus somptueuses cérémonies du siècle. Elle s'avança sous un dais de satin écarlate, accompagnée de sa suite. Elle portait une robe de velours prune rayé d'or, surmontée d'un manteau de drap d'or bordé d'hermine. Sur ses cheveux d'une blondeur éclatante, elle portait une coiffure ornée de joyaux. Niccolo Cagnolo de Parme la décrivit ainsi : « Elle est de taille moyenne, et de constitution mince ; son visage est ovale, le nez est bien formé ; elle a les cheveux dorés, les yeux fauves ; sa bouche est grande et charnue, avec les dents les plus blanches ; sa gorge est douce et pâle, et pourtant d'une rondeur seyante. Elle n'est que bonne humeur et gaieté. »

Manifestement, le maquillage et la coloration étaient parfaits. Les festivités furent une réussite. Et le mariage dura, sans aucune intervention des comploteurs de la famille.

À la mort d'Alexandre VI, en 1503, Lucrèce cessa de jouer pour les Borgia un rôle aussi clairement politique et mena dès lors une vie plus normale à la brillante cour de Ferrare, important centre culturel de l'époque. C'est là qu'elle rencontra Bembo, un membre important du cercle d'érudits de Ferrare. Tous deux entretinrent une longue et ardente correspondance amoureuse au cours de leur liaison secrète. Leurs lettres et leurs sonnets sont aujourd'hui conservés à la bibliothèque Ambrosiana de Milan. Lucrèce était parfaitement consciente du pouvoir que lui conféraient ses longs cheveux blonds. En juillet 1503, elle lui en envoya une mèche. « Je me réjouis, lui écrivit Bembo lorsqu'il la reçut, que chaque jour, pour augmenter ma flamme, vous inventiez quelque nouvelle invite, comme celle qui couronnait aujourd'hui votre front rayonnant. » L'un des sonnets de Bembo qui nous sont parvenus montre bien qu'il convoitait depuis longtemps ce genre de trophée :

Les cheveux d'or que j'aime malgré ma blessure,
(Mon amour est si fort, j'en ressens la brûlure)
S'échappaient du filet qui gardait le plus rare
De l'or que je désire, soustrait à mes regards ;
Alors que (hélas, à moi ce passé se rappelle)
Dans ce trésor doré, mon cœur à tire-d'aile,
Tel un petit oiseau dans un vert laurier,
De branche en branche à loisir voletait,
Deux mains d'une beauté à nulle autre pareille
Ramassant l'ample tresse derrière l'oreille

L'y prirent au filet, le serrant avec elle.
Alors, j'eus beau crier, la voix qui m'échappa
Manquait de force et mon sang se glaçait d'effroi.
Il me fut arraché, mon cœur, ce prisonnier.

Il gardait ce trophée dans une feuille de vélin pliée et maintenue par quatre rubans roses. Aujourd'hui, cette mèche de cheveux est encore exposée au musée de l'Ambrosiana, entre deux plaques de verre, dans une délicate châsse des années 1920, telle une sainte relique. Mais leur histoire d'amour devait trouver un prolongement plus retentissant encore. En 1816, Byron visita la bibliothèque de Milan et lut leur correspondance, qu'il qualifia de « plus belles lettres d'amour du monde ». Enchanté par les cheveux de Lucrèce, qui finirent par devenir son obsession, et dont la blondeur, écrivit-il à un ami, « dépasse l'imagination », il apprit par cœur certaines lettres, dont la copie était interdite, et il profita d'une absence du bibliothécaire pour voler un long cheveu blond de cette mèche, « la plus belle et la plus blonde qui se puisse imaginer ».

Tandis que les poètes rivalisaient d'éloges de la blondeur, les peintres de la Renaissance développèrent leurs propres canons de beauté en suivant les irrésistibles conventions classiques de l'Antiquité. Sandro Botticelli, sous le patronage des Médicis, peignit des dizaines d'images de la perfection féminine. Ces déesses éthérées figurent de nos jours parmi les productions les plus caractéristiques du style renaissant. *Le Printemps, La Naissance de Vénus, Pallas et le Centaure, Mars et Vénus*, autant de tableaux qui représentent des femmes selon les canons de l'époque. La Vénus qui sortit de son atelier vers 1486, aujourd'hui conservée au Staatliches Museum de Berlin, est l'une de ses représentations les plus prodigieuses au monde. Vénus se tient sur un simple socle gris, sur un fond noir. Elle est entièrement nue, à l'exception d'une abondante masse de cheveux blonds dorés qui descend jusque sous ses hanches, ample rideau qu'elle ramène devant son sexe pour le cacher. Sa chair crémeuse est un régal pour les yeux et son visage est l'image même de la grâce et de la délicatesse. Mais c'est sur son abondante chevelure blonde que le regard ne cesse de se porter, cette chevelure où se concentre toute la charge érotique du tableau. Le travail des cheveux, étalage de virtuosité gratuite de la part du peintre, démontre une parfaite maîtrise formelle. Les boucles sinueuses et lisses flottent doucement au vent. Des boucles plus serrées semblent frémir de désir et de vitalité sous le pinceau. De petites tresses serpentines lui pendent sur les seins tandis que d'autres, plus longues et plus amples, lui descendent sur les épaules avec des reflets sensuels. Bouclées à leur extrémité, elles accrochent la lumière au niveau de son coude et de son genou, pour briller comme des lucioles en se tordant sur le fond noir. Botticelli fut certainement influencé par le traité *De la peinture* d'Alberti lorsqu'il peignit cette chevelure, et en particulier par le célèbre passage traitant des cheveux :

> Je désire même que les cheveux [...] s'enroulent donc comme s'ils allaient se nouer, qu'ils ondulent dans l'air en imitant les flammes, que tantôt, ils se glissent comme des serpents sous d'autres cheveux, tantôt se soulèvent de côté et d'autre[3].

À la fin du XVe siècle, Botticelli établit de prodigieux critères de beauté féminine. Il ne créa pas seulement les déesses blondes les plus évocatrices, il fut aussi commandité pour peindre de nobles dames comptant parmi les plus puissantes d'Italie et qui

---

3. Leon Battista Alberti, *De la peinture*, Livre II, 45, traduction de J.-L. Schefer, Paris, Macula, coll. « Dédale », 1992.

accordaient la plus haute importance à leur apparence. L'une d'elles se nommait Catherine Sforza. Dame de haute naissance, elle utilisait les artifices de la beauté féminine pour cacher des ambitions politiques inhabituelles chez une femme. Née en 1462, fille illégitime d'une maîtresse de Galéas-Marie Sforza, duc de Milan. Enfant, elle fut un vrai garçon manqué, d'une grande beauté cependant. Ses biographes font remarquer ses dents de nacre, son teint pâle et ses yeux bleus. À l'âge de seize ans, on lui fit faire un mariage politique avec le neveu du pape Sixte IV, Girolamo Riario. Les bruyants jeux d'enfants se transformèrent rapidement en véritables guerres, au service de son mari. En 1473, Catherine Sforza s'occupait de défendre pour lui le territoire de Forli (qui s'étendait de Ravenne à l'extrémité de la Romagne) contre les menaces vénitiennes. Un tableau datant du début des années 1480, attribué à Botticelli et dont on pense qu'il pourrait représenter Catherine, montre une femme de profil contemplant pensivement par une fenêtre un paysage d'Arcadie. Sobrement vêtue, elle a de grandes mains fortes et le cou épais. Sur son visage se dessinent les traits classiques et androgynes des aristocrates italiens de la Renaissance : la haute arête du nez, les narines évasées, le menton rond, la large lèvre inférieure et les grands yeux au regard décidé. Mais ce sont les cheveux qui laissent l'impression la plus forte. Ramassés dans son dos en une épaisse et complexe couronne, ils sont lisses au sommet du crâne et bouclés, pour former des vagues, au-dessus des oreilles. N'oublions pas leur couleur : un blond presque blanc, obtenu par décoloration comme l'indique de façon évidente la teinte foncée des sourcils. Son teint, pâle et délicat, représente sans doute, avec ses cheveux, le *nec plus ultra* de la beauté italienne. Sa chevelure lui coûtait certainement beaucoup d'argent et de temps. C'est qu'elle constituait une véritable profession de foi.

Quand son mari mourut en 1488, assassiné par les Orsini, Catherine se trouva de fait à la tête de Forli. Pendant les douze années qui suivirent, elle défendit ses terres contre les incursions de ses voisins, les revendications papales et, enfin les Français. Dans le rôle de la belle virago invincible, elle cultiva cette image ambiguë, utilisant le masque le mieux adapté aux circonstances. Parfois, elle se présentait comme une guerrière. Cruelle et impitoyable, elle fut bientôt emportée par son désir de vengeance contre les Orsini : elle organisa des exécutions publiques, des meurtres secrets, et finit par mettre en scène la grotesque exécution de leur vieux patriarche de quatre-vingts ans, Andrea.

Elle pouvait également affecter la timidité et la modestie d'une grande dame délicate, imprégnée de cette « pure féminité » que l'on attendait d'une femme de son rang et de son âge. Dans une lettre à son oncle, où elle prévoyait la menace d'une invasion vénitienne de Marradi, elle écrivait : « Personne ne me veut croire, car je ne suis qu'une dame, et qui plus est craintive. »

Elle déployait beaucoup d'efforts pour préserver sa distinction et sa beauté – vers 1499, elle écrivit un ouvrage où elle révélait ses secrets. Son obsession de l'apparence apparaît nettement dans ces *Experimenti*. Elle se faisait régulièrement oindre les cheveux de décoctions à base de graines d'ortie, de cinabre, de feuilles de lierre, de safran et de soufre, afin d'entretenir leur célèbre couleur blonde et de les garder longs jusqu'aux chevilles. D'autres lotions, à base de fruits bouillis, de coquille d'œufs et d'autres ingrédients encore, s'utilisaient pour l'épilation, tandis que l'on employait des tiges de romarin calcinées et de la poudre de marbre pour nettoyer les dents. Elle se baignait les yeux à l'eau de rose et s'enduisait la poitrine de diverses décoctions pour garder une peau blanche comme le lait.

Une telle vanité ne laissait rien présager de bon. Peu après avoir écrit son livre, elle perdit ses terres de Forli et d'Imola au profit de la rapace famille Borgia. Assoiffée de vengeance, ce qui était assez typique de son caractère, elle recourut à la ruse et envoya toute une série de lettres mortelles au pape de la famille, Alexandre VI, dont certaines étaient imprégnées de poison, d'autres infectées de la peste. Mais il n'était pas si facile de se débarrasser d'un Borgia, et ses plans échouèrent.

Catherine mourut en 1509. Sa vie brève, extravagante et tragique, fut à la fois celle d'une virago et d'une victime, celle d'une beauté célèbre qui ne s'épargna aucune peine pour se conformer à l'idéal féminin établi par les poètes de son époque.

Cet idéal requérait l'obtention et l'entretien d'une longue chevelure blonde, ce qui, au XVe siècle, en Italie, coûtait les yeux de la tête. Certains ingrédients exotiques pour les teintures étaient très difficiles à trouver. Certaines recettes demandaient de la poudre d'argent. La plupart exigeaient des quantités de safran. À une époque qui affectionnait l'ostentation du pouvoir et de la richesse (costumes à la mode, faits de riches brocarts et de soies rares, énormes banquets de mets et de boissons coûteux, réceptions et palais, tournois, concerts et soirées théâtrales, bals masqués et somptueux cadeaux), les cheveux blonds étaient encore l'une des meilleures façons d'exhiber ses moyens.

Comme pendant les siècles précédents, les autorités ecclésiastiques étaient, bien entendu, ouvertement hostiles à ce goût de leurs compatriotes italiens pour le plaisir et le luxe. À la fin du XVe siècle, par toute une série de mesures, on tenta, sans grand succès, d'interdire ce genre d'excès. Le patriarche de Venise Lorenzo Giustinian essaya d'introduire des lois somptuaires prohibant les faux cheveux blonds ainsi que les tenues excessivement somptueuses pour les femmes. Il menaça d'excommunier les contrevenantes. Dans l'ensemble, malgré la nomination d'un corps de magistrats spécialisés dans les questions de luxe, la loi fut faiblement appliquée, mais énergiquement transgressée. Peut-être, grâce à leur sens des affaires, les Vénitiens comprirent-ils que les jolies femmes étaient un atout commercial de leur ville.

Quelques années après la tentative infructueuse de Giustinian, cependant, un moine dominicain du nom de Jérôme Savonarole se fit connaître des Florentins en prononçant des sermons contre les vanités et le luxe féminins qui transportaient les foules, et ressemblaient fortement à ceux de saint Bernardin, son prédécesseur dans le nord de l'Italie. Savonarole avertissait inlassablement ses auditeurs que nul ne recevrait ni bénédiction divine ni prospérité durable avant de s'être repenti de ses péchés. Et des péchés, il y en avait. Les espions de Savonarole lui rapportèrent que les Italiens pariaient de l'argent, lisaient des vers antiques licencieux, contemplaient des tableaux érotiques, se paraient de riches vêtements et de colifichets. Qui plus est, ils allaient faire leurs achats les jours de fête religieuse. Ses sermons devaient être des chefs-d'œuvre de littérature apocalyptique : l'un des scribes employés pour les retranscrire fut contraint d'omettre plusieurs longs passages parce qu'il pleurait trop pour écrire. On raconte que, après ses interventions, hommes et femmes, repartaient en arrachant leurs bijoux, dont ils faisaient don à l'Église.

Tandis que, depuis sa chaire de Santa Maria del Fiore, la cathédrale de Florence, Savonarole lançait ses imprécations contre toute forme d'iniquité, luxes et vanités disparaissaient des rues et des foyers de Florence. Il parvint à provoquer une sorte de réforme globale des mœurs. Les artisans, dit-on, commencèrent à consacrer leur temps libre à la lecture de la Bible. Des hommes d'affaires rendirent l'argent qu'ils avaient malhonnêtement gagné. Les églises étaient pleines à craquer et le nombre d'aspirants à la prêtrise grimpait en flèche.

Mais tout le monde n'était pas d'accord avec Savonarole. Cette ferveur qui le poussait à vouloir réprimer toute trace d'immoralité devait le mener à sa perte. Persuadé que le vice ne se pouvait tolérer, il batailla avec les Florentins pour faire interdire les bals et les fêtes qu'ils aimaient tant. Il engagea des groupes d'enfants pour parcourir la ville en frappant aux portes des riches et demander qu'on leur remette les objets de valeur. Ils récoltaient des masques de carnaval, des robes, des perruques de cheveux décolorés, des instruments de musique, des livres racontant des histoires indécentes ou immorales. En 1496, Savonarole organisa un immense bûcher sur la piazza della Signora, à Florence. Connu sous le nom de « bûcher des vanités », il consistait en une pyramide de base octogonale mesurant vingt mètres de haut et quatre-vingts de large Chaque face comportait quinze niveaux sur lesquels on avait déposé toutes sortes de signes du sybaritisme florentin, classés par type. Sur une face, on trouvait les robes, sur une autre des portraits de jeunes beautés de Florence, la plupart d'une blondeur aguichante. Échiquiers, jeux de cartes et dés s'entassaient sur une troisième face, partitions et instruments de musique, sur la suivante. Le cinquième côté se constituait de cosmétiques et artifices féminins : touffes de cheveux blonds emmêlés, piles de miroirs et de bijoux. La sixième face regroupait les livres licencieux et provocants, y compris des volumes de Pétrarque et les œuvres complètes de Boccace. Sur le septième côté s'empilaient masques, fausses barbes et autres farces de carnaval, sur le huitième, des statues érotiques de marbre et d'ivoire.

On n'aurait pu rêver meilleure mise en scène pour émouvoir le peuple de Florence, dont on connaît l'amour des spectacles et du divertissement. Sur la place grouillait une foule bourdonnant de ferveur en cette grande occasion. Les groupes d'enfants qui travaillaient pour Savonarole chauffaient le public en chantant des hymnes religieuses. La tension était à son comble. Enfin, au signal, les hommes de Savonarole abaissèrent leurs torches, et quatre énormes langues de feu montèrent, pâles, vers le ciel, pour s'élever encore et, bientôt, engloutir le tout. Les hérauts soufflèrent dans leurs trompettes, les cloches du *palazzo* sonnèrent, et la foule fit entendre un cri assourdissant.

On pense que certaines descriptions du bûcher, qui fut renouvelé l'année suivante, sont exagérées. Mais des écrivains de bonne réputation, comme Giorgio Vasari, ainsi que le poète Girolamo Benivieni, rapportent cette mise au bûcher d'objets bas et vils parfois de la main même de leur propriétaire. Fra Bartolomeo, par exemple, lança sur le bûcher ses propres tableaux de nus. En 1498, Savonarole fut lui-même poursuivi par une foule qui obéissait aux instructions du pape. Il fut arrêté, torturé, pendu et brûlé comme faux prophète, pour avoir défié l'autorité papale, péché par orgueil et commis d'autres imprudences encore.

Chapitre 6

QUATRE BLOCS DE CAVIAR
ET UN MATELAS DE PLUMES

En Italie, la Renaissance avait atteint son éblouissant apogée. Les règles austères que le sévère Savonarole avait tenté de faire adopter n'avaient pas trouvé de terrain favorable, car la culture restait profondément ancrée dans les plaisirs sensuels de la beauté et du luxe. C'est dans ce climat qu'apparut, dans la première moitié du XVIe siècle, un nouveau maître audacieux, dont la peinture devait représenter ce que l'on peut qualifier de sommet de la puissance et de l'influence culturelle italiennes. C'était le Titien, un homme imprégné de la splendeur de Venise, un séducteur, et un connaisseur de tous ces petits détails qui, dans l'apparence d'une femme, indiquent qualité, relations, vertu et moralité, ou immoralité. Chez lui, la couleur, la texture, l'aura des cheveux blonds était une idée fixe.

Dans le système des codes qui régissait Venise à la Renaissance, la chevelure des dames jouait un rôle important. Les femmes mariées respectables devaient couvrir leurs cheveux d'un voile ou les maintenir dans un filet afin de restreindre les fantasmes masculins. Pour les Italiens de cette époque, les cheveux libres et découverts d'une femme adulte constituaient un véritable sortilège sexuel, qu'ils n'apercevaient que rarement en public, mais qui caractérisait d'ensorcelantes sirènes fantastiques aussi bien que les déesses païennes de l'Antiquité.

La galerie de portraits féminins du Titien présente de nombreux avatars de la tentatrice. Ces créatures mythologiques, à la beauté sensuelle, sont dotées de cheveux blonds, signe érotique qu'il prenait manifestement plaisir à peindre. Les blondes du Titien assument plusieurs identités : Vénus (il en peignit environ une dizaine), Marie Madeleine, mais aussi Lucrèce, Diane, Flore, Violante et de nombreuses dames anonymes « à leur toilette ». Autant d'images d'une beauté passive, frémissantes de volupté. C'est en 1538 que le Titien peignit *La Vénus d'Urbino*, séduisante déesse aux lignes pures, véritable objet sexuel artificiel. D'un regard lourd de sous-entendus, elle invite le spectateur à fantasmer sur ses cheveux blonds qui flottent sur ses épaules, sa bouche rouge corail, ses cuisses délicates et pâles, autant de caractéristiques destinées à éveiller le désir et l'imagination érotique. Il représenta également Flore, dans un tableau aujourd'hui conservé aux Offices de Florence, comme une sirène à moitié nue, dont la chevelure blonde descend en cascade sur des épaules blanches et rondes, et qui tient à la main un bouquet de fleurs. Il ne s'agit pas là d'innocentes jeunes filles chastes, pures et modestes. Ce sont des femmes expérimentées, pleinement conscientes de leurs charmes et de la séduction qu'elles exercent.

Il est une femme, cependant, dont le Titien ne devait jamais faire une blonde, c'est la Vierge Marie. Peut-être, pour ce peintre qui vécut dans la Venise de la Renaissance, dominée par la richesse et l'ostentation, la blondeur était-elle trop étroitement liée à la sexualité, à l'artifice et à la manipulation. Peut-être souhaitait-il souligner l'innocence et la pureté de Marie avec ces cheveux bruns qui sortaient du commun. Dans les tableaux du Titien, c'est cette chevelure brune qui confère à Marie son inaccessible perfection et qui protège le spectateur des vilaines pensées.

Pourtant, en général, le Titien préférait les blondes. Et il n'était pas le seul. Un célèbre tableau de Carpaccio, daté de 1495 et intitulé *Les Deux Courtisanes*, montre deux fières dames blondes à leur balcon. Elles s'amusent avec leurs paons et leurs chiens, aux heures les plus chaudes de la journée, en attendant le retour de leurs amants, partis à la chasse. Ruskin affirma que c'était le « meilleur tableau du monde ». L'un des plus beaux portraits de Palma le Vieux, simplement intitulé *Femme blonde,* est aujourd'hui conservé au musée Poldi-Pezzoli de Milan. Cette scène, intime et sans inhibitions, présente un travail tout à fait admirable des couleurs et des textures. La robe de soie, luisante, bordée d'un brocart molletonné aux motifs complexes, tombe sur l'épaule droite, laissant voir une légère chemise blanche aux plis volumineux. Ces riches textures ne font que mettre en valeur l'éclatante blancheur de la poitrine et des épaules dénudées, ainsi que les exquises vagues de sa chevelure. Sur ses épaules descend en effet un flot de cheveux blonds, libres et brillants, qui vient couronner la sensualité explicite de ce portrait.

Il ne fait aucun doute que les tableaux mythologiques du Titien et de ses contemporains étaient considérés comme ouvertement érotiques. Le Titien lui-même aurait pu le confirmer. Dans une lettre à Philippe II, il promet que, après sa *Danaé,* « où l'on voyait tout de face », il lui enverra une autre scène, représentant Vénus et Adonis, où il sera possible de « tout voir de l'autre côté, juste pour varier les plaisirs ». Ludovico Dolce, admirateur et ami du Titien, écrit à Alexandre Contarini au sujet de ce même *Vénus et Adonis :*

> La miraculeuse perspicacité de ce divin esprit [le Titien] se révèle aussi dans ses parties intimes où l'on reconnaît les replis de la chair causés par la position assise. En vérité, on peut dire que chaque touche du pinceau est une de ces touches que la nature a portées de sa propre main... Je vous jure, sire, qu'il n'y a homme à la vue ni à l'esprit si pénétrant qui, en la voyant, ne la croirait vivante ; ni homme si refroidi par les ans ni endurci dans son être qu'il ne sente à sa vue son sang s'échauffer, s'adoucir et palpiter dans ses veines. C'est une véritable merveille.

Dans ces cercles d'hommes puissants aux relations haut placées, qui pouvaient contempler de tels tableaux, les cheveux blonds offraient l'attrait du plaisir dangereux.

L'élite possédait pour son usage privé un grand nombre de ces tableaux franchement érotiques. Léonard de Vinci, parfaitement conscient des puissants sortilèges de sa peinture, écrivait ainsi :

> Le pouvoir du peintre sur l'esprit des hommes est plus grand [que celui du poète] car il peut les rendre... amoureux d'une image qui ne représente aucune femme réelle... Il m'est arrivé de représenter une sainte et ce tableau fut acheté par un homme qui aima tant cette figure qu'il me demanda de lui ôter tous ses attributs religieux, afin de pouvoir l'embrasser sans scrupules. À la fin, sa conscience eut raison de ses soupirs et de son désir, et il [...] fut contraint de se débarrasser du tableau.

Par une de ces ironies de l'histoire, les clercs qui avaient si énergiquement dénoncé de telles perversions furent eux-mêmes accusés de receler chez eux des tableaux de ces blondes beautés, bibliques et mythologiques, pour leur propre plaisir érotique. Dans un traité publié en 1532, Ambrosio Politi, moine dominicain, accusait les prêtres d'idolâtrie caractérisée, refusant d'entendre les excuses de ces hommes « corrompus » qui prétendaient collectionner et entretenir ces tableaux « non pour les adorer ni leur vouer un culte, mais pour apprécier leur spectacle, en mémoire des anciens, en tant que démonstration de l'habileté de l'artiste ».

Au début du XVIe siècle, le péché se présentait sous bien des aspects différents, mais c'était sans doute l'avarice, suivie de près par la luxure, qui était le vice le plus détesté, celui dont les manuels des confesseurs traitaient le plus abondamment. À la fin du siècle, cependant, la luxure arrivait largement en tête dans les confessionnaux. Les raisons qui ont présidé à ce changement ne sont sans doute pas simples. Cependant, l'historien Carlo Ginzburg avance l'hypothèse que, avec la propagation de l'imprimerie et l'augmentation de la circulation des images, la vue serait devenue le sens érotique prépondérant. Cet élément d'explication s'est sans doute combiné à la répression de la vie sexuelle dans les pays catholiques sous l'influence de la Contre-Réforme et, dans les pays protestants, à la répression tout aussi sévère exercée par le calvinisme pour faire de la luxure le vice dominant.

En Italie, on était conscient du grand pouvoir des tableaux. On accrochait d'ailleurs les plus érotiques dans les chambres, en guise de talismans de fertilité « parce que une fois aperçus ils servent à éveiller les sens et à concevoir de beaux enfants, sains et charmants ». Concevoir un enfant sous le patronage de Vénus, c'était multiplier, croyait-on, les chances d'engendrer une progéniture qui fût belle, en bonne santé et... blonde. C'est en 1587 que parut en Angleterre la traduction des *Éthiopiques* d'Héliodore, ouvrage qui relate la naissance d'une jeune femme blonde à la peau claire, Chariclée, dont les parents sont tous deux bruns au teint mat. L'histoire tourne autour de cette improbable naissance et de son impossible appartenance à la famille jusqu'à ce que sa mère, Persina, admette avoir, pendant sa conception, pensé à un tableau accroché dans la chambre où figurait la blonde Andromède, nue. Par la suite, on découvre que la jeune fille possède une marque de naissance unique, qui permet de la reconnaître, et elle est acceptée au sein de sa famille. Cette histoire devait être particulièrement populaire et l'idée centrale a dû se répandre rapidement.

De tels tableaux et de telles histoires renforcèrent encore la singularité de la blondeur pour les Italiens, mais aussi, de plus en plus, pour les autres Européens. Peintres et poètes s'inspiraient mutuellement, et la poésie vénitienne était lue bien au-delà de la Sérénissime République. Des œuvres comme celles des deux grands poètes vénitiens de la Renaissance, Firenzuola et Luigini, défendirent vigoureusement leur idéal de beauté féminine auprès d'un large public européen. Dans son *Dialogue de la beauté des dames*, datant de 1548, Firenzuola imagine la conversation de deux assemblées de nobles florentins, hommes et femmes. Celso, le porte-parole de l'auteur, analyse pendant des pages et des pages son idéal féminin, qu'il définit de façon théorique, mais également empirique. Il décrit les formes et les proportions qu'il considère comme parfaites, ainsi que la couleur et les ornements du corps féminin. Il détaille les traits du visage, les yeux, le nez, les sourcils, les cils, les dents et les gencives, et même le bout de la langue. En ce qui concerne les cheveux, il se montre inflexible dans son adoration de la blondeur :

> Les cheveux d'une dame sont d'or pur, tressés en une couronne d'or vif et étincelant... vous savez que la bonne et belle couleur des cheveux est un jaune pâle... les cheveux doivent être fins et clairs, semblables tantôt à l'or, tantôt au miel, tantôt aux lumineux et clairs rayons du soleil ; ondulés, épais et longs.

Il cite même Apulée à ce sujet : « Si l'on ôtait de la tête brillante de quelque vierge gracieuse l'aura de claire lumière que lui font ses cheveux blonds, on la trouverait dénuée de tout charme et de toute grâce. »

Quant à Luigini, son *Livre des Belles Dames* publié en 1554 relate comment l'auteur rêva qu'il se retrouvait dans une villa, avec quatre de ses amis, après une journée de chasse afin de se livrer au plaisir de prendre « pinceaux et couleurs » pour « peindre », avec des mots, l'image de la femme parfaite. Ces quatre gentilshommes descendent méthodiquement de la tête aux pieds pour dresser un catalogue complet de toutes les parties du corps féminin, tout en faisant allusion aux beautés décrites par les poètes classiques et contemporains de leur connaissance. Les cheveux sont abordés en premier lieu :

> Je désire peindre d'abord ses cheveux car ils sont, selon moi, plus importants dans sa beauté qu'aucun autre de ses charmes ; car sans sa chevelure, elle serait aussi commune qu'un jardin sans fleurs ou une bague sans pierre... Une chevelure doit donc orner notre belle dame, et sa couleur doit être semblable à celle de l'or brillant, car en vérité cette nuance procure à l'œil plus de plaisir que n'importe quelle autre.

L'auteur fait ensuite allusion à l'Aphrodite de Cnide, à Vénus, à Poppée, aux blondes d'Ovide, à la Laure de Pétrarque, aux écrits de Bembo et autres poètes xanthophiles de la Renaissance. Conclusion : « La chevelure de notre dame doit donc être longue, épaisse, dorée, et légèrement bouclée, flottant sur ses épaules en amples tresses claires, sans être cachée par aucun filet d'or ou de soie, pour que tout bienheureux mortel la puisse contempler sans murmurer à part lui quelque malédiction contre ce qui la déroberait à sa vue. »

Les poètes de l'époque et, entres autres, l'Arétin, poète, dramaturge et pornographe, n'avaient que la blondeur à la bouche. Connu dans toute l'Europe pour ses dialogues et ses sonnets grivois, il s'installa à Venise en 1527 et y devint l'ami du Titien. Il vécut magnifiquement, dans la débauche, en écrivant des satires contre les puissants et des récits virulents des relations entre les prostituées et leurs clients. Dans ses dialogues, où la blonde Nanna enseigne à sa fille Pippa les raffinements de son métier, il explique également les difficultés qu'éprouvent les courtisanes à surpasser leurs rivales :

Aujourd'hui, il y a telle abondance de putains, que celle qui ne fait pas de miracles par son savoir-vivre n'arrive pas à joindre les deux bouts ; il ne suffit pas d'être un joli brin de fille, d'avoir de beaux yeux, des tresses blondes : seul l'art ou la chance permet d'en tirer quelque chose, le reste n'est que fariboles[1].

Nanna conseille à Pippa de cultiver une image d'intellectuelle, de laisser des volumes de Pétrarque et de Boccace ouverts, bien en vue dans son salon.

L'Arétin connaissait bien les prostituées de Venise. Il en présenta probablement plusieurs au Titien, qui leur a peut-être demandé de poser pour ses nus mythologiques et bibliques. Comme l'historienne de l'art Rona Goffen le fait remarquer, « nous avons perdu toute trace de l'identité véritable de ces modèles, bien qu'il ait pu s'agir de prostituées, puisque ces femmes combinaient souvent le plus vieux métier du monde avec des séances de pose pour les peintres. Pour autant que nous le sachions, le Titien a très bien pu faire appel à tous leurs talents ».

Qui étaient donc ces courtisanes qui firent de Venise la « *terra da donne* » célèbre à travers toute l'Europe ? Thomas Coryate, voyageur anglais qui se rendit à pied du Somerset à Venise, et rentra de même, au début du XVIIe siècle, écrit dans ses *Coryate's Crudities* : « Si infinis sont les charmes de ces amoureuses Calypso que leur réputation a attiré plus d'un homme à Venise, même depuis les contrées les plus reculées de la chrétienté, pour contempler leur beauté et jouir de leur conversation. »

C'est au XVe siècle qu'apparut le mot *cortigiana*, « courtisane », pour décrire une femme comparable à l'hétaïre du monde grec.

---

1. L'Arétin, *Ragionamenti*, Livre II, traduction de Paul Larivaille, Paris, Les Belles Lettres, 1998-1999.

Douées et raffinées, ces courtisanes, dont la compagnie était fort recherchée, fascinaient les puissants par leur intelligence et leur beauté. Dans l'ensemble, elles étaient très cultivées, férues de littérature et musiciennes accomplies. Invitées de marque dans les fêtes, elles savaient y faire apprécier leur conversation spirituelle, leur charme, leurs vêtements à la mode et leur beauté.

Les courtisanes les plus en vue devenaient riches et donnaient de somptueuses fêtes dans leurs appartements, semblables à de vastes écrins, pleins de velours, de brocarts, de meubles marquetés et de volumes de poésie soigneusement choisis. La culture de la Renaissance fut une culture de l'ostentation, et les courtisanes, autant que tous les autres membres de la classe dominante, mettaient un point d'honneur à se montrer richement vêtues en public. Elles fréquentaient assidûment les églises, et se voyaient parfois bien accueillies, en tant que pénitentes potentielles, dans certaines paroisses, où leur nombre attirait sans doute les fidèles. Mais elles y recherchaient en fait la publicité. Les églises constituaient des scènes idéales pour exhiber leur beauté, leur charme, leurs somptueux vêtements, montrer leur influence et parfois même, dans le cas de quelques effrontées, faire montre de piété. La foule se massait autour des portes pour voir arriver la courtisane la plus en vogue, telle une star de cinéma à une avant-première, précédée de plusieurs pages et domestiques, entourée de ses admirateurs, parmi lesquels son favori du moment, qui lui donnait le bras.

C'est, du moins, la scène décrite dans un dialogue entre deux femmes, Maddalena et Guilia, attribué à l'Arétin. « As-tu vu les magnifiques vêtements que portait la Tortora quand elle est allée à Sant Agostino ? Je ne l'ai pas reconnue et j'ai cru que c'était là quelque baronne... As-tu remarqué sa coiffure ? On aurait dit une masse de boucles d'or sur une autre. Et cette robe de velours noir et d'or, avec les cordelettes d'or entrelacées sur le velours et les cordelettes de velours sur l'or. Cela a dû lui coûter une fortune. Et ses bagues, ses perles, ses colliers et tous les autres atours dont elle était parée ? » Et Giulia de répondre : « Oui, je l'ai vue et j'en étais bien étonnée car je me la rappelle encore à Venise, vêtue d'un vieux sac pour toute robe, avec les chevilles sales et les pieds dans de vieilles pantoufles sans talon. »

Les riches cavaliers attirés par ce clinquant entamaient des négociations longues et compliquées pour parvenir à nouer des relations avec ces courtisanes. Il leur fallait d'abord écrire d'élégantes lettres d'amour, pleines d'allusions érudites, avant de pouvoir déclarer leur flamme de vive voix. Les plus grandes courtisanes avaient pour amants les hommes les plus riches et les plus illustres. La concurrence était rude. Être admis chez la dame ne signifiait pas qu'on serait autorisé à pénétrer dans ses appartements privés, et encore moins dans sa chambre. Pour y parvenir, les prétendants devaient faire la preuve de leurs aptitudes, citer de la poésie à la mode, se prêter au jeu des madrigaux, improviser des chansons et offrir de dispendieux cadeaux. Aussi devaient-ils préparer sérieusement le moment où ils pourraient demander à être admis dans la chambre de la dame. Dès lors, il apparut à Venise une classe d'agents et de consultants connus sous le nom de *mezzani*, qui fournissaient les moyens de séduction nécessaires pour parvenir à leurs fins. On pouvait acheter poèmes, sonnets et lettres d'amour. Quand le client était prêt, le *mezzano* organisait la première rencontre, et, si elle se passait bien, c'était lui qui suivait l'affaire et négociait le marché final.

On mettait les courtisanes bien au-dessus des simples prostituées, pour leur esprit et leur culture et, pendant une bonne partie du XVIᵉ siècle, des femmes issues de bonnes familles bourgeoises embrassèrent cette carrière. Parfois, il s'agissait d'orphelines, de veuves, ou de femmes rejetées par leur famille parce qu'elles avaient eu un enfant hors mariage. Parfois, le seul fait de rester célibataire, dans une ville où 95 % des femmes étaient mariées, suffisait à les pousser vers cette profession, seule justification socialement acceptable de cet embarrassant statut.

C'était le cas de Veronica Franco, née en 1546 dans une famille bourgeoise qui comportait déjà trois fils, et qui était assez importante pour posséder un blason. Le mystère plane sur les raisons qui, à l'origine, l'ont poussée à choisir cette activité. On pense qu'elle fut mariée très jeune, mais qu'à l'âge de dix-huit ans elle tomba enceinte d'un riche amant. Elle marcha alors dans les pas de sa mère et devint courtisane. Après une rapide ascension, elle fit partie de ces femmes qu'on appelait « ruineuses bouchées » parce qu'elles ne facturaient pas le baiser à moins de cinq ou six écus. Bientôt, elle exigeait cinquante écus pour ce que Montaigne appelait la « négociation entière ». Elle était particulièrement renommée pour sa beauté. Elle teignait ses cheveux dans une nuance de blond que recherchaient, disait-on, tous les hommes d'Europe. Elle avait les yeux bleus et le visage en forme de cœur, avec un large front et un petit menton pointu. Le Tintoret, qui fut son ami, peignit d'elle un portrait aujourd'hui perdu ; mais une gravure qui la représente à l'âge de vingt-trois ans est toujours conservée à Venise. Elle est menue, presque enfantine, avec des traits d'une étrange délicatesse, des sourcils minutieusement épilés et des rangées de bouclettes brillantes soigneusement disposées autour du front pour donner à son visage cette caractéristique forme de cœur. Elle a le regard perçant et l'air pensif : il est évident qu'elle n'était pas seulement belle, mais aussi intelligente. Elle connaissait parfaitement ses classiques et elle nous a laissé une correspondance remarquable. Elle écrivait de la poésie dans le style de Dante et elle fréquentait le salon du poète Domenico

Venier, qui tenait auprès d'elle un rôle de conseiller et de critique littéraire. Elle jouait du clavecin et savait distraire ses clients et amis avec des concerts de madrigaux, des jeux littéraires et des récits. Elle eut plusieurs enfants et certains membres des plus grandes et des plus riches familles vénitiennes lui laissèrent de substantiels héritages. L'un d'eux lui légua son lit, avec un matelas de plumes, ainsi que son revenu annuel : quatre blocs de caviar et quatre saucisses.

Mais c'est en 1574 que s'établit définitivement la réputation de Veronica comme la plus célèbre et la plus douée de toutes les courtisanes de Venise. Le 18 juillet de cette année, le jeune Henri de Valois, alors âgé de vingt-deux ans, passa par Venise sur le chemin de son retour en France, où il devait succéder à feu son frère, Charles IX, et être couronné roi. Toujours prompts à faire étalage de leur opulence devant les monarques, les Vénitiens organisèrent un spectacle d'une extravagance grotesque, ultime étalage de vulgarité ploutocratique, devant lequel personne ne pouvait nier les légendaires richesses de la ville. On dressa des arcs de triomphe, dessinés par Palladio, que décorèrent Véronèse et le Tintoret. Henri III arriva sur un bateau comptant quatre cents rameurs esclaves, avec une escorte de quatorze galères. La Ca'Foscari, sur le Grand Canal, fut transformée pour le futur roi en palais des trésors, avec marbres rares et tentures de drap d'or, sur lesquelles se détachaient des tableaux du Titien, de Bellini, du Tintoret et de Véronèse. Pour le banquet principal, au palais des Doges, arrivèrent les deux cents plus belles femmes de Venise, vêtues de blanc, avec des colliers d'énormes perles. Les trois mille convives s'attaquèrent héroïquement aux douze cents plats qui figurent sur la note et le festin s'acheva sur trois cents sortes de bonbons différents. Quand le futur roi sortit en titubant, il trouva assemblée la galère dont on lui avait présenté les différentes parties en début de soirée. Elle fut lancée dans la lagune, au son d'un énorme canon qui avait été fondu pendant qu'il dînait.

Selon certains historiens, ce roi qui aimait à se promener incognito dans les villes ne fut plus jamais le même après cette soirée. Mais, entre deux fêtes, il trouva tout de même le temps de rendre une petite visite à Veronica Franco, dont il avait entendu parler par l'un de ses admirateurs. Cela devait être une visite secrète, mais, naturellement, tout Venise fut au courant. On rapporte qu'ils parlèrent des œuvres littéraires de Veronica. Elle composa d'ailleurs, par la suite, deux sonnets et une épître dédicatoire pour lui. « Aucun remerciement, écrivait-elle, ne pourrait jamais rendre justice à l'infinie délicatesse des offres bienveillantes et gracieuses que vous me fîtes au sujet de ce livre, que je vais vous dédier. »

Il est peu probable que la visite d'Henri III ait été entièrement consacrée à leur mutuelle édification littéraire. Il devait aussi connaître ses autres talents. En effet, elle n'avait aucun scrupule à se faire de la publicité, notamment en se comparant à l'archétype de la blonde, Vénus, déesse de l'amour. Dans l'un de ses poèmes érotiques, elle écrit :

> Si douce et si désirable je deviens lorsque je me trouve au lit avec celui qui m'aime et m'accueille, que notre plaisir surpasse tous les délices... Phoebus, qui servit la déesse de l'Amour, reçut d'elle récompense si douce qu'il la prisait au-dessus de sa propre divinité. Sa félicité, pour être précise, ce sont les plaisirs que Vénus lui procura en le tenant tendrement enlacé : pour ma part, je suis versée dans ces mêmes arts et si experte dans les plaisirs de l'amour que ma maîtrise surpasse de loin celle d'Apollon.

Veronica mourut en 1591, à l'âge de quarante-cinq ans, après un mois de fièvre. Pendant les dernières années de sa vie, elle connut quelques difficultés financières et sa réputation commença à décliner. Un fielleux ami de l'Arétin faisait remarquer que sa poitrine tombait si bas qu'elle aurait pu s'en servir pour faire avancer sa gondole. Mais il rendait encore hommage à ses talents de chanteuse.

Veronica reste l'une des belles les plus célèbres et les plus exceptionnelles de Venise, cette ville où la beauté était adorée en tant que manifestation de sainteté. Très connue dans la Sérénissime République, elle fut sans doute peinte par ses plus grands artistes. Deux portraits attribués à l'atelier du Tintoret, *Portrait d'une dame* (conservé au Worcester Art Museum dans le Massachusetts) et *Portrait de femme* (aujourd'hui au Prado, à Madrid), montrent de belles jeunes femmes blondes, avec un visage en forme de cœur, vêtues de somptueux habits de brocart, de soie et de velours, découvrant toutes deux un sein. Certains historiens de l'art pensent qu'il s'agit de portraits de Veronica Franco.

À une époque où peintres et poètes établissaient clairement les codes de la beauté féminine en s'inspirant des appas légendaires de Vénus, il n'est pas surprenant de voir les dames oisives et fortunées tenter d'atteindre cet idéal au même titre que les courtisanes. Les cheveux blonds représentaient un moyen efficace de parvenir à la perfection et, d'une certaine façon, parmi tous les critères de beauté, c'était le plus facile à satisfaire. Les observateurs regardaient avec étonnement les efforts déployés par les Vénitiennes pour décolorer leurs cheveux. Un cousin du Titien, Cesare Vecellio, décrit en 1589 cette organisation complexe :

> Les maisons de Venise sont fréquemment surmontées de petites constructions de bois, qui ressemblent à des tourelles sans toit... Pendant les heures où le soleil, presque à la verticale, darde ses rayons les plus brûlants, elles s'y enferment et se condamnent à

y rôtir sans personne pour s'occuper d'elles. Assises là, elles ne cessent d'humecter leurs cheveux à l'aide d'une éponge imbibée de quelque élixir de jeunesse, qu'elles ont acheté ou préparé de leurs propres mains. Elles trempent constamment leurs cheveux, aussitôt que le soleil les a fait sécher, et c'est le renouvellement constant de cette opération qui les rend telles que vous les voyez : blondes.

Coryate, ravi d'« une faveur qu'on n'accorde pas à n'importe quel étranger », observa la femme vénitienne d'un marchand anglais alors qu'elle se préparait à cette tâche peu ragoûtante. « Toutes les femmes de Venise, le samedi après-midi, ont coutume d'oindre leurs cheveux d'huile ou de quelque autre drogue, afin de les rendre blonds, c'est-à-dire presque blancs. Car c'est la couleur la plus prisée des Dames et Damoiselles de Venise », fait-il remarquer.

Il serait sans doute exagéré de présenter tous les Italiens comme des fétichistes de la blondeur, mais c'est sans doute en Italie du Nord que ces activités de décoloration étaient le plus répandues. Par bonheur, quelques manuels de beauté de la Renaissance nous sont parvenus. Celui de Giovanni Marinelli, intitulé *Gli Ornementi* (*Des ornements des dames*), parut à Venise en 1562. Le second tome propose différentes recettes pour blondir les cheveux, dont celle qui consiste à préparer un genre de minestrone à base de cendres de vigne mises à bouillir dans de l'eau pure, avec quelques tiges d'orge, du bois de réglisse pelé et émincé, des écorces de brindilles et un citron vert : « Faites de ces ingrédients une mixture, videz le chaudron. Lavez les cheveux, laissez sécher, puis appliquez le liquide. Vos cheveux deviendront de brillants fils d'or. » S'ils résistent au traitement, c'est qu'ils sont tombés.

Pendant des siècles, des escrocs italiens enseignèrent à un public féminin très demandeur ce qu'ils présentaient comme l'ultime secret de la blondeur. On conseillait de s'enduire les cheveux d'huile d'olive et de vin blanc pour les peigner, ou encore d'utiliser de l'écorce de lierre et des graines d'herbe et de foin. Et même de l'urine de cheval. En 1699, le *Neuvième Livre de magie naturelle : de la parure des femmes et comment les rendre belles*, de Giovanni Battista Della Porta, s'ouvre sur une série de recettes de teintures blondes. « Les femmes tiennent leur chevelure pour le plus grand ornement de leur personne, elles pensent que, si on la leur ôtait, elles perdraient toute beauté, et elles la trouvent d'autant plus belle qu'elle est d'un jaune brillant et rayonnant. » Ainsi commence l'ouvrage.

Suivent huit recettes de décoloration. Les lecteurs modernes, munis de leurs teintures L'Oréal ou Clairol, délicatement parfumées, resteront sans doute sceptiques quant à l'efficacité de ces potions nauséabondes. Armand Brachet, auteur en 1865 d'un traité intitulé *Les Femmes blondes selon les peintres de l'école de Venise*, dénombre trente-six recettes pour la préparation de cette eau oxygénée de l'époque, dite *acqua bionda*. Quant à Konrad Bloch, chimiste américain contemporain, il a analysé tous ces ingrédients et trouvé que leur combinaison produisait de puissants décolorants, dont le principe actif était vraisemblablement le peroxyde d'hydrogène. C'est également celui de notre eau oxygénée, qui ne fut découverte qu'en 1812. « Il y a une certaine cohérence dans ces recettes vénitiennes, écrit-il, on ne peut les reléguer entièrement au domaine de l'alchimie. »

Ces potions étaient manifestement puissantes, mais aussi dangereuses. Dans *The Artificial Changeling* (1650), John Bulwer rapporte le cas de quelques malheureuses Italiennes qui ne pouvaient se passer de décoloration :

Les femmes du temps jadis aimaient par-dessus tout les cheveux blonds... À cette époque, les femmes de Venise, celles de Padoue, de Vérone et d'autres contrées d'Italie affectaient même vanité et recevaient même récompense pour leurs afféteries, puisqu'il y avait en ces cités exemples clairs et manifestes de femmes ayant souffert une sorte de martyre pour se blondir les cheveux. Schenkius relate l'histoire de quelque noble demoiselle, de seize à dix-sept ans, qui s'exposait tête nue à l'ardente chaleur du soleil, chaque jour pendant plusieurs heures, à la seule fin d'obtenir des cheveux blonds, en les oignant de tel onguent ; et bien qu'elle obtînt l'effet désiré, cependant, elle se causait de violents maux de tête et saignait du nez abondamment chaque jour... Quelque autre jeune vierge aux yeux délicats, par ce même artifice, perdit presque la vue.

Apparemment, ces femmes n'avaient pas entendu (ou faisaient semblant de n'avoir pas entendu) les avertissements de Giovanni Marinelli, dont le traité cité plus haut les met fortement en garde contre l'usage de teintures. « Permettez-moi de vous rappeler, honorables Dames, que l'application de tant de teintures sur vos cheveux peut provoquer un refroidissement si soudain, comme le choc d'une douche, qu'il affecte et pénètre et, qui pis est, peut causer diverses infirmités et maladies graves... Nous voyons souvent des cheveux affectés dans leur essence, à la racine, où ils deviennent faibles avant que de tomber, et leur couleur gâchée par l'usage de tant de décoctions et de liquides nocifs. »

Voilà un discours véhément. Pourtant, bien que de tels avertissements fussent souvent répétés, peu de femmes choisissaient de les écouter puisqu'elles pouvaient s'attirer tant de gloire et de pouvoir en devenant blondes. Chaque jour, du haut de leur chaire, les prédicateurs continuaient de déverser leurs menaces sur une assemblée où les belles Italiennes aux cheveux décolorés faisaient la sourde oreille. Les avis étaient donc partagés, et la blondeur suscitait des réactions disproportionnées. Certains y voyaient la quintessence de la beauté sensuelle, d'autres y déchiffraient un signe de vanité maligne et d'aveuglement. Cette opposition entre adeptes pâmés d'admiration et dénonciateurs invétérés n'annonçait rien de bon. Mais, pour le moment, la blondeur continuait de triompher.

Chapitre 7

LA REINE VIERGE

Ce fut l'apogée du règne d'Élisabeth Ire : le dimanche 24 novembre 1588 au matin, la reine d'Angleterre quitta Somerset House pour se diriger vers la cathédrale Saint-Paul afin d'assister à un office d'action de grâces. Elle allait remercier Dieu d'avoir accordé à sa flotte une écrasante victoire sur l'Invincible Armada espagnole. C'était la plus grande victoire anglaise depuis Azincourt, et la reine tenait à exprimer sa gratitude et à reconnaître sa dette envers la divine Providence. Elle souhaitait aussi faire de cet événement une déclaration solennelle, fixer dans l'esprit de son peuple et de toute la chrétienté cette image de la plus illustre, de la plus grande souveraine de droit divin : « Eliza Triumphant ».

Le peuple jubilait. Des dizaines de milliers de personnes acclamaient la reine sur son passage, agitant des bannières pour la saluer quand elles l'apercevaient, elle et sa cavalcade. De sinueuses rangées d'échevins en costume écarlate se tenaient des deux côtés de la route, avec les gentilshommes vêtus de leurs habits les plus chatoyants. Devant la reine s'étirait une longue procession d'un éclat resplendissant. Hérauts, juges, ambassadeurs, chevaliers, nobles dames et seigneurs se dirigeaient tous vers la cathédrale dans le cliquetis des harnais et le tumulte assourdissant des sabots ferrés. La reine, immobile et couverte de joyaux, l'image même d'une déesse, suivait cette procession dans un carrosse tiré par deux chevaux blancs. Elle était assise sous un dais où figuraient une couronne, un lion, un dragon et les armes d'Angleterre.

On n'avait pas vu procession de cette ampleur ni de cet éclat depuis le couronnement de la reine, en 1558, et elle devait être à la hauteur de l'événement exceptionnel qu'elle célébrait. Sur le passage de la reine, on jouait des spectacles et des ballades en son honneur. On lui offrit des joyaux et des livres précieux, alors qu'elle cheminait lentement sur le Strand, pavé, puis qu'elle remontait la boueuse colline de Ludgate. Elle portait l'une de ses plus éblouissantes robes brodées, couverte d'une quantité de galons dorés et d'une multitude de petits joyaux qui reflétaient la lumière quand elle répondait d'un geste gracieux aux acclamations de la foule. Elle arriva à Saint-Paul vers midi, descendit de son carrosse devant le portail ouest, tomba à genoux et « adressa de sincères prières à Dieu » devant une foule immense. Elle entra ensuite dans la cathédrale, tendue de bannières prises à l'ennemi, pour écouter un sermon, avant de lire une prière de sa composition et de s'adresser à l'assistance. Quand elle demanda au peuple de se sentir reconnaissant pour cette grande victoire, une clameur assourdissante lui répondit, celle de la foule qui l'ovationnait. Après un somptueux banquet de fête offert par l'évêque de Londres dans son palais tout proche, les centaines d'invités de la reine retrouvèrent leur monture, et elle-même reprit place dans son carrosse, telle une magnifique idole vivante. Ils rentrèrent à Somerset House, en superbe procession, aux flambeaux, cette fois.

En privé, la reine Élisabeth se permit sans doute un radieux sourire de satisfaction. Jamais sa gloire n'avait été si grande. Même ses ennemis, le pape Sixte V, Henri III et le sultan ottoman chantaient ses louanges, glorifiaient sa valeur, son énergie et son courage. Dans son pays, elle était considérée comme une déesse, fascinante et intouchable, l'incarnation même de la majesté divine. Naturellement, on organisa une séance de pose pour faire exécuter un portrait afin de commémorer cette grande occasion. Trois versions du spectaculaire *Portrait de l'Armada* nous sont parvenues, toutes sur le même modèle. La reine est debout, éclairée par une lumière brillante, devant deux fenêtres, l'une où l'on voit la flotte anglaise se lancer à l'attaque des navires espagnols, et l'autre où l'on peut voir l'Invincible Armada réduite en mille morceaux au large de l'Écosse. Sa main élégante repose sur un globe terrestre et, sur la table, rutile une couronne aux énormes joyaux. Mais la reine elle-même éclipse complètement ces détails. Elle est vêtue d'une magnifique robe noir et blanc incrustée de grosses perles et de bijoux resplendissants, raide de fils d'or et parsemée de pompons, de nœuds et de rubans, costume que viennent parachever huit rangs d'énormes perles qui lui pendent jusqu'à la taille. Malgré ses cinquante-cinq ans, son visage, masque lisse et pâle, présente le teint parfait d'une jeune femme de vingt ans. Cette figure semble posée en équilibre sur une rigide fraise de dentelle de la taille d'une roue de chariot, et que complète un halo de boucles dorées soigneusement coiffées, parsemées de grosses perles.

D'anciennes écolières attentives se souviendront sans doute avoir appris qu'Élisabeth avait les cheveux auburn. En effet, si l'on regarde ses premiers portraits, que l'on considère habituellement comme les plus réalistes car ils furent exécutés avant qu'elle puisse sérieusement prétendre au trône, ses cheveux y sont d'un châtain roux assez clair. À l'époque de la victoire anglaise sur l'Invincible Armada, ils devaient être grisonnants : elle portait une perruque d'un blond doré.

C'est avec ce portrait qu'Élisabeth Ire a commencé à se transformer en blonde. Après trente années d'un règne que l'on s'accordait à qualifier d'exceptionnellement avisé et heureux, les Anglais considéraient leur souveraine comme une sorte de sauveur divin. La victoire sur l'Armada espagnole contribua à créer un culte de la reine Élisabeth. Elle prit le statut d'immortelle et son image, diffusée par les œuvres de peintres courtisans, fit de cet être encore à peu près humain une spectaculaire icône chargée de bijoux, une créature irréelle et fascinante. Elle fut la reine d'or d'un âge d'or ; ses cheveux blonds faisaient partie de cette divine irréalité. En 1588, pour commémorer le rôle de sir Thomas Heneage dans cette victoire, la reine lui offrit un portrait d'elle-même, une miniature, spécialement exécutée par Nicholas Hilliard pour l'occasion, dans un médaillon d'or émaillé, incrusté de diamants et de rubis. Il montre une jeune femme d'une blondeur éblouissante.

Les représentations d'Élisabeth furent sans doute beaucoup plus nombreuses et beaucoup plus largement répandues auprès de ses sujets que celles d'aucun de ses prédécesseurs. Des centaines de peintures, de miniatures, de bois gravés et de gravures furent exécutés tout au long de son règne ; certains figuraient même en frontispice de quantité d'ouvrages, dont la Bible. Dans un pays où le portrait était encore une nouveauté pour la plupart des gens, ces images durent avoir un énorme impact, en tant qu'outils politiques et objets de culte.

Pour la souveraine, ces cheveux blonds, devenus partie intégrante de son image, remplissaient plusieurs fonctions. Il s'agissait tout d'abord d'un signe culturel codé venant souligner son incorruptible et intacte virginité. Élisabeth avait vu sa sœur, la reine Marie Iʳᵉ Tudor, et sa cousine, Marie Stuart, contracter des mariages désastreux. De nombreux historiens ajoutent qu'elle n'eut jamais l'intention de se soumettre à un mari et qu'elle était résolue, dès son plus jeune âge, à régner seule. Pendant des années, elle s'amusa à flirter avec ses courtisans favoris et, à l'étranger, elle se livra à l'inévitable jeu des alliances, avec des ribambelles de prétendants, dans toute l'Europe catholique, se servant des uns pour mieux se débarrasser des autres. Mais, malgré tous les efforts de ses ministres des Affaires étrangères, elle les rejeta tous catégoriquement. Au terme d'une longue cour, elle finit par refuser le duc d'Anjou – qu'elle appelait « ma grenouille » –

parce qu'il était français, et que, bien que deux fois plus jeune qu'elle, il avait le malheur d'être vérolé. À la mort du duc, en 1584, Élisabeth avait dépassé l'âge de se marier. Elle avait cinquante et un ans, et même ses défenseurs les plus irréductibles s'accordaient à dire qu'elle ne pouvait plus avoir d'héritier. Elle avait donc gagné : elle resterait cette reine vierge qui, comme elle aimait à le rappeler à ses sujets, avait épousé son royaume et lui seul. En matière de relations publiques, elle avait réussi un coup de maître ; désormais, ses portraits insisteront de plus en plus fortement sur cette jeunesse et cette virginité symboliques, représentées par l'omniprésence des perles et la blondeur de sa chevelure, signe d'une féminité immaculée.

Élisabeth savait tirer parti de son statut de femme. En août 1588, alors qu'on croyait l'Angleterre à la veille d'une invasion espagnole, elle passa ses troupes en revue à Tilbury. À cheval, au milieu de milliers de soldats, elle devait être particulièrement remarquable. « Je sais que j'ai le corps d'une frêle et faible femme, leur dit-elle, mais j'ai le cœur et les entrailles d'un roi, et qui plus est, d'un roi d'Angleterre. » Avec son habileté tout à fait caractéristique à se mettre en avant, elle jouait de la faiblesse supposée de son sexe pour souligner d'autant plus fortement son courage. Quelques mois plus tard, elle rehaussa cette féminité en devenant blonde. Edmund Spenser, dans *The Faerie Queen (La Reine des fées)*, ce long chant d'amour pour la reine Élisabeth, décrit une scène où Britomart, une vaillante, chaste et majestueuse héroïne enlève son heaume après une bataille pour révéler sa longue chevelure blonde « tels les rayons du soleil », preuve de sa féminité et d'un courage d'autant plus admirable.

Pour la souveraine, les cheveux jouaient également un rôle important dans sa façon de se mettre en scène comme la plus belle demoiselle d'Angleterre, ultime objet d'amour courtois. Cet idéal chevaleresque, vestige du Moyen Âge, considérait toute dévotion chaste pour une belle et, traditionnellement, blonde maîtresse comme un moyen de s'élever d'un point de vue spirituel. Cet amour courtois canalisait les dévotions envers la reine et convenait parfaitement à ses goûts et à ses exigences. L'idéal chevaleresque élisabéthain inspira bien des combattants lors de la crise de l'Armada et, dans la vie de tous les jours, il contribuait à susciter de flatteuses manifestations de fidélité et de vénération. Élisabeth adorait assister aux tournois royaux, où les chevaliers s'affrontaient pour elle. Dans ces somptueux spectacles, ils apparaissaient en costumes mythologiques, souvent très originaux, pour offrir leurs présents à la reine, assise dans les galeries qui surplombaient la lisse, là où se situe l'actuelle parade des Horse Guards. La reine elle-même paraissait parfois costumée, elle aussi, en Astrée, déesse vierge de la justice, ou bien en blonde Belphoebée, ou, par la suite, en Gloriana, la reine aux cheveux d'or du poème de Spenser, *The Faerie Queen*. Dans cet accoutrement symbolique, au cours de ces cérémonies médiévales, elle recevait l'hommage de ses vaillants chevaliers, puis regardait ses champions défendre son honneur en affrontant leurs rivaux.

Mais le message le plus important que renvoyait la chevelure d'Élisabeth dans les dernières années de son règne était la référence au halo de blonds cheveux que l'on remarquait sur les représentations de la Vierge Marie. Le jour où sir Henry Lee renonça au titre de champion de la reine dans les tournois, en 1590, fut édifié un autel à la reine vierge, et le luthiste de Sa Majesté chanta une hymne qui la comparait ouvertement à la Vierge Marie. « *Vivat Eliza ! For an Ave Maria !* » (Vive Élisa ! en guise d'Ave Maria !), chanta-t-il, saluant ainsi Élisabeth comme l'autre reine des Cieux. Une gravure de la même époque la représente, avec la légende suivante : « Des Vierges, elle fut, Elle est (que dire de plus ?), sur Terre la Première, aux Cieux la

Seconde. » Cette virginité agissait donc comme un puissant charme magique conférant à la souveraine une pureté miraculeuse, toute proche de la sainteté.

À partir des années 1580, sa chevelure adopte dans les portraits une blondeur de plus en plus surnaturelle, les détails qui favorisent son assimilation à la Vierge deviennent plus évidents. On racontait des histoires de guérisons miraculeuses par l'imposition des mains, qui encourageaient la comparaison. La reine elle-même n'hésitait pas à se présenter comme un sauveur messianique dans ses discours au Parlement. Certaines images manquent totalement de subtilité, ce qui les rend tout à fait remarquables. Ainsi, dans le manuscrit des *Acts and Monuments* de Fox, la majuscule C est enluminée d'une représentation d'Élisabeth en majesté, recevant l'hommage de trois hommes barbus, ce qui l'identifie sans aucune ambiguïté à la Sainte Vierge.

Le destin favorisa cette sanctification d'Élisabeth, non seulement parce qu'elle était née la veille de la nativité de la Vierge Marie, mais aussi parce qu'elle mourut la veille de l'Annonciation. Et c'est après sa mort que les artistes et les hommes de lettres poursuivirent leur tâche avec le plus d'empressement. Trois jours après son décès, le 24 mars 1603, le docteur King, dans son prêche de Whitehall, la compara à une seconde Marie, qui aurait donné naissance au Nouveau Testament. « Ainsi donc il y eut deux excellentes femmes, l'une porta le Christ et la seconde le bénit. À ces deux femmes, nous pouvons en ajouter une troisième, celle qui le porta et le bénit à la fois. Elle [Élisabeth] le porta dans son cœur comme dans son sein, elle le conçut dans la foi et lui donna vie dans nombre d'œuvres charitables. » Les nombreuses élégies qu'on écrivit à l'occasion de son décès la saluèrent comme la Madone anglaise, et les peintres, eux aussi, se mirent au travail pour la représenter comme la Sainte Vierge dans les Cieux, siégeant dans la splendeur céleste, entourée d'un halo d'étoiles parmi d'énormes nuages. On construisit des miniatures de son tombeau dans les églises à travers toute l'Angleterre. Sous l'une d'elles, on peut lire ces vers : « Elle fut celle qui, malgré la mort, toujours vit car on l'adore. »

Ainsi fut achevée l'apothéose que la reine avait soigneusement préparée. Car la construction de ce personnage, et de son image, fut un projet mûrement réfléchi, une stratégie mise en œuvre par l'Angleterre protestante pour immortaliser le souvenir d'Élisabeth comme représentation divine, symbole du progrès de sa nouvelle foi. Alors qu'on venait d'ôter toutes les représentations du Christ, des saints et de la Vierge des églises du pays sous prétexte de lutter contre l'idolâtrie, les images de la divine Élisabeth envahissaient l'Angleterre. À bien des égards, il ne s'agissait que d'une conséquence naturelle de la suppression du culte de la Vierge par le protestantisme : on l'avait remplacé par celui de la souveraine.

La fabrication des images officielles à la mort d'Élisabeth n'avait rien de neuf. Nous savons que cette reine a toujours cherché à contrôler les représentations d'elle-même qui circulaient dans son royaume. Dès son accession au trône, en 1558, elle semble avoir éprouvé quelques difficultés avec ses portraits. En 1563, lord Cecil, un courtisan extrêmement puissant qu'elle avait chargé de ses relations publiques, composa un projet de décret qui condamnait la prolifération quotidienne d'images de la reine ne donnant pas satisfaction et leurs « erreurs et déformations ». Ce décret donnait aux artistes officiellement autorisés à représenter la souveraine des instructions à suivre afin de produire d'elle des portraits « corrects ». C'est pourquoi il existe tant de versions de certains portraits, que l'on copiait en suivant des indications approuvées par les autorités. Nous ignorons si le décret finit par être appliqué, mais, si ce fut bien le cas, il ne réussit pas à imposer la censure qu'il voulait établir. Vers la fin de son règne, des employés du gouvernement étaient chargés de débusquer les portraits inconvenants et l'on organisa même un bûcher pour brûler en public ceux qui furent jugés « portant gravement offense » à Sa Majesté. Des gravures malséantes furent également brûlées au fur et à mesure ; un écrivain relate que de « viles copies d'une exécrable peinture » furent saisies et que, pendant des années, les cuisiniers d'Essex House s'en servirent comme pelles à enfourner.

Nous pouvons cependant supposer que les représentations plus tardives d'Élisabeth qui nous sont parvenues ont reçu son approbation. À la fin de sa vie, un gouffre infranchissable devait séparer ces images de la réalité : cette femme vieillissante, aux joues pendantes et aux dents jaunies (comme le fait remarquer un attentif ambassadeur français) s'était transformée pour la postérité en blonde légendaire, éternellement jeune. Cette jeunesse surnaturelle ne conférait pas seulement à la personne de la reine une immortalité quasi divine, elle symbolisait aussi la pérennité de la paix et la prospérité du royaume. Vers la fin de ce long règne, la crise économique, les rumeurs sur la maladie ou la mort de la reine et les problèmes de succession tourmentaient l'Angleterre. Dans ces circonstances, il s'avérait plus important que jamais pour Élisabeth de préserver l'aura de sainteté qui entourait sa personne.

Après 1590, les portraits officiels de la reine font d'elle une diva, de plus en plus altière, d'une blondeur stupéfiante. Le portrait Ditchley montre une créature d'une perfection toute symbolique, flottant au-dessus d'une carte de l'Angleterre, effleurant l'Oxfordshire de la pointe de ses minuscules orteils. Il fut composé par Marcus Gheeraerts le Jeune pour commémorer la visite qu'Élisabeth rendit à sir Henry Lee à Ditchley, dans l'Oxfordshire, en 1592. Elle y porte une robe particulièrement travaillée (l'une des deux mille tenues qu'elle possédait à la fin de sa vie), d'une blancheur royale, surmontée d'un lacis de perles et de joyaux. Elle porte un collier ras du cou de perles et de rubis, tandis que, comme à l'accoutumée, une poignée de cordons ornée d'énormes perles pend en boucle sur son corsage.

Sa perruque est d'un blond très jaune. Mais une fois le tableau copié, en plusieurs versions qui suivaient toutes le même motif de base, dont une était autrefois conservée à Blair Castle et une autre à Blicking Hall, cette couleur s'éclaircit d'un ton ou deux pour devenir un étonnant blond platine.

Quant à Nicholas Hilliard, il peignit de nombreuses miniatures de la reine. La plupart la représentent en blonde, de diverses nuances, et quelques-unes en brune. Après 1590, toutes montrent ce que l'on devait appeler par la suite le « masque de jeunesse d'Hilliard ». Cette idéalisation, représentation visuelle du culte de sa beauté et de son charme pendant les dernières années de son règne, montre une Élisabeth Ire d'une pâle blondeur, les cheveux souvent détachés flottant sur les épaules comme ceux d'une jeune mariée.

Le tableau attribué à Robert Peake intitulé *La reine Élisabeth se rend en procession à Blackfriars en 1600* représente une reine légendaire, vêtue d'une robe blanche parsemée de joyaux, dans une litière à baldaquin portée par ses courtisans. Sa bouche de rubis semble esquisser une moue, le regard sombre et sensuel, un teint de jeune fille. Dans ses cheveux, d'un blond chatoyant, d'une nuance surnaturelle, brillent perles et pierres précieuses. Autour d'elle se pressent ses courtisans vieillissants et les grands du royaume qui se pavanent comme des paons, ainsi que ses dames de compagnie, toutes brunes, qui ne font que mettre en valeur l'éblouissante magnificence de la reine. Élisabeth, qui ainsi contrôla son image jusqu'à la fin, semble flotter au-dessus d'eux comme quelque lumineuse créature céleste éthérée. Au crépuscule de ce long et glorieux règne, ce fut sans doute la représentation la plus fantastique jamais peinte de la souveraine.

Nous savons que ce visage lisse, ces yeux d'adolescente et ces mains parfaites sont de criants mensonges. Mais les cheveux sont peut-être plus conformes à la réalité que nous ne pourrions l'imaginer à première vue. Quand ce tableau fut exécuté, cela faisait déjà vingt ans qu'Élisabeth portait des perruques, aux coiffures très sophistiquées, sans doute pour des raisons pratiques, mais aussi parce qu'elles lui permettaient de cacher sa trop rare chevelure grise. Dans les années 1590, la reine possédait une importante collection de perruques. En 1592, son conseiller Roger Mountague lui fit livrer sept chevelures pour confectionner des coiffures, des fleurs et autres ornements pour coiffures, « deux perruques de cheveux » ; en 1595, il lui fournit « quatre grandes chevelures blondes, pour quatre perruques de cheveux ». En 1602, un an avant sa mort, elle achetait encore des cheveux pour se faire faire des perruques.

La reine Élisabeth a toujours parfaitement compris la symbolique des vêtements et des coiffures. Lors des négociations avec ses puissants voisins, ou bien lorsqu'elle recevait les hommages de prétendants étrangers, elle changeait de tenue pour des raisons diplomatiques aussi bien que pour suivre la mode. Sir James Melville, ambassadeur d'Écosse, remarque en 1564 qu'elle est parfois vêtue à l'anglaise, parfois à l'italienne ou encore à la française. « Elle me demanda quelle lui était la plus seyante. Je répondis la mode italienne, ce qui lui donna grande satisfaction, car elle aimait à montrer ses cheveux couleur d'or. »

Melville avait été envoyé en Angleterre cette même année par Marie d'Écosse afin de renouer avec Élisabeth des relations qui s'étaient détériorées au point qu'aucune des deux ne cherchait même plus à sauver les apparences de l'amitié. Pendant son séjour, il eut loisir de découvrir qu'Élisabeth s'intéressait à des sujets de rivalité typiquement féminins.

> Elle entreprit de déterminer quelle couleur de cheveux l'on estimait le plus ; et quels étaient les plus beaux, des siens et de ceux de ma souveraine ; et quels étaient les plus blonds. Je répondis que leur blondeur à toutes deux n'était pas leur pire défaut. Mais elle exigea sérieusement que je déclare lesquels je trouvais les plus beaux. Je répondis qu'elle était la reine la plus belle d'Angleterre et que ma reine était la plus belle d'Écosse. Pourtant, elle gardait son sérieux. Je répondis qu'elles étaient chacune les femmes les plus blondes de leurs cours respectives, que la chevelure de Sa Majesté était plus claire, mais que celle de notre reine était en tout point charmante.

L'idéal de beauté féminine des élisabéthains provenait d'un mélange d'influences poétiques, des tableaux de l'époque, et des caprices de la reine elle-même, que les grandes dames imitaient, par flatterie. John Marston, poète et dramaturge du XVIe siècle, nous donne une description détaillée de cet idéal de beauté anglais : « Le visage doit être rond et les joues colorées, le front lisse, haut et blanc, les sourcils petits et délicats, soulignés au crayon, les lèvres telles du corail ou des cerises... les cheveux d'un jaune doré et soutenu. » La mère de Marston était italienne et il est possible qu'il ait été influencé par l'obsession de ce peuple pour les cheveux blonds. Mais il n'était pas le seul à faire l'éloge de la blondeur. Voici la description d'une belle dame blonde, dont l'histoire fut écrite avant le règne d'Élisabeth, mais réimprimée à trois reprises, la dernière en 1567. L'héroïne, lady Lucres, est ainsi dépeinte : « Son abondante chevelure [était] comme dans un filet d'or, car elle ne la laissait pas flotter sur ses épaules à la manière des jeunes vierges, mais, dans l'or et les pierres, elle l'avait enclose ; le front haut, d'une largeur seyante, sans ride, les sourcils arqués, l'œil brillant comme le soleil... et droit comme un fil, son nez. Sa bouche petite et gracieuse, ses lèvres couleur de corail, ses dents petites et bien rangées semblaient de cristal. »

Les historiens considèrent qu'il s'agit là de la perfection de la beauté élisabéthaine car Shakespeare en décrit ironiquement le contraire exact dans son sonnet 130 :

Les yeux de ma maîtresse au soleil comparables ?
Non pas ! Ni l'éclat de ses lèvres au corail.
La neige est blanche, alors ses seins sont bruns.
Les cheveux, des fils d'or ? Les siens sont des fils noirs
J'ai vu des roses incarnates, rouges, blanches,
Mais sur ses joues, je ne vois point de telles roses[1].

Sonnets et poèmes d'amour abondèrent pendant les dernières années du règne d'Élisabeth. Souvent destinés à lui être offerts, ils chantaient la gloire de la souveraine et la beauté de la dame. Ces patriotiques auteurs anglais, séduits par tant de noblesse alliée à tant de beauté, faisaient tous l'éloge des cheveux d'or de la reine et de ses yeux, astres célestes. On pense que ces compliments tout prêts, alors à la mode, proviennent de la blonde et pure Laure de Pétrarque, muse dont la popularité ne s'était toujours pas démentie.

« Comme l'or poli, tels sont les cheveux de ma souveraine, et comme une brassée d'étoiles, ses yeux sombres », dit un sonnet du recueil de Robert Tofte intitulé *Laura*. Quant à la description

---

1. Shakespeare, *Sonnets*, 130. Henri Thomas, trad. Cognac : Club français du Livre, 1994.

de Belphoebée, qui représente Élisabeth, dans *The Faerie Queen* de Spenser, elle lui attribue des « boucles blondes frisées comme du fil d'or ». Poésie et peinture restèrent étroitement liées sous le règne d'Élisabeth, et ce sont peut-être les représentations de la reine par Hilliard, sous les traits de l'idéal féminin de l'époque, avec son « masque de jeunesse », qui correspondent le mieux aux descriptions des poètes.

Les grandes dames imitaient les portraits et les descriptions de la reine, celles à qui la nature n'avait pas accordé toutes les perfections requises recourant à des artifices. Nombre d'entre elles se teignaient les cheveux. En 1602 parut un livre de sir Hugh Platt, *Delightes for Ladies to Adorne their Persons*, qui comprenait une sélection de recettes malodorantes pour teindre les cheveux « d'un blond clair ou doré ».

Celles qui répugnaient à s'enduire les cheveux de mixtures fétides s'achetaient une chevelure dans la rue. Selon Philip Stubbes, il pouvait aussi bien s'agir de poils « de cheval, de jument ou d'autres bêtes étranges, qu'elles teignaient de la couleur qu'elles souhaitaient ». Bien entendu, les riches suivaient d'autres règles : ils se contentaient de piller la tête des pauvres. « S'il se trouve de pauvres femmes, raconte Stubbes, [...] à la chevelure blonde, les belles dames n'ont de cesse de l'acheter, ou bien s'il se trouve un enfant blond, elles l'attireront dans un endroit isolé et, pour un penny ou deux, lui couperont les cheveux. Comme j'ai entendu dire qu'une d'elles l'a fait récemment à Londres, qui, rencontrant un petit enfant aux cheveux très blonds, l'attira dans une maison en lui promettant un penny et lui coupa les cheveux. »

Avec de tels artifices, si répandus, il n'est guère surprenant que les satiristes s'en soient donné à cœur joie, comme Ovide et ses amis quelques siècles plus tôt. Un personnage de Ben Jonson,

Moria, fait dans *Cynthia's Revels* le commentaire suivant : « Comme j'aimerais connaître les secrets de la cour, de la ville et de la campagne [...] savoir quelle dame dort avec son visage et quelle non ; qui, à la cour, ôte ses dents avec son habit, qui ses cheveux et qui son teint ; et dans quelle boîte ils les rangent. »

Quant au peintre Apelle, dans *Alexandre et Campaspe*, de John Lyly, il déclare à Alexandre : « Si les sourcils sont noirs, cependant les cheveux doivent être blonds. » Shakespeare ne résista pas non plus à l'envie de décocher quelques traits, notamment dans *Le Marchand de Venise*, où Bassanio, en commentant le dicton « Tout ce qui brille n'est pas or », exprime aussi son opinion sur la beauté des femmes, « souvent achetée au poids » :

Ainsi, ces boucles enroulées, serpentines,
Qui font au vent si folâtres cabrioles
Sur beautés prétendues dont on sait bien souvent
Qu'elles sont l'apanage d'une seconde tête,
Le crâne qui les fit croître étant dans un sépulcre[2].

Mais les satiristes pouvaient bien se moquer, des artifices aussi criants ne constituaient en rien un obstacle à la recherche des canons de la beauté. Les dames de qualité passaient le plus clair de leur temps à s'apprêter, à s'habiller et à se maquiller pour réparer les ravages du temps sur leur visage et leurs cheveux. Dans une comédie de Thomas Tomkis publiée en 1607, *Lingua*, une douzaine de jeunes filles doivent travestir un jeune garçon en grande dame. Il y avait « tant à faire avec leurs miroirs, à épingler, enlever les épingles, essayer les robes pour voir si elles tombaient bien,

---

2. William Shakespeare, *Le Marchand de Venise*. III, 2. *Œuvres complètes, comédies II*, traduction de P. Spriet, Paris, Laffont, coll. « Bouquins », 2000.

pour les enlever, former et conformer, peindre en bleu les veines, en rouge les joues, tellement de travail avec les cosmétiques et les peignes » que l'opération était censée durer cinq heures. Il s'agit sans doute là d'une exagération, mais nous pouvons en conclure que les dames de qualité se préoccupaient constamment de l'état de leur maquillage et de leur coiffure.

C'est à partir d'un dangereux mélange à base de plomb blanc qu'elles obtenaient ce teint pâle, signe d'éducation, d'oisiveté et donc de richesse. Pour blanchir la peau, on utilisait également du borax et on le recouvrait parfois de blanc d'œuf. Sur la partie visible du décolleté et de la poitrine, on dessinait aussi les veines en bleu, pour faire apparaître le « sang bleu » de l'aristocratie. On imagine aisément que, lorsqu'elles avaient la main un peu lourde, les dames obtenaient un résultat plus proche du bleu d'Auvergne que du marbre.

On épilait les sourcils, ou bien on les épaississait à l'aide de postiches, souvent de petits morceaux de peau de souris. L'âge n'était sûrement pas un obstacle à la recherche de la beauté ; celles qui commençaient à ressentir les attaques du temps utilisaient aussi un « rembourrage » pour remonter la peau des joues, « une petite boule fine et légère que les dames tenaient dans la bouche pour remonter leurs joues qui, sinon, pendaient comme des sacs de cuir ». On pourrait dire qu'il s'agit là d'une première technique, encore rudimentaire, de lifting. C'est le lectorat que semble viser le poème intitulé *The Folly of Love* (*Sottise de l'amour*) en se moquant d'une « vieille madame » qui essaie de dissimuler des ans l'irréparable outrage grâce à toutes sortes de postiches, comme perruque, œil de verre et même faux cul.

Mais c'est aux cheveux, qui couronnaient la gloire d'une dame, que l'on prêtait le plus d'attention, cheveux sans cesse teints, poudrés, frisés, enduits d'onguents et parfumés, et que l'on attachait enfin pour les faire tenir en complexes coiffures. On se plaignait que les belles les plus en vogue passaient trop de temps à s'apprêter et qu'elles consacraient « toute la matinée à coiffer leurs cheveux ». Cette quête de la beauté prit chez les élisabéthains de telles proportions qu'une nouvelle catégorie de charlatans apparut pour jouer le rôle de chirurgiens esthétiques. Dans *The Malcontent* de Marston, Maquerelle demande à Bianca : « Connais-tu le docteur Plâtreface ? C'est l'expert le plus habile à dessiner les veines, souligner les yeux, teindre les cheveux, faire briller la peau, rougir les joues, détacher et blanchir les dents, qui ait jamais rendu vieille femme charmante, à la lueur des flambeaux ! »

La reine Élisabeth, bien sûr, n'eut jamais besoin de recourir aux services d'un docteur Plâtreface : elle avait ses fidèles peintres pour rendre son image conforme à ses désirs, sans peine, et comme par miracle. Et c'est exactement ce qui se passa avec le portrait dit « du sacre ». On a longtemps cru qu'il avait été peint en 1559, juste après son couronnement, mais une datation récente a confirmé que le bois du panneau provient d'arbres abattus vers 1600, ce qui montre qu'il date de la fin de son règne. On y voit la jeune reine dans la robe bordée d'hermine qu'elle portait pour les cérémonies du sacre, tenant d'une main le globe, de l'autre le sceptre. Son visage est un masque de couleur rose crème sans aucun défaut, avec des sourcils à peine suggérés au crayon, des yeux sombres et sensuels, des lèvres rouge corail. Sur ses épaules flotte une épaisse crinière de cheveux blond doré. Autant dire qu'elle réunit tous les éléments de l'idéal féminin de son temps, jusqu'aux veines bleu pâle qui se dessinent sur ses tempes. La chevelure auburn qu'Élisabeth possédait sans doute vers l'âge de vingt-cinq ans, au moment de la cérémonie, a été remplacée pour la postérité par des cheveux d'un blond doré qui symbolise la pureté, la vertu, la beauté, la gloire et la prospérité de l'âge d'or de son règne. Cette recréation définitive fut l'une des manifestations les plus achevées de la connivence entre le pouvoir et l'art, art que la reine sut manipuler avec efficacité pour créer, magnifier et immortaliser une beauté sacrée. Jusqu'à la fin, Élisabeth resta éblouissante.

Chapitre 8

DE L'OR À DAMNER LES SAINTS

L'aura de gloire de la blonde et céleste reine d'Angleterre, celle qui pendant ses dernières années avait daigné apparaître parfois à ses sujets, ébahis par tant de lumière entrevue, cette aura blonde était déjà complètement démodée lorsque eurent lieu les funérailles de la souveraine. Ses portraits magnifiques, très datés, cultivaient peut-être même sciemment un style archaïque, comme l'a suggéré Roy Strong. Son masque impénétrable d'icône, qui lui conférait une majesté divine, s'inspirait en fait des portraits de rois et d'empereurs du Moyen Âge, monarques de droit divin. Le portrait dit « du sacre », sans doute le dernier peint de son vivant, fut exécuté dans le style du haut Moyen Âge, et montre des ressemblances frappantes, tant pour la touche que pour la composition, avec le portrait de Richard II qui se trouve à l'abbaye de Westminster. Dans le domaine artistique, l'Angleterre élisabéthaine, insulaire à bien des égards, et isolée par ses choix religieux, se trouvait en retard par rapport au reste de l'Europe.

Sur le continent, se dessinait un changement radical qui allait mettre un terme à la suprématie absolue de la blondeur. L'Italie était en train de perdre la prédominance artistique au profit de l'influence française, aussi bien culturelle que politique, une influence qui devait s'imposer jusqu'au début du XIXe siècle. Des artistes français comme Simon Vouet, Philippe de Champaigne, les frères Le Nain, se mirent à peindre avec plus de réalisme, de clarté et de distance, dans des coloris plus froids, et ce dès le début du XVIIe siècle. Ils se détachèrent peu à peu du style baroque et très idéalisé d'Italie du Nord, pour se diriger vers un classicisme dont

Poussin commençait d'établir les règles. Bien qu'il ait passé la plus grande partie de sa vie à Rome, Poussin est aujourd'hui reconnu comme le maître incontesté du style Grand Siècle et le fondateur du classicisme à la française. Ses contemporains et lui se mirent à peindre avec plus de rationalisme, reflétant en cela l'évolution de la pensée en France. Ils ne travaillaient plus pour des aristocrates, mais pour des mécènes issus de la bourgeoisie cultivée : marchands, banquiers, grands commis de l'État. Moins influents que les nobles, ceux-ci vivaient plus simplement, mais n'en jouaient pas moins un rôle prépondérant dans la vie culturelle du pays. Le génie de Poussin, la profondeur de sa pensée et sa maîtrise formelle plaisaient à ces hommes de bon goût et ses tableaux reflètent les inclinations de l'« honnête homme », honorable et vertueux, qui refuse de juger les gens sur de vaines apparences. Ses personnages sont moins extatiques que ceux de ses prédécesseurs italiens. Ses anges ont l'air plus humains, sans nuages ni halo de lumière. Leurs visages témoignent d'une vision plus lucide et réaliste. Et ils sont, en grande majorité, bruns. Les tableaux bibliques de Poussin, qui figurent parmi ses œuvres les plus réussies et les plus exigeantes, sont, tout comme ceux qui prennent pour thème l'Arcadie, peuplés de personnages aux cheveux bruns, châtains et auburn. Bien sûr, blonds et blondes apparaissent encore dans certains tableaux de Poussin et de ses contemporains, mais nous pouvons néanmoins affirmer que ce sont les peintres français de cette période qui ont mis un terme à l'intense culte fétichiste de la blondeur.

À la cour de Louis XIV, des artistes comme Lebrun et Mignard, qui peignaient les fastes de Versailles et portraituraient les personnages les plus importants de l'aristocratie, montraient bien que les hommes les plus puissants et les femmes les plus belles arboraient tous une chevelure sombre, très en vogue. Le roi lui-même porta des perruques brunes pendant les premières années de son règne et ses deux maîtresses les plus influentes furent des brunes. Ainsi, Mme de Montespan se fit alternativement représenter sous les traits d'une brune tentatrice ou bien sous l'apparence de la brune déesse Diane. Quant au beau visage de Mme de Fontanges, « belle comme un ange, bête comme un panier », il était encadré d'une rangée de boucles noires. En matière de style et de bon goût, la France établissait les règles, le reste de l'Europe se contentait de suivre.

Cette nouvelle prédominance des cheveux bruns fut donc renforcée par les œuvres d'un certain nombre de peintres d'Europe du Nord, tels Van Dyck, Rembrandt et Vermeer. Leurs tableaux, novateurs car plus intimistes, reflétaient aussi une perception plus réaliste de la beauté féminine. La blondeur était sur le déclin. C'étaient les cheveux bruns qui se voyaient désormais portés au pinacle de la beauté.

Dans la seconde moitié du XVIIe siècle, l'Angleterre succomba également à ces nouvelles modes continentales, et la blondeur perdit l'aura unique qu'elle avait possédée. Le cours des ingrédients requis pour les teintures blondes les plus efficaces, celles que seuls les riches pouvaient jusqu'alors s'offrir, s'effondra. Se décolorer les cheveux était devenu une habitude bourgeoise.

Samuel Pepys, cet inégalable chroniqueur des us et coutumes londoniens au XVIIe siècle, nous donne les premières indications de ce déclin de la blondeur. En mars 1665, sa femme, Élisabeth, acquit deux postiches blonds. Pepys en fut très mécontent. « Ce jour, mon épouse a commencé de porter des boucles de couleur claire, presque blanche qui, bien qu'elles lui soient très seyantes, n'étant point naturelles, m'offensent. Et je ne la laisserai point les porter. » Deux ans plus tard, Élisabeth les avait toujours : « En voilà assez ! Ma femme, portant ce jour des cheveux blonds, m'a causé une colère telle que je ne lui adressai pas un seul mot pendant tout le trajet de l'aller, bien que je fusse prêt d'éclater de fureur [...] ainsi, je repris un fiacre avec ma femme et, sur le chemin du retour, m'ouvris à elle de la colère que me causaient ses boucles blanches, jurant par Dieu plusieurs fois (ce dont je prie le Seigneur de me vouloir bien pardonner) et serrant les poings en criant que je ne les tolérerais plus. » (11 mai 1667). Pepys rentra chez lui et, « fâché, [s'en fut] au lit sans dîner ». Le lendemain, ils se querellèrent encore au sujet de la perruque blonde et Élisabeth finit par lui promettre de ne jamais plus la porter tant qu'il vivrait, non sans lui avoir préalablement extorqué une somme rondelette pour s'acheter de la dentelle.

Pepys, qui s'y connaissait en matière d'ascension sociale, avait bien compris que les postiches blonds étaient devenus particulièrement vulgaires. Ils étaient trop répandus dans les couches sociales inférieures pour que son sixième sens de snob n'en fût pas affecté. Chez son employeur, le comte de Sandwich, il avait pu voir le portrait d'une belle dame de haut rang dont le pâle visage était encadré d'une cascade de boucles brunes. Pepys avait compris qu'il s'agissait là de l'idéal de beauté auquel aspireraient désormais les dames de qualité.

Pour les dames à la mode de la Restauration, les cheveux bruns étaient bien en vogue. Ainsi, on peut interpréter les portraits de sir Peter Lely comme un reflet fidèle de l'idéal de beauté de la fin du XVIIᵉ siècle. Il peignit à cette époque plusieurs dames élégantes de la haute société, qui s'attardent, pâles, à jeter un regard sensuel à travers leurs paupières mi-closes, toutes couronnées d'une cascade de cheveux châtain foncé ou noirs. Le portrait de Barbara Villiers, comtesse de Castelmaine et duchesse de Cleveland, exécuté en 1670, montre l'une des femmes les plus ouvertement sensuelles de la cour, une femme qui devint pour

Lely, aussi bien que pour la postérité, l'archétype de la beauté brune de la Restauration.

Mais une chevelure brune aussi brillante ne s'obtenait pas non plus sans l'aide de quelque artifice. Le *Ladies'Guide* de cette époque renferme plusieurs recettes de teintures brunes destinées à obtenir la nuance précise qui ferait le mieux ressortir un teint rose pâle, raffiné. Les plus coûteuses contenaient de la « poudre d'or », ce qui, une fois encore, protégeait l'ostentation aristocratique de ses hordes d'imitateurs bourgeois. Mais, bientôt, la mode des cheveux bruns fut dépassée par celle des perruques, qui devinrent de véritables sculptures de cheveux, œuvres d'artisans experts, et dont le coût exorbitant offrait aux riches un autre moyen d'étaler leur fortune. Cette vogue se répandit chez les hommes vers 1660, au moment où Charles II monta sur le trône et où sa crinière de cheveux bruns bouclés commença à blanchir. À l'origine, ces perruques étaient brunes. On dit même que le roi en possédait une magnifique, entièrement composée de poils pubiens de ses nombreuses conquêtes. Mais il ne fallut pas attendre longtemps pour que, suivant la mode française, on se mette à les poudrer de gris ou de blanc. À cette époque, les dames, elles, avaient déjà renoncé aux embarras de la teinture pour choisir d'extravagantes perruques poudrées.

La fin du XVIIe siècle vit s'ouvrir une période d'extrême excentricité trichologique, qui finit par atteindre le dernier degré de la saleté. Les perruques étaient très chères. En 1700, une belle perruque se vendait environ cent quarante livres, c'est-à-dire l'équivalent de soixante-dix ans de revenus d'un journalier. Un bon nombre des criminels jugés au tribunal de Londres, l'Old Bailey, s'étaient spécialisés dans le vol de perruques. Mais, malgré les attaques des voleurs, les riches continuaient à exposer leur fortune sur leur tête. Bien que les prix aient constamment baissé, tout au long du XVIIIe siècle, les dames aisées réussirent à entretenir l'esprit de compétition en optant pour des coiffures de plus en plus complexes, maintenues par des cadres de fils métalliques sur deux ou trois étages. Elles étaient décorées de monceaux de cheveux artificiels, saupoudrées d'une épaisse couche de fine farine blanche, ornées de métrages de ruban de soie, de plumes d'autruche, de perles (vraies ou fausses), de morceaux de fruits, et même de fleurs fraîches piquées dans de petits vases bien dissimulés dont la forme épousait le crâne. Pour couronner le tout, les dames les plus impitoyablement snobs ajoutaient de petites figurines de verre soufflé : navires voguant toutes voiles déployées, chevaux tirant leur char, et même cochons se vautrant dans leur auge, sans parler des scènes de poèmes allégoriques ou de batailles victorieuses de la guerre d'Amérique.

Il fallait plusieurs heures pour créer de telles coiffures, que les dames gardaient souvent pendant plusieurs semaines où elles avaient les plus grandes difficultés à se coucher pour dormir. Il n'était pas rare d'en voir se faire coiffer la veille d'un bal ou d'une audience à la cour, et passer la nuit suivante à sommeiller sur une chaise. De telles coiffures demandaient également de moins glorieux sacrifices. En 1768, le *London's Magazine* publia la description de l'« ouverture de la coiffure d'une dame », ouverture qui eut lieu après neuf semaines de démangeaisons intenses pour l'intéressée. L'observateur remarqua « de fausses mèches pour pallier un cruel manque de cheveux naturels, de la pommade à profusion, de la laine pleine de suif pour rembourrer ces mèches artificielles, et de la poudre grise pour cacher à la fois l'âge et la saleté, le tout coagulé, maintenu par des épingles d'une longueur indécente et d'une couleur correspondante. Quand on appliqua le peigne aux cheveux naturels, j'observai une masse grouillante d'animalcules se dispersant dans diverses directions, dans la plus grande panique ».

Puces, poux et lentes faisaient leur festin de la farine en décomposition, de la pommade (un mélange à base de moelle de bœuf), des couches de décorations qui pesaient jusqu'à un kilo, et de toutes ces superpositions si hautes et si fragiles que les femmes devaient soit passer la tête par la fenêtre, soit s'agenouiller lorsqu'elles prenaient un fiacre pour se rendre au bal. Comme d'habitude, les plus riches supportaient héroïquement ces désagréments pour faire étalage de leur fortune. Malheureusement, comme le fait remarquer une lettre publiée par le même *London's Magazine* en 1763, malgré leur belle apparence, elles exhalaient une odeur entêtante.

De tels excès ne pouvaient pas durer bien longtemps. La Révolution française permit de trancher brutalement le problème. Du jour au lendemain, les dames de qualité se mirent à apprécier une mode capillaire plus courte et plus sobre, ce qui n'empêcha guère les coiffeurs les plus spirituels d'élaborer de nouvelles inventions. Ainsi, ils se mirent à peigner les cheveux de leurs clientes de bas en haut, afin de dégager la nuque, comme pour une exécution à la guillotine, avant de leur nouer un ruban rouge sang autour du cou pour achever le tout. L'Angleterre, elle aussi, renonça aux excès d'excentricité. Pitt mit fin à la mode des perruques poudrées en créant un impôt sur la farine en 1795. En 1799, lorsque le cours de la farine augmenta considérablement, après une série de mauvaises récoltes, les perruques poudrées furent définitivement interdites dans l'armée.

Cela faisait deux cents ans que les cheveux blonds avaient cessé d'être à la mode. Ils avaient même acquis des connotations particulièrement vulgaires et si obscènes qu'il ne leur restait plus une once de dignité. Finis, le prestige et le raffinement, les honneurs et les éloges des grands auteurs. La blondeur avait cessé d'être l'éclat sublime des rêves d'artistes de la Renaissance comme le signe d'une majesté divine. Les cheveux blonds trahissaient désormais la femme facile, ou, mieux encore, ils constituaient pour elle un moyen bien commode d'attirer les amateurs[1].

Poètes et dramaturges, toujours prêts à publier et à célébrer une passion secrète et coupable, commencèrent à remettre au goût du jour l'ancienne association de la blondeur avec un érotisme puissant et dangereux. John Milton, lorsqu'il écrivit son *Paradis perdu*, dans les années 1660, suivit les conventions médiévales pour faire d'Ève une blonde « échevelée », aux boucles « capricieuses » qui s'enroulaient autour d'Adam comme les « tendres pousses de la vigne ». Shakespeare avait exprimé cette même fascination dans *Le Marchand de Venise*, en dotant Portia d'une chevelure dorée : « Le peintre, ici, a fait l'araignée : il a tissé un réseau d'or qui piège le cœur des hommes plus fort que des moucherons dans une toile[2]. »

En 1694, le *Ladies Dictionary*, publié à Londres, avertissait ses lectrices que les cheveux blonds, ou d'une couleur dorée, étaient « chargés d'allusions, et tenus pour signe d'un tempérament lascif. Car c'est une idée généralement admise que les mèches jamais ne pourraient étinceler au-dehors, telles des flammes dorées, s'il ne se trouvait, préservée au-dedans, quelque chaleur de cette

---

1. Un petit volume de poche, tout à fait fascinant, intitulé *Liste des dames de Covent Garden par Harris : ou le Calendrier des plaisirs de ces messieurs pour l'année 1788*, répertorie ces dames les plus appréciées de Londres, avec leurs nom, adresse et description. Il nous révèle qu'environ la moitié d'entre elles étaient blondes, probablement décolorées. Un bon nombre d'entre elles ont également, nous dit Harris, « un certain penchant pour la bouteille, fût-elle de brandy ou de gin ».
2. William Shakespeare, *Le Marchand de Venise*. III, 2. *Œuvres complètes, comédies II*, traduction de P. Spriet, Paris, Laffont, coll. « Bouquins », 2000.

même sorte ». Une ballade populaire circulant à la fin du siècle diffusait le même message :

> Les blondes n'ont pas bonne réputation,
> Bien que beaucoup les apprécient
> Je sais que la plupart de ces filles
> Sont connues pour jouer le jeu.

Pendant le siècle suivant, Pope, Coleridge[3] et d'autres illustrèrent dans leurs écrits ce dangereux attrait de la blondeur ; celles qu'une nature ingrate avait dotées de cheveux blonds faisaient de leur mieux pour cacher ce défaut. Un poème de 1772 formule clairement le problème : « Hélas, je suis désolé pour les blonds, disgrâce de la nation. » En 1775, dans le *Ladies Magazine*, le docteur John Cook propose une recette pour masquer les cheveux blonds :

> Il fut un temps où les cheveux blonds étaient considérés comme très beaux et où la jeune femme blonde était, pour cette raison précise, une dame de choix, préférée à toutes celles de son sexe dont la chevelure était d'une autre couleur, quelle qu'elle fût. Mais aujourd'hui, la situation a changé [...] aux personnes du beau sexe qui ne seraient pas satisfaites de leur couleur de cheveux, j'offre gratuitement la courte prescription que voici. Les ingrédients en sont faciles à obtenir, elle est facile à préparer et elles pourront changer chez elles la désagréable teinte blonde de leurs cheveux en un agréable brun, et cela sans danger, ni honte ni péché.

---

3. Dans son poème de 1798, *The Ancient Mariner*, III, 24, Coleridge dépeint la mort sous les traits d'une blonde hideuse : « Ses lèvres étaient rouges, ses regards étaient hardis/Ses boucles jaunes étaient comme l'or/ Sa peau, blanche comme la lèpre/Elle était le cauchemar VIE-EN-LA-MORT/ Qui glace dans ses veines le sang de l'homme. » Coleridge, *Le dit du Vieux Marin*, traduction de H. Parisot, Paris, Corti, 1947.

La blondeur, désagréable, était déjà associée à la honte ; elle devait bientôt l'être également à la bêtise. En 1775, une belle courtisane parisienne du nom de Rosalie Duthé eut l'honneur et l'avantage de devenir la première blonde officiellement stupide de l'histoire. Créature célèbre pour son ineptie, elle poussait à l'extrême les conventions de la modestie féminine : elle avait pris l'habitude d'imposer à ses interlocuteurs de longs silences, lourds de sens, bien sûr. Peut-être n'avait-elle rien à dire, mais son charme mystérieux, allié à d'autres caractéristiques, plus concrètes, la destinait à des clients issus des classes supérieures de la société, voire à des hommes politiques puissants. Elle s'établit à Saint-Germain-des-Prés, où elle menait grand train. Une foire locale la fait même figurer dans son programme en tant qu'automate :

> Machine : très belle machine extrêmement curieuse représentant une belle femme. Elle exécute toutes les actions d'une créature vivante, mange, boit, danse et chante comme si elle était dotée d'un esprit. En quelques secondes seulement, cette femme mécanique est capable de dépouiller un parfait étranger pour ne plus lui laisser que sa chemise. Son seul problème, c'est le langage. Les spécialistes on abandonné tout espoir de remédier à ce défaut et les admirateurs préfèrent s'en tenir à l'étude des mouvements de la machine.

La société parisienne, bonne et mauvaise, qui se rassemblait lors de ces foires, commença à rire sous cape. Bientôt, Landrin, un dramaturge, introduisit son personnage dans une pièce en un acte, *Les Curiosités de la Foire*, qui fut créée en juin 1775 au Théâtre de l'Ambigu. Comme toutes les courtisanes parisiennes les plus en vue, Mlle Duthé vint assister à la première parée de ses plus beaux atours (elle ne portait jamais que du rose), ses cheveux blonds remontés très haut, ornés de plumes et de perles, et ses plus beaux bijoux rutilant à son cou et à ses oreilles. Sans avoir la moindre idée du sujet de la pièce, elle s'installa dans sa loge avec son amant, le duc de Durfort, et elle dut supporter de se voir brocarder sur scène pendant toute la représentation. Embarrassée, presque au point de s'évanouir, elle réussit à persuader le duc de se plaindre au directeur du théâtre, mais pas d'aller en justice. Elle offrit de donner un baiser à l'auteur qui voudrait bien racheter sa réputation, mais cela n'intéressa personne, et tout Paris continua de ricaner pendant des semaines.

Paradoxalement, au moment même où la blondeur se trouvait repoussée vers les classes sociales inférieures par la mode française et par son association avec les filles de mauvaise vie, elle retrouvait ses connotations positives de pureté et d'intégrité spirituelle dans un monde littéraire nouveau, celui des contes de fées. Néanmoins, il restait assez facile de faire la différence entre une prostituée et une héroïne de contes de fées. Mlle Duthé, fausse blonde arrogante et vaniteuse, traînant derrière elle des ribambelles d'admirateurs attirés par son parfum sensuel d'experte, appartenait au monde le plus éloigné des contes de fées qu'il se pouvait imaginer. Leurs héroïnes se reconnaissent d'ailleurs du premier coup d'œil, à leur visage et à leur chevelure. Jeunes, pâles et rayonnantes, elles ont le teint nordique, avec une touche de rouge sur les joues, de grands yeux bleus pleins de confiance, un nez délicat et un sourire plein d'espoir, sans oublier une abondante chevelure, naturellement blonde. Leur attitude dénote une innocence vertueuse et charitable, même lorsque, sous l'aspect de souillons, elles attendent patiemment que soit révélé le trésor de leur grande bonté.

À la fin du XVIIe siècle, l'héroïne de contes de fées apporta à l'histoire de la blondeur sa dose de magie. Une petite élite parisienne cultivée transformait en genre écrit ces récits nomades qui circulaient de par le monde depuis des centaines d'années. Un peu gênés d'écouter aux portes des offices dans les grandes maisons, Charles Perrault, la comtesse d'Aulnoy et d'autres n'en allèrent pas moins puiser leur inspiration dans les traditions anciennes du petit peuple. Ils demandèrent leurs contes à des femmes de chambre et à des domestiques, s'emparèrent de récits entendus dans leur milieu naturel, dans les arrière-cuisines, autour des puits et chez les fileuses. La profusion de contes qu'ils recueillirent constituait la trame d'une culture populaire d'analphabètes, la distraction des ouvriers et des ouvrières, qui se les racontaient dans leur routine quotidienne, en filant la laine, en frottant les parquets, en astiquant la vaisselle et en cousant. Quand elles avaient fini de cancaner, de se raconter leurs rêves et les dernières nouvelles, elles inventaient ces histoires romanesques, pleines de motifs et de leçons universels, de magie, d'imagination, de générosité et de cupidité, de désir et de cruauté.

À la notable exception de Blanche-Neige, dont les cheveux ont la couleur de l'ébène, les héroïnes de ces contes sont toujours blondes. Pas de trompeuses manipulatrices ni de fausses blondes aux teintures hors de prix : le petit peuple analphabète de cette époque ignorait l'existence de ces créatures exotiques. Ces charmantes fictions sont, au contraire, naturellement blondes. Leur chevelure se déverse tout au long de leur histoire en abondants flots dorés qui symbolisent leur jeunesse, leur innocence, leur pureté et leur candeur. Signe de leur qualité, cette blondeur entièrement symbolique était, dans l'imaginaire populaire, comme le contraire de l'impureté.

La Belle aux cheveux d'or, de ce point de vue l'un des contes les plus significatifs de Mme d'Aulnoy, parle de la beauté, de la bonté et de la richesse spirituelle d'une princesse aux cheveux dorés.

Il y avait la fille d'un roi, qui était si belle qu'il n'y avait rien de plus beau au monde ; et à cause qu'elle était si belle, on la nommait Belle aux Cheveux d'Or, car ses cheveux étaient plus fins que l'or, et blonds par merveille, tout frisés, qui lui tombaient jusque sur les pieds. Elle allait toujours couverte de ses cheveux bouclés avec une couronne de fleurs sur la tête, et des habits brodés de diamants et de perles, tant il y a qu'on ne pouvait la voir sans l'aimer[4].

L'intrigue de cette histoire, assez simple, met en scène un héros pauvre et généreux qui, après avoir accompli trois tâches impossibles, gagne le cœur de la princesse à force de constance et de courage. Blonde, cette princesse déborde bien sûr de charité chrétienne. Elle est aussi très belle et immensément riche. Et, bien entendu, ce sont ses cheveux qui se trouvent à l'origine du sort qui est jeté au jeune homme, puis de son bonheur conjugal. Il est difficile d'imaginer que cette histoire aurait pu survivre aussi longtemps si la princesse avait été dotée d'une abondante chevelure châtaine.

Pour réussir un conte de fées, il faut une héroïne blonde. Les histoires de Giambattista Basile, de Charles Perrault et des grandes dames des salons parisiens, Mme de Villeneuve, Marie Jeanne L'Héritier de Villandon, la comtesse d'Aulnoy et Henriette Julie de Murat regorgent de ces blondes princesses lumineuses, jeunes filles à l'esprit généreux, qui se voient récompensées, par un effet de cet extraordinaire code des couleurs, grâce à leur abondante chevelure dorée. *Peau d'Âne*, que Perrault publia vers 1697, raconte l'histoire d'un père qui veut épouser sa fille. Après plusieurs tentatives infructueuses pour échapper à son triste sort, la jeune

---

4. Mme d'Aulnoy, « La Belle aux cheveux d'or », in Élisabeth Lemirre, *Le Cabinet des Fées*, Arles, Philippe Picquier, 2000, p. 22-23.

femme finit par revêtir une vieille peau d'âne crasseuse pour s'enfuir de chez elle. Au moment opportun, c'est sa chevelure dorée qui révèle sa qualité au héros, princier comme il se doit, qui va la secourir dans sa détresse. C'est une Catherine Deneuve excessivement blonde qui incarnera ce personnage au cinéma en 1971, dans le film de Jacques Demy. À l'écran, ses cheveux, qui semblent presque phosphorescents, brillent comme une auréole autour de sa tête.

Quant au classique *La Belle et la Bête*, dont Jeanne Marie Leprince de Beaumont publia une première version dès le XVIIIe siècle, il réapparut également au cinéma, avec le film de Jean Cocteau, qui met en scène la traditionnelle princesse blonde. Ce thème de la belle blonde fiancée malgré elle à un animal grotesque a admirablement persisté à travers les siècles, sous bien des formes différentes, inspirant un grand nombre de pantomimes et de mélodrames. La version la plus excentrique que nous connaissions est sans doute le *King Kong* hollywoodien, qui date de 1933.

Au XIXe siècle, ce code de couleur connut un succès encore plus important avec les contes des frères Grimm, qui s'inspiraient eux aussi de contes populaires. Pendant leur enfance, Jacob et Wilhelm Grimm avaient eu la chance de rencontrer une conteuse très prolixe, Dorothea Viehmann. Elle s'arrêtait régulièrement chez eux en rentrant du marché, où elle vendait les produits de sa ferme. Les deux garçons avaient pris l'habitude de s'asseoir à ses pieds, dans la salle de leur maison, à Cassel. Captivés, ils l'écoutaient mêler tous les ingrédients traditionnels des contes, princesses, monstres, animaux enchantés, sacs magiques et méchantes marâtres, pour tisser ses propres fictions, où elle faisait l'éloge de la blondeur. À la fin, les orgueilleux se trouvaient rabaissés, les bons récompensés. Les parents et les proches des frères Grimm contribuèrent par la suite à la constitution de leurs recueils en mettant leurs propres histoires par écrit. Ainsi, la belle-mère de Wilhelm lui fit don de trente-six contes. Dorothea, leur sœur, et sa belle-famille leur en livrèrent quarante et un autres. Ces histoires, que les frères Grimm réécrivirent, suivent toutes le même modèle. La vertueuse Rapunzel (Raiponce chez Perrault), injustement lésée, utilise ses longs cheveux blonds pour hisser son amoureux en haut de la tour où elle est prisonnière. Dans *Peau-de-Mille-Bêtes*, une reine déclare à son époux : « Si tu veux te remarier après ma mort, ne prends pas une femme qui ne serait pas aussi belle que moi et n'aurait pas mes cheveux d'or ; il me le faut promettre[5]. »

Boucles d'or, elle aussi, comme son nom l'indique, se voit gratifiée de la conventionnelle blondeur des jeunes filles. Dans *Cendrillon*, nous trouvons l'exemple typique de la souillon dont l'humilité et la vertu seront récompensées par un prince. À son mariage, elle apparaît enfin avec une chevelure blonde bien coiffée, symbolisant sa beauté spirituelle et physique, qui vient d'être révélée. Toutes les représentations artistiques de Cendrillon, aussi bien que les films et les livres d'enfants, font toujours d'elle une blonde, dont la coiffure change au gré des modes mais dont la couleur de cheveux, immuable, contraste avec celle de sa marâtre et de ses méchantes demi-sœurs.

En 1811, un critique allemand reconnu décrivit ces contes comme « la sagesse des peuples, selon laquelle nous vivons », ce qui peut nous donner une idée de la place qu'ils occupaient au panthéon littéraire et intellectuel de leur époque. Les contes des frères Grimm firent l'objet d'une sorte de sanctification avant même leur publication en 1857. Cinquante ans auparavant, le poète allemand Clemens Brentano avait qualifié de « trésor » leur recueil en cours d'élaboration. Eduard Mörike ajouta qu'il s'agis-

---

5. Grimm, *Contes,* traduction de Marthe Robert, Paris, Gallimard, 1976, p. 201.

sait là d'un « véritable trésor d'authentique poésie ». À la fin du XIXe siècle, les contes des Grimm et ceux de leur contemporain Hans Christian Andersen s'étaient largement répandus auprès du public occidental, et leurs histoires commençaient à prendre une place prépondérante dans l'imaginaire des enfants. La blondeur s'était trouvé de nouveaux partisans, pleins d'enthousiasme.

Chapitre 9

LES CADAVRES PALPITANTS DE LEURS VICTIMES

C'est dans l'Angleterre victorienne que la blondeur retrouva sa prééminence, mais elle s'y imposa moins comme vogue féminine que comme passion masculine. Si elle avait préoccupé l'art occidental, la littérature, aussi bien que la culture populaire pendant la Renaissance et l'époque élisabéthaine, elle devint une véritable obsession pour les victoriens. Leurs tableaux, romans et poèmes, l'abondante production artistique de cette période montrent que les victoriens appréciaient les images de chevelures extravagantes et fantastiques, auxquelles ils attribuaient des pouvoirs magiques et symboliques. Dans la hiérarchie de leurs obsessions fétichistes, c'étaient les cheveux blonds qui provoquaient les réactions les plus passionnées. De façon assez sentimentale, les victoriens associèrent la blondeur aux héroïnes de contes de fées, mais ils lui rendirent aussi sa troublante symbolique pour exprimer leur constante et célèbre fascination pour ces deux passions jumelles : le lucre et le stupre.

Ils connaissaient bien leurs ancêtres blonds, déesses et démons, et ils adoraient les histoires de Messaline et de Poppée. Ils réfléchissaient au danger que représentaient les deux perfides magiciennes blondes de la Bible, Ève et Marie Madeleine. Ils vouaient un véritable culte aux blondes de Botticelli et méditaient sur la vanité, la cruauté et le charme envoûtant des blonds et des blondes célèbres de l'histoire.

Pour les hommes de l'époque victorienne, ces puissantes images de la blondeur étaient à la fois sinistres, effrayantes, saisissantes... et totalement irrésistibles. Un reflet sur des boucles blondes frémissantes leur faisait l'effet de l'alcool ou même de la cocaïne, c'était un stimulant, excitant et mortel. Leur imagination fébrile, attisée par la pudibonderie de la société victorienne, fit des chevelures blondes la source de toute tentation, le piège sexuel le plus voyant et le plus menaçant.

Mais comment pouvaient-ils être sûrs de « lire » correctement ce texte soyeux ? Tels les bohémiens déchiffrant de graves oracles dans les feuilles de thé humides, les victoriens n'avaient de cesse d'étudier, d'interpréter la chevelure des femmes avant de s'autoriser à la toucher, au point de frôler le fétichisme pur et simple. Les descriptions de chevelure devinrent si courantes et si abondantes dans la littérature de l'époque qu'elles finirent par y jouer le rôle de raccourci symbolique pour camper un personnage.

Dans un article remarquable intitulé : « Les pouvoirs des chevelures féminines dans l'imaginaire victorien », Elizabeth Gitter en définit plusieurs types. Les cheveux sombres, s'ils sont raides et bien peignés, avec une raie au milieu, caractérisent la vertueuse gouvernante ou la diligente mère de famille. Les cheveux emmêlés ou en désordre signalent les femmes émotionnellement et sexuellement volages. Quant aux boucles soigneusement élaborées, elles dénotent le caractère de la femme enfant, innocente et immature, à la recherche d'une figure paternelle qui la prendrait dans ses bras pour la protéger. Plus les cheveux sont abondants, peignés, coiffés, bouffants et exposés aux regards, plus la charge sexuelle de cette forme d'exhibition est forte et visible.

La blondeur possédait une ambiguïté particulière qui la rendait singulièrement fascinante et passionnante. Dans l'imaginaire victorien, elle devint le symbole d'une féminité mythique. Quand la femme était un ange, une femme enfant de conte de fées, ses cheveux blonds lui faisaient une auréole qui manifestait sa bonté innée. Quand il s'agissait d'un démon, cependant, les cheveux blonds devenaient un leurre de séduction, investi de pouvoirs magiques presque indépendants, qui pouvait enchanter et fasciner pour mieux dévorer ensuite. La blondeur retrouva donc à l'époque victorienne l'ambivalence qui avait été la sienne au Moyen Âge, quand la chevelure d'or de la Vierge Marie représentait son inaltérable pureté tandis que celle d'Ève indiquait la luxure. La blonde victorienne était-elle ange ou bien démon ? Le contexte était essentiel à l'interprétation, et la littérature de l'époque évoque fréquemment des personnages masculins qui se trompent – à leurs dépens.

Dans les romans de Charles Dickens, la blonde innocente est facile à repérer. Plus que tous ses contemporains, Dickens fit appel aux principes universels des contes de fées pour créer des personnages de jeunes femmes dont l'épaisse chevelure blonde manifeste l'intégrité morale. Ses blondes, en qui Elizabeth Gitter voit les descendantes directes des princesses aux cheveux d'or, et qui ressemblent à des poupées, se caractérisent par leur pureté transcendante. Dans le contexte trouble du *Conte de deux villes*, par exemple, les longs cheveux blonds de Lucie Manette aident son père, veuf et amnésique, à la reconnaître lorsqu'il les compare à la mèche de cheveux d'or de sa femme, qu'il a précieusement conservée pendant toutes ses années de prison. C'est avec ses cheveux que Lucie protège du froid la tête de son père, ce qui permet de lui sauver la vie. Plus tard, une fois mariée, elle deviendra cet ange rayonnant, « toujours occupée à passer entre eux ce fil d'or qui les reliait ensemble, faufilant le don de son heureuse influence dans le tissu de leurs vies ». Bien des jeunes filles avenantes peuplent les pages de Dickens, des anges enfantins soigneusement dessinés, imprégnés du puissant idéal victorien de l'innocence.

George Eliot, en revanche, nous présente des personnages de blondes nettement plus trompeuses. Dans *Middlemarch*, c'est la « blondeur enfantine » de Rosamund Vincy qui aveugle Mr Lydgate, blondeur qu'elle utilise ouvertement, tout comme son long cou de cygne, pour le séduire. Elle « tourna un peu son long cou et leva une main pour la porter à ses merveilleuses nattes, un geste habituel aussi gracieux chez elle que le mouvement d'un chaton ». Une fois marié, pris au piège dans cette toile dorée par une femme qui se révélera égocentrique, oisive et narcissique, Lydgate se rappellera le « vieux pays des rêves, où Rosamund paraissait être ce modèle de féminité parfaite, qui vénérerait l'opinion de son mari à la façon d'une sirène accomplie, qui n'utiliserait son peigne et son miroir et qui ne chanterait sa chanson que pour délasser son adorée sagesse ».

Manifestement, les connaissances de Lydgate en matière de sirènes souffraient quelques lacunes. Comme Thackeray le fait remarquer dans *La Foire aux vanités*, où paraît l'une des sorcières blondes les plus maléfiques de la littérature victorienne, les sirènes avaient l'air bien mignonnes, assises sur leur rocher, avec leur peigne et leur miroir, mais, « lorsqu'elles s'enfoncent et plongent dans l'élément qui les a vues naître, croyez-moi, il n'est pas bon d'examiner leurs évolutions sous-marines et d'assister à ces horribles festins où ces anthropophages se repaissent de chair humaine et de membres en lambeaux ». Le caractère monstrueux de Becky Sharp, sa sirène aux cheveux couleur de sable, sera finalement exposé au grand jour :

> L'écrivain prie ses lecteurs de lui dire si, dans la description de cette sirène à la voix enchanteresse, aux sourires trompeurs, aux irrésistibles séductions, aux artifices pleins de grâce et de coquetterie, nous avons fait paraître à la surface de l'eau les écailles hideuses du monstre ? C'est aux gens friands de pareils spectacles de

plonger leurs regards dans la transparence de l'onde pour contempler à leur aise les contorsions et replis de cette queue visqueuse et gluante qui s'enroule autour des os broyés et des cadavres palpitants de leurs victimes[1].

Cette fascination pour les chevelures féminines ne se limitait pas à la littérature. Dans la vie quotidienne, les victoriens développèrent une étrange passion pour les cheveux et les mèches, passion qui à son apogée devint une véritable obsession collective. Les dames portaient des bijoux – colliers, boucles d'oreilles, bracelets et broches – faits des cheveux savamment tressés de tous les membres de leur famille ou encore de leurs amants et de leurs amis, parfois encore vivants, parfois déjà morts. Dans les classes moyennes, les femmes, munies de leurs livres de modèles et d'un nécessaire à travailler les cheveux, passaient des heures au coin du feu à les tisser et à les tresser pour se distraire, à en faire des paniers ou des bouquets ou encore à élaborer d'élégants paysages avec saules pleureurs qui seraient accrochés aux murs de leur salon. Des travaux particulièrement sophistiqués, réalisés en cheveux par MM. Forrer de Hanover Square furent montrés au public lors de la Grande Exposition de 1851, et un portrait en pied grandeur nature de la reine Victoria entièrement composé de cheveux humains fit sensation à l'Exposition de Paris en 1855. Les mèches de cheveux étaient partout, encadrées au mur ou bien enfermées dans des médaillons. Elles devinrent des objets importants, investis d'une valeur propre, cristallisant un attachement émotionnel, et censés contenir une parcelle d'âme.

---

1. William Thackeray, *Vanity Fair,* traduction de Georges Guiffrey, Paris, Gallimard, 1994, p. 959-960.

Les cheveux devinrent aussi une marchandise, une monnaie d'échange avec laquelle obtenir aussi bien le bonheur conjugal que des relations sexuelles ou encore de l'argent. Robert Browning, écrivant à sa future femme en 1845, lui demande avec anxiété « ce que j'ai toujours pensé avoir l'audace de vous demander... un jour ! Donnez-moi... qui pourrait jamais se rêver digne d'un tel don... donnez-moi de vous – toute précieuse que vous êtes – ce qui se peut donner dans une mèche de cheveux ». La réponse timorée d'Elizabeth Barrett suggère qu'il s'agit là d'une demande si intime que cela revient presque à lui demander de se donner sur-le-champ, au sens sexuel du terme. « Je n'ai jamais donné à aucun être humain ce que vous me demandez de vous céder, à l'exception de mes parents les plus proches et d'une ou deux amies... » Browning obtint finalement la mèche qu'il convoitait, sertie dans un anneau. Il était au septième ciel. « Avant, j'étais heureux, si heureux... mais je suis plus heureux et plus riche aujourd'hui... je vivrai et je mourrai avec votre merveilleuse bague, vos cheveux bien-aimés qui m'apportent votre réconfort, votre bénédiction. »

Mariée, Elizabeth Browning n'oublia jamais le pouvoir ni la valeur marchande des cheveux. L'un de ses sonnets s'ouvre sur l'image stoïque de cheveux à vendre : « Le Rialto de l'âme a ses marchandises ; sur cette place, je marchande mèche pour mèche. »

Quant à son mari, dans un poème intitulé *Cheveux d'or, l'histoire de Pornic*, il interprète les cheveux comme une monnaie d'échange, au sens littéral, avec l'histoire d'une jeune femme dont la dernière volonté est que ses cheveux blonds restent intacts sur son lit de mort. La légende de sa sainte vie se répand jusqu'à ce que, plusieurs années après sa mort, le dallage de l'église doive être refait et que des garçons du village ne commencent à y chercher un trésor. Ils trouvent les restes de la jeune femme et, tout autour de son crâne, à la place de ses cheveux, un monceau de pièces d'or. Cette chevelure, que l'on supposait être le signe de sa sainteté, se révèle être celui d'une corruption secrète, d'un matérialisme consternant, et d'une sinistre souillure.

Dans l'imaginaire victorien, l'or représentait l'impureté de la luxure, son éclat trompeur cachait la souillure de la vile ordure et de la mort, le vice qui devait être dissimulé, entassé et enterré. C'est en comparant les pièces d'or avec un filet de cheveux blonds que Ruskin exprime son dégoût particulier pour le pouvoir de l'argent dans *Unto This Last* : « Ces pièces d'or ne sont en fait qu'une sorte de harnais ou de piège byzantin qui, aux yeux des barbares, semblera très brillant et très beau, et grâce auquel nous mettons les créatures sous le joug. »

Pourtant, le commerce des cheveux blonds et, par extension, des charmes devint un thème aussi irrésistible que répugnant pour les hommes de lettres victoriens. Le poème de Tennyson intitulé *La Boucle* répand l'odeur nauséabonde de la fausseté, de la tromperie et de la dépravation des blondes. Quant à *Marché de lutin*, un poème de Christina Rossetti, il montre franchement un échange de cheveux blonds contre des relations sexuelles lorsque la blonde Laura pleure sa pauvreté devant les fruits que vend le lutin :

Tu as tant d'or sur la tête
Achète pour une boucle d'or.
Elle coupa cette précieuse boucle
Et laissa échapper une larme, plus rare que les perles
Puis suça l'orbe des fruits, clairs ou rouges.

Le frère de Christina, Dante Gabriel Rossetti, illustra ce poème avec l'image d'une Laura blonde et voluptueuse se coupant une mèche de cheveux devant un parterre d'escrocs qui la reluquent sans vergogne. Pour lui, c'était le sujet rêvé. De tous les peintres de la confrérie préraphaélite, Rossetti se détache pour bien des raisons, dont la moindre n'est pas son obsession des cheveux. On raconte qu'il lui arrivait de courir à perdre haleine à travers les rues de Londres, à la poursuite d'une irrésistible chevelure, ou encore de s'interrompre au beau milieu d'une conversation mondaine, comme hypnotisé, lorsqu'une dame aux cheveux exceptionnels faisait son entrée. Sa femme, Lizzie Siddal, et ses autres modèles, Fanny Cornforth et Jane Morris, toutes trois pâles et adorables, apparaissent dans ses tableaux avec une fréquence qui dénote l'obsession. Elles avaient toutes des cheveux d'une beauté frappante, des boucles épaisses et abondantes, qui dans les tableaux de Rossetti semblent vivantes et presque vibrantes de désir. Les cheveux de Morris étaient d'un brun sombre, ceux de Cornforth étaient blonds, ceux de Siddal, d'un blond cuivré. À la mort de cette dernière, en 1862, Rossetti prit quelques mèches de ses cheveux pour attacher les manuscrits de ses premiers poèmes, qu'il enterra avec elle. Sept ans plus tard, on exhuma le corps et il dut couper les cheveux qui, dit-on, avaient poussé en s'emmêlant autour de ses manuscrits, pour les récupérer. Rossetti fut très impressionné par cette vie que les cheveux de Siddal continuaient d'affirmer après sa mort. Dans son poème intitulé *Life-in-Love*, il médite sur l'éclat surnaturel de sa chevelure. « Au milieu du changement qu'entoure la nuit immuable/Repose cette chevelure d'or que la mort n'a pas ternie. »

Rossetti ne peignit pas que des blondes, loin s'en faut, mais une grande majorité de ses personnages de femmes fatales sont blonds. Ainsi, lady Lilith, représentée en 1864 comme une beauté sensuelle, une blonde voluptueuse qui se caresse langoureusement les cheveux, comme s'il s'agissait là d'un tigre domestique. Dans la tradition talmudique, Lilith est la première femme d'Adam, une femme magnifique mais mauvaise. Dans le tableau de Rossetti, c'est une beauté classique, une sirène prête à utiliser l'or de ses cheveux pour tenter, corrompre et étrangler. Au cas où le message n'aurait pas été assez clair, au dos d'un second tableau représentant le même personnage, Rossetti recopia cette description de Lilith par Goethe, dans la traduction de Shelley : « Tiens-toi en garde contre ses beaux cheveux, parure dont seule elle brille : quand elle peut atteindre un jeune homme, elle ne le laisse pas échapper de sitôt[2]. »

L'expression peinte de cette beauté n'était sans doute pour Rossetti que le contrepoint de pensées moins glorieuses, qu'il déversait dans une abondance de vers misogynes. Il exploita fréquemment cette image sexuelle des cheveux blonds. En 1859, il écrivit un poème sur une prostituée dénommée Jenny, une de ces tentatrices aux cheveux blonds dont la chevelure symbolise la cupidité et le vice. Le poème déborde d'un horrible mélange de luxure, d'avarice et d'angoisse : désir et mépris se disputent les pensées du narrateur de Rossetti, alors qu'il dépose une pièce d'or dans les cheveux de Jenny endormie. À la fin, ce sont les fantasmes de domination de Rossetti lui-même qui se révèlent, en même temps qu'une terrible haine des femmes, femmes qu'il désire pourtant désespérément.

Vu la quantité de pages passionnées que nos respectables victoriens débitèrent sur les prostituées blondes, pouvons-nous supposer que les femmes qui exerçaient cette activité, alors en plein développement, s'inscrivaient effectivement dans la tradition en se décolorant les cheveux ? Un document publié en 1836 à l'usage des Britanniques en visite à Paris nous donne quelques indications à ce sujet. Intitulé *Les Jolies Femmes de Paris, leurs noms et adresses,*

---

2. Goethe, *Faust*, traduction de Gérard de Nerval (1835), Paris, Garnier-Flammarion, 1964.

qualités et défauts, Annuaire et guide complet pour le plaisir des visiteurs du Gai Paris, ce captivant petit volume énumère les prostituées de Paris, dans l'ordre alphabétique, en donnant le détail de leur carrière, de leurs amants et maris, sans oublier le commentaire sans pitié de leurs charmes et de leurs spécialités, dans le genre du « vaut le détour » que l'on peut trouver dans le guide Michelin. Parmi les presque trois cents entrées, on trouve trois fois plus de blondes que de brunes.

Une certaine Clotilde Charvet, du 23, rue Boissy-d'Anglas, se voit attribuer une note correcte : « Ici, vous trouverez la beauté alliée à la jeunesse, de beaux yeux humides, des traits réguliers, une taille fine et une poitrine divine, avançant fièrement ses beautés jumelles. Voilà donc les charmes de Clotilde. Ses cheveux, naturellement bruns, sont teints d'un blond soutenu, ce qui offre le contraste le plus étrange, lorsqu'elle est nue, avec les autres centres d'intérêt capillaires de ses jolies formes. »

Valentine d'Egbord, au 12, avenue d'Antin, s'en tire moins bien. « C'est à titre de curiosité que nous la ferons figurer dans notre nouvelle Bible. C'est comme œuvre d'art, ou plutôt comme quelques restes de beauté merveilleusement préservés, que nous la traiterons. Nous demanderons donc aux visiteurs de "ne pas toucher". Pour avoir usé et abusé de quelque teinture blonde bon marché, elle a perdu ses cheveux, qui ne repousseront jamais et qu'elle a remplacés par un postiche très coûteux, de couleur paillasson, soutenue. »

Cora Pearl, la célèbre courtisane anglaise qui se fit servir à son propre dîner sur un énorme plat d'argent, entièrement nue à l'exception d'une branche de persil, y est mentionnée comme blonde. À sa grande époque, cette prostituée de luxe, qui comptait parmi ses amants Napoléon III et le duc de Rivoli, avait coutume de se teindre les cheveux pour les assortir à ses tenues. Elle paraissait souvent vêtue de la tête aux pieds d'un charmant jaune canari. Ses collègues anglaises, les *grandes horizontales*, stars de l'alcôve comme de la scène, cultivaient également leur image de blondes. Dans son autobiographie, Lillie Langtry affirme avoir toujours eu naturellement les cheveux blonds comme les blés. Laura Bell, ex-petite vendeuse de Dublin, dont on disait qu'en une seule nuit elle avait soulagé l'ambassadeur du Népal, son altesse le général-prince Jung Bahadur, de l'équivalent de 380 000 euros, était notoirement blonde. Quant à Skittles, elle doit sa blondeur à une licence poétique née de la plume d'un prétendant, le comte de Maugny. Des douzaines de ces femmes magnifiques, les « habitantes aux chignons jaunes de St. John's Wood et de Pimlico », comme les décrivit en 1869 la *Pall Mall Gazette*, se réunissaient chaque jour à Hyde Park dans leurs calèches à la mode pour se faire admirer des riches gentlemen qui s'y promenaient, accompagnés de leurs femmes et filles, sans nul doute éblouies.

Cela faisait bien longtemps déjà que les cheveux blonds représentaient tentation sexuelle et corruption, aussi bien dans la réalité que dans la fiction. Mais il fallait être victorien pour les transformer en instrument de vengeance mortelle. La nouvelle de Bram Stoker intitulée *Le Secret de l'or croissant* raconte comment une femme assassinée se venge grâce à ses cheveux blonds. Une fois son corps emmuré dans la cheminée, chez son ancien amant, ses mèches, lourdes de menace, continuent de pousser à travers une fente dans le mur. Elles finiront par tuer, non seulement sa nouvelle femme, enceinte, mais aussi lui, après l'avoir terrorisé. On le découvrira, les yeux vitreux fixés sur ses pieds, pris dans « des tresses de cheveux blonds grisonnants », les traits figés dans une expression d'« horreur inexprimable ».

L'idée que les cheveux blonds possédaient de terrifiants pouvoirs était encore renforcée par le nombre important d'exotiques voleuses d'âmes blondes que peignirent les artistes de l'époque victorienne. Ainsi, le tableau de lord Leighton *Le Pêcheur et la Sirène : d'après une ballade de Goethe*, qui date de 1859, fut exposé pour la première fois accompagné de ces vers du poète allemand, extraits de son *Pêcheur* : « Elle l'entraîne à moitié, à moitié il s'abandonne,/ et jamais plus on ne le revit[3]. »

La sirène se love contre le pêcheur, qui semble ivre de désir, enroulant sa longue queue de poisson sinueuse autour de ses jambes, elle passe ses bras autour de son cou et une masse de cheveux blonds provocants descendent en cascade le long de son dos nu, blanc et lisse.

L'une des tentatrices blondes les plus sinistres de cette époque apparaît dans un tableau de John Waterhouse qui date de 1893, *La Belle Dame sans merci*. Illustrant un poème de Keats, l'œuvre montre un chevalier en armure subjugué, agenouillé devant l'enchanteresse qui l'attire à sa fatale étreinte grâce à ses cheveux blonds, qu'elle a noués autour de son cou. On devait retrouver à l'opéra cette image extraordinaire, puisque Debussy la recréa, dans une scène de son étrange *Pelléas et Mélisande*. C'est un Pelléas aveuglé par l'amour, comme en transe, qui accepte symboliquement sa perte en enroulant les cheveux d'or de Mélisande autour de son cou, au moment où la musique s'envole vers les sommets de l'extase.

Pour l'homme victorien moyen, un idéaliste peut-être un peu effrayé par le sexe, sûrement troublé par ce tourbillon de blondes terrifiantes que l'on dépeignait autour de lui, encore profondément attaché à sa mère et assailli par le doute religieux, la maison familiale, où s'exprimait le dévouement réconfortant d'une épouse toute maternelle et non sensuelle, devint une sorte de sanctuaire.

---

3. Goethe, *Ballades de Goethe*, traduction de L. Mis, Paris, Aubier, 1944.

La Grande-Bretagne s'était lancée dans la course technologique, et sa société commençait également à changer, à une vitesse alarmante. Certains contemporains se sentaient exaltés à l'idée de vivre une époque nouvelle, où tout était possible. Plus nombreux étaient ceux qu'effrayaient les progrès rapides de la science et de la démocratie, ceux dont le doute assaillait la foi religieuse et la confiance politique. Avec des cycles trépidants d'expansion et de récession à l'infini sur les marchés financiers, avec l'invention de la marine à vapeur, de la locomotive et du télégraphe, les affaires quotidiennes devinrent une lutte épuisante, qu'il fallait livrer dans l'urgence et la tension permanentes. Dans les classes moyennes, des hommes honnêtes et droits se voyaient désespérés par la cupidité et la dégénérescence morale de leur époque, par la perte des traditions dont ils étaient témoins. Ils purent observer l'exploitation des campagnes, regarder les cicatrices de crasse et de fumée que le progrès industriel imprimait dans les merveilleux paysages et les riches terres de leur patrie. Ils purent également observer l'exploitation des travailleurs. Rares étaient ceux qui pouvaient se payer le luxe d'ignorer un malaise social croissant : la fortune pour quelques privilégiés, la misère, la maladie et le crime pour les masses.

Ces hommes, tourmentés par le destin de leur monde en mutation, se retiraient dans leur foyer comme dans un temple, pour y chercher le réconfort chaleureux de déesses immaculées. Équivalent psychologique d'une bonne paire de pantoufles, le foyer, comme le dit Ruskin, était « un refuge, non seulement contre toute blessure, mais aussi contre toute terreur, doute, division ». Leurs vies trépidantes s'ancrèrent fermement dans un idéal quasi religieux de décence et de respectabilité familiales. Leur foyer leur prodiguait les consolations de l'ordre et du rituel. Les repas, pris à heures fixes, étaient précédés des grâces, de prières quotidiennes et de routines comme la lecture du journal ou les travaux d'aiguille, et peut-être, la lecture d'un roman. Au cœur de ce tableau idyllique, se trouvait la figure de l'épouse prévenante et dévouée, vierge de tout contact avec le monde moderne, brutal et plein de péchés, qui l'aurait souillée. L'archétype de la femme au foyer se caractérisait par sa beauté morale, sa pureté, exempte de toute souillure car asexuée. Vers le milieu du siècle, on qualifiait de madones ces saintes femmes, sans le moindre sous-entendu ironique ou impie. Les héroïnes littéraires d'une inexorable intégrité morale, brunes comme l'exigeait la mode, portaient toutes une coiffure « à la Madone », avec la raie au milieu, comme les Vierges de Raphaël. Dans *Middlemarch*, le narrateur décrit Dorothea comme « la plus parfaite jeune madone que j'aie jamais vue ». Dans son poème *À Rosa*, inspiré par Rosa Baring, Tennyson parle de la « grâce de madone de ses cheveux », qui implique ses exaltantes qualités morales.

Élevées pour devenir timides, modestes et passives, ces femmes cultivaient une bienséante délicatesse qu'elles portaient comme une sorte d'auréole. Mais ce qui les affaiblissait réellement, c'étaient leurs grossesses fréquentes, le manque d'exercice et un régime alimentaire indigeste, sans parler de la mode ridicule et dangereuse des corsets particulièrement serrés. Qu'elles nous semblent lointaines, ces créatures délicates et pleines de retenue, avec leur sage raie au milieu, brodant et cousant infatigablement leurs tableaux de cheveux et leurs appuie-tête de dentelle ! Et quel contraste elles forment avec ces blondes perfides et dévorantes issues de l'imaginaire érotique victorien !

Il serait vraiment tiré par les cheveux d'en conclure qu'en réalité la division était aussi nette. Rien n'est jamais si clair. Il existait, bien entendu, de brunes tentatrices et de blondes épouses d'une bienséance et d'un dévouement irréprochables. Mais nous pouvons néanmoins reconnaître au XIXe siècle le grand modèle historique de répartition des tempéraments par pigmentation des cheveux.

Le foyer et la madone qui se trouvait en son centre ne constituaient pas la seule échappatoire pour le gentleman pris dans une société en pleine mutation, certes, mais aussi excessivement répressive et pudibonde. Les hommes adultes entretenaient d'étranges désirs à l'égard des enfants, les petites filles en particulier. Sans doute nostalgiques d'une innocence perdue, ou bien poussés par un sentiment de culpabilité devant le saccage de leur monde, ils considéraient les enfants comme un immense espoir pour l'avenir. Peut-être cette attirance pour les petites filles concernait-elle plus fréquemment des hommes ayant connu l'échec de relations sentimentales adultes, ou bien souffrant d'un déséquilibre émotionnel dû à une enfance trop ou trop peu protégée. Quoi qu'il en soit, la chevelure angélique de ces chères têtes blondes représentait pour eux le paradis de l'innocence, ce bien précieux que l'on perdait, comme la blondeur, au fur et à mesure que l'on devenait adulte, en acquérant de l'expérience, en se confrontant au péché, à la culpabilité, aux désirs et aux attentes de ce monde.

Des hommes de lettres, des hommes d'Église, des intellectuels victoriens d'une envergure exceptionnelle apprécièrent la quiétude et les plaisirs innocents que leur procurait la compagnie des petites filles. Parmi eux, John Ruskin fut élevé selon des principes puritains très stricts, par un père négociant en vins et par une mère de foi évangélique ardente, qui adoraient leur fils unique au point de l'étouffer. Enfant, les jouets lui furent interdits. Pour les remplacer, son père lui faisait la lecture de Tacite et sa mère lui lut intégralement la Bible – plusieurs fois. À l'âge de onze ans, il écrivait deux mille distiques à la manière de Wordsworth. Et lorsqu'il quitta Oxford, il était, selon les critères victoriens, l'un des esprits les plus subtils de son temps. Mais c'était un rêveur et un solitaire, qu'une société étouffante poussa peu à peu vers des obsessions vraiment hors du commun. Les liaisons désastreuses qu'il eut, à l'âge adulte, avec trois jeunes filles, Adèle Domecq, Effie Gray et Rose La Touche (qui avaient toutes trois les cheveux clairs) ont été largement étudiées. Beaucoup d'autres l'attiraient.

C'est avant tout l'image de la jeune fille innocente qui semble avoir séduit Ruskin. Il fut particulièrement touché par les illustrations de Kate Greenaway. Ces aquarelles d'une douceur écœurante représentent des petites filles, souvent blondes aux cheveux bouclés, batifolant dans des décors Régence. La beauté de l'innocence enfantine, la valeur inestimable de l'enfance furent autant de thèmes fréquemment illustrés et débattus par les philosophes, les artistes et les écrivains de l'époque. Ruskin devait connaître cette idée, alors répandue dans le monde de l'art, que ce qui s'approchait le plus de l'idéal classique c'était le visage d'un enfant. Pourtant, devant les aquarelles de Greenaway, en dépit de sa stature de critique le plus influent de son temps, Ruskin laissa ses inclinations sentimentales primer sur son jugement. Il s'enticha de ses œuvres au point d'en acheter un bon nombre et d'y consacrer des cours à Oxford.

La pudibonderie victorienne ne permettait de nommer que très peu d'émotions, mais, selon sa logique absurde, elle en sanctionnait énormément. Charles Dodgson, plus connu sous le nom de Lewis Carroll, qui enseignait les mathématiques à Oxford, fut lui aussi l'un de ces victoriens à l'esprit exceptionnellement raffiné qui vouèrent un culte aux petites filles. Ecclésiastique, célibataire, il était affligé d'un bégaiement et d'une apparence assez excentrique. Depuis l'âge de vingt ans jusqu'à sa mort, à soixante-six ans, il plaça au centre de sa vie privée des enfants, en particulier des petites filles, qu'il recherchait et rencontrait dans les occasions mondaines, dans les trains, sur la plage d'Eastbourne, et partout où il pouvait. Il découvrit qu'en leur compagnie son bégaiement s'envolait avec sa timidité et qu'il était capable de quitter son monde masculin, strictement rationnel, pour s'évader dans le monde illogique de la fantaisie enfantine. En tant qu'auteur de livres pour enfants, il avait besoin de rester avec eux pour comprendre comment fonctionnait leur imaginaire. Mais il semble aussi qu'il ait eu besoin de s'évader avec eux pour pallier son manque d'équilibre affectif. En vacances, l'été, à Eastbourne, il cherchait activement à se faire de nouveaux amis enfants, dont il notait soigneusement le nombre chaque année. En 1877, par exemple, vers la fin de son séjour, il note : « Mes amis enfants ont, cette année, été plus nombreux que jamais. » Il énumère ensuite les noms de vingt-six enfants, appartenant à onze familles.

L'une de ses préférées fut Alice Liddell, fille du doyen de Christ Church, son voisin. Cette jolie petite fille vive, aux cheveux courts, raides et très noirs, avec un visage de lutin, lui inspira *Alice au pays des merveilles*.

Carroll dessina de sa main quelques illustrations préliminaires pour son manuscrit. Mais elles ne ressemblent en rien à la petite Alice aux genoux cagneux et au visage coquin. Elles font d'elle un ange et non plus une enfant, une créature parfaite, une femme inaccessible. Elles l'idéalisent en beauté enchanteresse. Carroll lui dessina une toison de longs cheveux blonds ondulés comme celle qu'attribue à Hélène de Troie le fameux Rossetti, que Carroll connaissait et dont il admirait les œuvres, puisqu'il en possédait au moins une. Il possédait également un tableau d'Arthur Hughes, la *Petite Fille aux lilas*, éloge assez peu subtil de l'innocence féminine, où l'on peut voir une petite fille mélancolique incliner la tête, avec son épaisse chevelure blonde, sous une branche chargée de fleurs de lilas. Peut-être Carroll illustra-t-il son chef-d'œuvre en contemplant ce tableau, qui se trouvait accroché au-dessus de la cheminée, dans son bureau, car il reproduit presque exactement les cheveux, la robe et la pose de cette petite fille quand il dessine la scène où Alice grandit démesurément après avoir bu une potion. Son neveu se souvient qu'il s'« attardait avec un plaisir intense sur les contrastes de couleurs exquis qu'il présentait : les cheveux d'or de la petite fille ressortant sur le fond mauve des fleurs de lilas ». Manifestement, Carroll partageait avec Hughes cet idéal blond d'innocence féminine, inspiré par les menaces qui planaient sur la beauté virginale.

Dans la première édition du livre, imprimée en 1865, avec des illustrations de John Tenniel, auxquelles Carroll collabora fréquemment, Alice est blonde. L'auteur avait envoyé à Tenniel des photographies qu'il avait prises de son amie enfant Mary Hilton Badcock en lui suggérant de les utiliser comme modèles pour illustrer *Alice*. La fillette se tient raide comme une poupée de bois, l'air un peu boudeur, avec un bandeau dans les cheveux et le genre de robe de soirée à manches bouffantes et à crinoline qu'Alice porte dans ses aventures. Tenniel, qui n'utilisait que rarement des modèles en chair et en os, a dû travailler à partir des photos, et ses dessins devaient placer haut la barre pour les futurs illustrateurs d'*Alice*[4].

Tous les successeurs de Tenniel sont restés fidèles au code de couleur qu'il avait adopté. Alice est restée blonde. Cette couleur de cheveux est devenue une caractéristique essentielle de son personnage, un signe de ses pouvoirs de séduction : ceux de l'enfant exempte de toute souillure, ouverte aux sentiments les plus intenses et les plus spirituels, particulièrement réceptive au désordre de l'imaginaire, à l'anarchie des événements qu'elle vit.

---

4. L'une des éditions les plus originales est celle de 1929, illustrée par Willy Pogany, qui imagine une Alice blonde, avec une coupe au carré, à la garçonne.

La plupart des contemporains étaient probablement tout à fait inconscients des connotations sexuelles de cette représentation d'Alice telle qu'elle finit par être imprimée en 1865. Ces mêmes contemporains ne tiquaient pas non plus à la lecture de vers exprimant le désir ardent et ouvertement sexuel qu'éveillaient les enfants chez certains adultes. Ernest Dowson écrit ainsi d'une petite fille blonde, dans le quatrième de ses *Sonnets pour une petite fille* :

... et dans ces yeux d'un gris très pur,
Ce doux visage d'enfant, ces boucles d'or,
Dans ton sourire, tes douces et tendres réponses
Je trouve l'amour tout entier – j'entends gronder et murmurer
Le flux et le reflux vibrant de son mystique océan

Il nous paraîtra incroyable que ce genre de poésie débordant d'érotisme n'ait suscité aucun commentaire. Au même moment, on produisait à grande échelle une foule d'images d'enfants, dans les arts et la littérature, pour satisfaire la fascination la plus innocente et la plus fade de la société victorienne. Peut-être cette immense popularité contribuait-elle à rendre plus respectable une attirance pour les enfants.

Ces petits chérubins, filles et garçons angéliques, devinrent un sujet à succès pour les peintres. Les savons Pears utilisèrent même *Bubbles*, le célèbre portrait que John Everett Millais peignit de son petit-fils, dans l'une des toutes premières grandes campagnes de publicité. Si le public demandait des images de jolis petits enfants, alors pourquoi les lui refuser, se dit Millais. Il se constitua ainsi une rente de trente mille à quarante mille livres sterling par an avec ses images de pureté et d'innocence enfantines, pleines d'effusions sentimentales.

Pour les victoriens, l'ambivalence des cheveux blonds, signe soit d'innocence, soit de sortilèges sexuels, se révélait dangereuse. Mais la blondeur commençait à prendre une autre valeur, une valeur qui, au début du XXe siècle, devait entraîner certains à croire en la supériorité politique des blonds, croyance dont les conséquences seraient dévastatrices.

Chapitre 10

LA NAISSANCE DE L'ARYEN

Dans la lumière brillante des bougies, une veille de Noël sentimentale pour classes moyennes victoriennes : dans un coin, un arbre décoré de rangs de perles et de rubans multicolores, de confiseries et de biscuits enrobés de sucre ; autour du piano, des enfants en habits du dimanche qui chantent *Douce Nuit* avec, sur leur petit minois, une délicieuse expression d'impatience. Peut-être leur lira-t-on quelque conte de fées, *Cendrillon* ou *Le Petit Chaperon rouge*, avant qu'ils s'endorment, mais en tout cas pas avant que *papa* n'ait eu le plaisir de chanter ses *lieder* préférés.

Cette scène emblématique du Noël à la mode vers le milieu du xixe siècle ne reflète guère la réalité de la culture britannique authentique. L'idée de l'arbre venait d'être importée d'Allemagne, tout comme celle d'y attacher des confiseries. *Douce Nuit* était une traduction de l'allemand. *Cendrillon* et *Le Petit Chaperon rouge* étaient devenus de grands classiques depuis la parution du recueil des frères Grimm, également allemands. Quant à la mélancolique version des *lieder* de Schumann et de Schubert que *papa* ne manquerait pas d'interpréter, elle s'inspirait des rêveries romantiques du Rhin. Et ce n'était pas une coïncidence : vers le milieu du xixe siècle, l'Angleterre fut comme envahie par le culte de tout ce qui était germanique. En littérature, en art et en musique, l'Allemagne dictait la mode. Écrivains, historiens, philosophes, musiciens et artistes se pressèrent en Allemagne pour y puiser l'inspiration au contact de tout ce que le pays comptait de grands esprits créateurs. Thomas Carlyle traduisit infatigablement Goethe et Schiller. George Eliot fit de même pour

Strauss. Turner donna sa vision romantique du Rhin. Compositeurs et musiciens anglais émigrèrent à Leipzig, Berlin, Munich et Francfort, pour y mieux idolâtrer les grands compositeurs classiques allemands et se réchauffer le cœur en écoutant la musique des romantiques Mendelssohn, Schubert et Schumann.

Cette époque vit l'émergence de l'Allemagne en tant que nouvelle puissance culturelle européenne. Les idées artistiques et philosophiques les plus exaltantes y apparaissaient, le pays accomplissait des progrès scientifiques et techniques de plus en plus rapides. En même temps, sous l'œil brillant de Bismarck, l'Allemagne se transformait en monstre économique et industriel. Nombreux étaient les domaines dans lesquels on pouvait chanter les louanges du génie particulier et de la destinée manifeste de la race teutonique. Vers le milieu du siècle, bien des historiens britanniques furent attirés par ce culte de la germanité. Il s'agissait là d'une manifestation d'autosatisfaction, puisqu'ils défendaient l'idée que la race anglo-saxonne descendait de glorieux ancêtres teutons. Cette vision grossièrement romantique de l'Allemagne fit rapidement beaucoup d'adeptes. Thomas Arnold fit ainsi l'éloge des racines germaniques de la nation anglaise dans une série de conférences qu'il donna en 1841 en tant que professeur à Oxford. Il remarque avec complaisance : « La moitié de l'Europe, toute l'Amérique et l'Australie sont presque entièrement germaniques, par leur race, leur langue ou leurs institutions, ou bien dans tous ces domaines à la fois. » John Green, auteur d'une *Brève Histoire du peuple anglais* parue en 1874, contribua à répandre l'idée que les Anglo-Saxons étaient bien un peuple germanique. Nombre de chroniqueurs respectés reprenaient cet hommage à l'Allemagne pour l'amplifier davantage.

Cette fascination pour l'ascendance teutonique des Anglo-Saxons, avec leur vigueur, leur puissance, leur grandeur et leur civilisation de peuple libre, allait avantageusement de pair avec une identité bien définie. C'était le sang teuton qui donnait aux Anglais leur allure héroïque, leur noble taille, leurs longues figures aristocratiques, leurs yeux bleus et leurs cheveux blonds. Ce code de couleurs, conventionnel à l'époque, apparaît dans l'*Ivanhoé* de sir Walter Scott, publié en 1819. Ivanhoé, héros saxon, est blond aux yeux bleus, tout comme son épouse, Rowena, tandis que la belle Rebecca, qui est juive, a les cheveux noirs, les yeux sombres et la peau mate. Dans son introduction à une édition ultérieure, en répondant à la lettre d'un lecteur qui demande pourquoi Ivanhoé n'épouse pas Rebecca, Scott met en évidence une désagréable vérité, déjà si largement acceptée par ses contemporains : « Les préjugés de ce temps rendraient une telle union impossible. » Même dans le monde médiéval édulcoré de Scott, ces vilaines divisions apparaissent avec force. Non seulement les mariages entre chrétiens et juifs étaient impossibles, mais on pensait aussi que les blonds à la peau claire ne devaient pas épouser des membres de la race des bruns, ce qui est infiniment plus révélateur à cette époque où naquirent les premières théories racistes.

Les différences raciales allaient devenir plus importantes que toutes les différences religieuses. On pensait que la race déterminait le degré de civilisation, de réussite et de pouvoir, en d'autres termes tous les critères selon lesquels les hommes se jugeaient les uns les autres. Dans un roman intitulé *Coningsby* (1844), Benjamin Disraeli décrit les Saxons comme une race pure : « Venus des rivages nordiques, terres des hommes aux yeux bleus, aux cheveux blonds, et au front loyal : race illustre [...] » Dans son roman suivant, publié en 1847, *Tancrède*, où il exalte les qualités de la race juive de façon tout à fait explicite, Disraeli reconnaît aussi que la grandeur de l'Angleterre « est une question de race. La race saxonne [...] a marqué le siècle de son tempérament méthodique et diligent. Et quand une race supérieure, avec un idéal supérieur du travail et de l'ordre, progresse, le progrès fera partie de son essence... Tout est race, il n'y a pas d'autre vérité ».

Les Européens du XIXe siècle concevaient la race avant tout en termes de pigmentation. Leur conception des races à la peau plus sombre fut naturellement affectée par des événements aussi largement relatés et commentés que la mutinerie indienne de 1857-1858 et la révolte de la Jamaïque en 1865.

Ces hypothèses raciales avaient déjà poussé un certain nombre de gens à réfléchir sur les différences de valeur, plus subtiles, que l'on pensait voir entre les peuples à l'intérieur même de la race blanche. Vers le milieu du siècle, la plupart des intellectuels victoriens étaient persuadés que les peuples teutoniques du nord et de l'ouest de l'Europe étaient supérieurs aux hordes latines du sud et aux Slaves de l'est du continent. La croyance en la supériorité naturelle des Européens du Nord, blonds aux yeux bleus, communément admise, continua à se répandre rapidement.

La pensée raciste européenne avait déjà une longue histoire derrière elle. En 1799, le bien nommé Charles White avait commis une *Explication des gradations naturelles de l'Homme* où il désignait déjà l'Européen blanc comme l'être humain le plus beau et le plus intelligent, dans d'interminables éloges de la « noble courbe de son front » ou de sa « quantité de matière grise », et se lançait dans de grandes envolées lyriques sur la blonde féminité teutonne. Bien des anthropologues du XVIIIe siècle avaient travaillé sur une « chaîne des êtres » qui établissait une hiérarchie des hommes, depuis les créatures les plus viles, Nègres, Pygmées et Aborigènes, jusqu'à la race blanche, espèce suprême, en passant par les races jaunes et les Slaves. Cette hiérarchie reposait principalement sur un critère de beauté physique, où la blondeur, censée dériver du soleil, était considérée comme un signe de grandeur, tout comme les yeux bleus, qui reflétaient le ciel.

On s'intéressa également aux origines des langues pour tenter de retrouver les fondements de la race. Les érudits en conclurent que le sanskrit, base de toutes les langues occidentales, avait été importé d'Asie au cours de la migration des peuples aryens. C'est d'ailleurs à ce moment, à la fin du XVIIIe siècle, que le mot « aryen » fit son apparition. Dans l'imaginaire lumineux des romantiques, il décrivait un peuple supérieur et beau, plein d'honneur, de noblesse et de courage, qui avait suivi la course du soleil vers l'ouest pour y fonder sa patrie. En 1855, le comte Arthur de Gobineau, esthète à la paupière plombée et au menton fuyant, néanmoins doué d'une éloquence toute volcanique, utilisa ces théories linguistiques et anthropologiques pour exposer ses merveilleuses idées dans son *Essai sur l'inégalité des races humaines*. Il avait toujours manifesté un grand intérêt pour l'Antiquité et pour la généalogie, prétendument noble, de sa famille (les titres d'Arthur Gobineau étaient faux), ce qui a pu lui donner une vision hiérarchisée du monde expliquant en partie ses théories racistes. Il fut bientôt fasciné par le bel et noble Aryen, cet aristocrate chevaleresque épris de liberté. Grâce à son ami Wagner, qui partageait ses convictions, il put rapidement diffuser son message en Allemagne. Après sa mort, en 1882, ses jugements sur les races noire et jaune furent quelque peu déformés pour être retournés contre les juifs. Avec ce type idéal d'homme blond aux yeux bleus, prêt à affronter l'ennemi public qu'on lui choisirait, racisme et nationalisme commençaient à attiser les esprits d'une minorité, peu nombreuse mais véhémente. Pourtant, cet Aryen blond n'était qu'un mythe.

D'autres penseurs poussèrent les théories raciales encore plus loin, en y intégrant des éléments darwinistes. Darwin lui-même n'était pas du tout raciste, mais ses notions de « lutte pour la survie » et de « sélection naturelle » se prêtaient assez bien aux interprétations subjectives de fanatiques qui s'en servirent pour étayer leurs théories de hiérarchies raciales.

C'est à cette époque, également, que le cousin de Darwin, sir Francis Galton, développa ses propres thèses sur l'hérédité, thèses qui devaient avoir une influence inattendue sur le grand débat racial opposant blonds et bruns. Dans son livre le plus important, *Le Génie héréditaire*, publié en 1869, il expliquait que, s'il avait « à classer les personnes selon leur valeur, [il] les [examinerait] à la lumière des trois critères suivants : physique, aptitudes et tempérament ». Galton distingua treize types d'aptitudes naturelles, suivant lesquels il classa les Anglais, des juges aux lutteurs. Il s'intéressa tout particulièrement aux mariages et suggéra de faire bénéficier d'aides spécifiques les couples qui pourraient produire des enfants de « valeur civique » supérieure à la moyenne. Il pensait qu'il fallait faire augmenter le taux de natalité des plus forts et diminuer celui des plus faibles. Les penseurs de la fin de l'ère victorienne trouvaient particulièrement séduisante l'idée de planifier l'évolution des hommes comme l'élevage des vaches ou la culture de l'orge. En 1885, Galton inventa le mot « eugénisme », notion qui en 1900 avait déjà enflammé l'imaginaire populaire. Le prénom Eugène connut une vogue soudaine, des sociétés et des journaux eugéniques apparurent subitement dans toute l'Angleterre. Du jour au lendemain, l'eugénisme acquit popularité et respectabilité scientifique. L'idée de hiérarchie entre les races qu'il impliquait incita les idéologues de la supériorité aryenne à l'adopter avec enthousiasme, tout comme le darwinisme.

Un petit nombre d'eugénistes fanatiques allaient bientôt former des projets, établir les plans de communautés isolées où l'on pourrait élever des individus de race aryenne pure, vierge de toute infection des autres races. Ce n'était plus qu'une question de temps. En 1886, Élisabeth Förster-Nietzsche, sœur du célèbre philosophe, arriva dans la jungle paraguayenne accompagnée de son mari, Bernard Förster, et de quatorze autres familles allemandes supposées d'origine aryenne pure. Ils venaient fonder une colonie, appelée à devenir un empire qui dominerait le monde. En Nouvelle-Allemagne, disaient-ils, pourrait se développer une race pure d'Aryens, aux yeux bleus et aux cheveux blonds, sans que le germe de la juiverie vienne la contaminer. Par la suite, ils prendraient la place qui leur revenait de droit, celle de race dominante[1].

On peut dire que leurs motivations étaient, au mieux, confuses. Förster, instituteur berlinois au chômage, un peu simple et d'un antisémitisme grossier, pensait qu'il pouvait contribuer à empêcher la destruction de la race aryenne par les juifs. Il espérait aussi que ses efforts pourraient lui attirer les bonnes grâces de Wagner, le compositeur, qui avait fondé à Bayreuth un puissant cercle nationaliste et antisémite dont il rêvait de faire partie. Chez Élisabeth Förster-Nietzsche, les mobiles politiques se mêlaient à la recherche de l'ascension sociale. Si fonder une nouvelle colonie aryenne satisfaisait son nationalisme et son antisémitisme, elle pensait atteindre ainsi plus facilement ses ambitions concernant le cercle de Bayreuth. Les époux formaient probablement un couple des plus pittoresques : tous deux entêtés, snobs, égocentriques et extrêmement pédants. Elle était d'une beauté délicate, avec un nez en trompette et des cheveux châtains. Il était grand,

---

1. En 1871, la Société allemande d'anthropologie effectua une enquête auprès de 75 000 enfants juifs scolarisés, et conclut que 11 % d'entre eux étaient de type blond, 42 % de type brun et 47 % de type mixte. Ces résultats furent, on s'en doute, mal accueillis. Ils auraient dû faire taire les racistes sur la division entre Juifs et Aryens, mais l'idéologie des races pures était trop imprégnée de mythes et de stéréotypes pour être abandonnée, et la notion d'ennemi racial était trop utile pour être aussi facilement rejetée.

très beau, avec une barbe abondante, des sourcils laineux et un regard de prédateur.

Ces colons nourrissaient de grandes ambitions pour leur nouveau monde. Förster avait manifesté beaucoup d'enthousiasme en entendant parler d'une race aryenne sauvage découverte quelque part dans l'intérieur du continent sud-américain. Cette prétendue découverte venait étayer des théories qui avaient longtemps fasciné les explorateurs européens. « Je ne sais, écrit-il, s'il faut croire les récits, répandus, mais sans doute exagérés, sur une race d'individus blonds décharnés... Je ne suis pas en mesure de dire quelle vérité peuvent bien contenir ces récits, que bien des gens m'ont rapportés, mais l'existence d'un groupe racial bien distinct me semble indiscutable. »

Quand Förster et son groupe d'immigrants débarquèrent dans le port d'Asunción, ils avaient de grandes ambitions. Ils s'imaginaient que, chaque année, des bateaux entiers de nouveaux immigrants viendraient les rejoindre. Leur rêve ne se réalisa pas. Ils ne réussirent pas à acheter de terres pour les colons. Celles qu'ils cultivaient étaient pauvres, ils subirent de mauvaises récoltes. Les Förster, qui dirigeaient la colonie, étaient corrompus. Les nouvelles vagues d'immigrants dont ils attendaient l'aide n'arrivèrent pas. Pour toutes ces raisons, la colonie périclita, menant Förster au suicide. Élisabeth rentra en Allemagne en 1893, après avoir soigneusement inventé une histoire assez crédible pour cacher l'humiliante vérité. Elle s'avérait déçue, non vaincue. Elle employa désormais toute son énergie à créer le mythe de son frère, qui mourut en 1900, et vit ses efforts couronnés de succès. La Nouvelle-Allemagne existe toujours. C'est une triste ville coloniale de la jungle du Paraguay, en grande partie abandonnée, où résident pourtant encore quelques pauvres gens aux yeux bleus, dont certains descendent des premiers colons.

Élisabeth Förster-Nietzsche avait bien visé en essayant d'appuyer ses prétentions sociales sur la fréquentation des Wagner. La petite secte fondée à Bayreuth se révéla rapidement comme une puissante force de promotion du mythe racial aryen. Le festival de Bayreuth et le wagnérisme, qui naquirent avec la première représentation du *Ring* au nouvel opéra de la ville en 1876, se transformèrent presque instantanément en secte religieuse ou quelque chose d'approchant, avec un Wagner grand prêtre officiant dans le temple de Bayreuth. Dès les premiers jours, le festival reçut le soutien de fanatiques qui y voyaient une manifestation purement germanique. Il fut bientôt absorbé par une forme de nationalisme culturel, et les opéras furent réquisitionnés pour transmettre un message patriotique et raciste.

Deux ans après la création du festival, un journal, le *Bayreuther Blatt*, fut lancé afin de diffuser les idées de Wagner auprès de son public. Il ne fallut pas attendre longtemps pour y voir un déchaînement idéologique, et pour qu'il se mît à répandre son poison antisémite et xénophobe. On n'interprétait pas les opéras de Wagner, en particulier *Parsifal*, en fonction de leur valeur esthétique, mais pour l'imaginaire politique auquel ils se référaient : le renouveau de la race germanique, expurgée de tous ses juifs, libéraux et autres démocrates. Le Festspielhaus, l'opéra de Bayreuth, fut décrit comme une « glorieuse forteresse aryenne », « un temple de l'art pour le renouveau du sang aryen et le réveil de la conscience collective de la nation indo-germanique et, en particulier, pour le renforcement d'une saine germanité ». Les critiques qui n'admiraient pas suffisamment les œuvres de Wagner se voyaient qualifiés de juifs. La critique, tout comme l'art, devenait explicitement politique.

Les zélateurs des théories racistes commencèrent à utiliser les opéras de Wagner pour défendre leur cause. L'un d'eux, wagnérien fanatique et important théoricien raciste, Houston Stewart Chamberlain, héritier d'une famille de militaires anglais, épousa l'une des filles de Wagner, Eva, en 1908. C'était un germanophile passionné, un homme grand et maigre, avec les sourcils proéminents et les yeux féroces d'un maniaque. Son grand œuvre, *Fondations du xixᵉ siècle*, fortement influencé par Gobineau, interprète l'histoire occidentale en termes de lutte entre les races. Bien sûr, il plaçait la race aryenne au-dessus des autres. Au moment où son livre fut publié, en 1899, la pensée raciste commençait à être largement connue. Ses théories sur la suprématie aryenne et germanique et sur la menace juive devaient paraître plausibles à ceux qu'angoissaient de telles préoccupations. Pour les scientifiques dignes de ce nom, en revanche, toutes ces théories étaient parfaitement ridicules. Chamberlain faisait même du Christ un blond aux yeux bleus, nordique messager venu de l'aryenne Galilée. Bientôt surnommé la « Bible allemande », son livre fut soutenu par la Ligue pangermanique, un groupe constitué, entre autres, de nombreux professeurs qui répandaient ces idées dans toutes les écoles d'Allemagne. Un jeune aquarelliste autrichien sans le sou devait être fortement marqué par les théories de Chamberlain. Trente-cinq ans plus tard, il allait en modifier légèrement certaines pour les reprendre à son compte dans un ouvrage intitulé *Mein Kampf*.

À la fin du xixᵉ siècle, la marée montante du racisme envahissait encore lentement, mais inexorablement, la pensée européenne. L'Europe n'était pourtant pas le seul continent touché. Les Américains importèrent directement cette idéologie d'Europe occidentale pour la transplanter chez eux, au prix de quelques aménagements. Le climat américain se révéla particulièrement propice et le terrain fertile. Depuis le xviiᵉ siècle, les Américains blancs avaient vu dans la survie et la prospérité de leurs minuscules colonies le signe d'une approbation divine. Ils en avaient conclu qu'ils constituaient un « peuple élu ». Jusqu'au début de la guerre de Sécession, tous les Américains étaient arrivés d'Europe occidentale et se considéraient donc comme d'origine anglo-saxonne ou teutonne.

Au début du XIXᵉ siècle, on représentait la grande migration des colons vers l'Ouest comme une reprise de cette antique migration des peuples aryens blonds qui suivirent la course du soleil. Quand les « fils d'Adam », souvent allemands, danois ou suédois atteignirent la côte pacifique en 1846, leur réussite fut chaleureusement saluée par le Sénat américain comme l'un des événements les plus importants de l'histoire mondiale. Cette triomphale « marche autour du monde » de l'avant-garde aryenne, qui la menait en vue des « rivages orientaux de cette Asie où se trouvaient, à l'origine, les racines de leurs ancêtres », fut acclamée en Europe et en Amérique. Le fait que nombre de ces « fils d'Adam » aient parfaitement correspondu au stéréotype de l'idéal racial renforça l'image que l'Amérique blanche avait d'elle-même. Où qu'ils aient porté le regard, les Américains voyaient des Aryens progresser, des Aryens diriger. Il n'est guère étonnant qu'on ait fréquemment attribué la réussite des Blancs aux États-Unis à cette pureté de la race aryenne.

Vers 1850, ces Aryens américains trouvaient d'abondantes preuves de leur supériorité : leur richesse matérielle croissante, la réussite de leur révolution contre l'Angleterre et une forte croissance économique qui étonna le monde entier. La présence d'importants groupes de Noirs, d'Indiens et de Mexicains impliquait aussi que les populations blanches américaines étaient réceptives à l'idée d'une hiérarchie des races. Comme en Europe, ces idées dépassaient maintenant la petite minorité cultivée qui les avait vues apparaître. Vers la fin du siècle, les théories d'une longue succession de philosophes, de sociologues, d'anthropologues et d'excentriques en tout genre commençaient à toucher un public de masse, auprès duquel elles défendaient l'idée que les blonds aux yeux bleus gouvernaient le monde.

Chapitre 11

CORPS POLITIQUES

En 1898, le Britannique Havelock Ellis, sexologue de son état, commença une enquête vraiment farfelue sur la couleur de cheveux des grands hommes et des femmes importantes des six siècles précédents représentés à la National Portrait Gallery. Pendant plus de deux ans, ce fanatique, plutôt grand et doté d'une barbe impressionnante, arpenta les galeries du musée en culotte de cheval et longues chaussettes de laine, avec un escabeau et une loupe qui lui permettaient d'examiner de près dans chaque tableau les cheveux, des pointes à la racine, les sourcils et la couleur des yeux. « Je ne puis regretter les heures passées en compagnie d'autant de nobles et charmants personnages », écrivit-il plus tard. Après plusieurs mois d'études supplémentaires, il en tira un « indice de pigmentation » qui classait ces éminents personnages en seize groupes, par ordre de blondeur décroissante. Ses travaux, publiés dans la *Monthly Review* en 1901 sous le titre « Aptitudes comparées des blonds et des bruns », proposaient une analyse remarquablement fantaisiste et tout à fait édifiante, qui s'inscrivait bien dans les tendances de son temps.

Au sommet de la pyramide, on trouvait les grands réformateurs politiques et les révolutionnaires. « De tels personnages n'entrent pas à la Chambre des lords, précise Ellis, car leurs opinions sont par trop radicales... mais ils possèdent, à un degré extrême, l'énergie irrépressible des sanguins, les grandes ambitions temporelles, la force de persuasion personnelle et l'éloquence qui, à un moindre degré, tendent à caractériser la classe des gens capables de se hausser jusqu'à l'aristocratie... » Ellis s'embarqua, sans grand succès, dans de longues explications pour justifier les performances médiocres de la famille royale (septième après les réformateurs politiques, les hommes de science, les militaires, les artistes et les poètes), imputant sa faible blondeur au « mélange avec des souches royales étrangères, plus brunes ». Le mauvais résultat de l'aristocratie héréditaire, douzième, se voyait également expliqué par l'introduction de sang étranger dans les lignées, mais aussi par le fait que « les pairs ont toujours été en mesure de choisir pour épouses... les femmes les plus belles, et on ne peut douter que ces femmes, du moins dans notre pays, aient toujours eu tendance à être plutôt brunes que blondes ; ce que confirme le faible indice de pigmentation des célèbres beautés représentées à la galerie ». En 1901, les cheveux bruns passaient encore pour le *nec plus ultra* de la beauté féminine, du moins aux yeux de sexologues extravagants.

Les études d'Ellis représentaient ce qui se faisait à l'époque de plus tiré par les cheveux en matière de théorie de la blondeur. Trois ans plus tard, il développait ces données et leur extraordinaire interprétation dans un livre intitulé *Étude du génie britannique*, accompagné d'une liste revue et complétée de ces hommes et femmes éminents. On trouvait parmi eux, dans la catégorie des blonds, type du chef impatient : Addison, Arkwright, Congreve, Frobisher, Gordon, Newton, Peel, Ruskin, Shelley, Smollett, Thackeray et Turner. La publication de cet ouvrage ne suscita pas même le plus petit ricanement.

Au moment où Ellis examinait quels cheveux recouvraient les plus grands cerveaux d'Angleterre, un peintre suédois, Carl Larsson, commençait à donner forme concrète à cet idéal blond qui devait se répandre dans toute l'Europe du Nord en captivant le cœur et l'esprit d'une génération entière de prétendants à la blondeur. Larsson, né en 1853 dans une famille modeste de Stockholm, connut une ascension sociale digne d'un conte de fées : au début du XXe siècle, il devint l'un des illustrateurs de la vie familiale heureuse et idyllique les plus appréciés d'Europe. Larsson peignait de vives aquarelles de sa femme, Karin, et de leurs huit enfants blonds, qui s'ébattaient, pêchaient ou pique-niquaient dans une atmosphère de bonheur, toute tachetée de lumière, devant la maison de campagne familiale, près de Stockholm. Ses œuvres semblent avoir cristallisé toutes les aspirations de millions de Suédois et, à l'étranger, des Allemands en particulier. Les éditeurs de Larsson vendirent des millions de reproductions de ses tableaux, qui furent accrochés dans les foyers des classes moyennes et travailleuses, dans les chambres d'enfants, les couloirs et les maisons de campagne de toute l'Europe du Nord. Ses livres se vendaient également par centaines de milliers. Pour les ventes à l'étranger, ses éditeurs concentraient leurs efforts sur l'Allemagne, où les auteurs scandinaves jouissaient d'un grand succès commercial. L'ouvrage qu'il vendit le mieux en Allemagne s'intitulait *La Maison dans le soleil*. Il était abondamment illustré d'aquarelles des huit petits Larsson s'amusant au soleil. Tout cela convenait parfaitement aux préoccupations contemporaines de la classe moyenne allemande : la solidité de la famille, la santé, l'air frais, la vie « simple » à la campagne, ainsi qu'à ses perspectives raciales encore inavouées. Ce livre, publié en 1909, reçut un accueil triomphal. « On ne discute pas le travail de Larsson, on l'aime », écrivit un critique, dont les confrères unanimes firent tous des recensions très positives. La presse provinciale, en particulier, présentait le peintre comme un parfait « Teuton », parfois avec des accents racistes. Il faut dire que le peintre lui-même, un grand blond aux yeux bleus, illustrait à merveille l'idéal aryen.

Larsson recevait chaque semaine des propositions d'agents autrichiens et allemands souhaitant commercialiser dans leur pays les reproductions de ses aquarelles. Pas moins de vingt-cinq expositions lui avaient déjà été consacrées en Allemagne. Les Allemands lui achetaient des quantités massives de reproductions et ils publiaient régulièrement ses œuvres dans leurs magazines. Avec cette image pure et presque religieuse de l'idéal blond, Larsson avait touché un point sensible de la psyché allemande.

En associant la blondeur à une beauté et à une valeur particulières, il déclenchait une suite complexe d'associations inconscientes, qui comprenait notamment l'idée que les petits Larsson devaient être des anges, aussi purs et innocents que les créatures ailées des tableaux médiévaux. Peut-être faut-il voir un signe de la tristesse de cette époque dans le fait qu'une sorte d'anges apparut également en Grande-Bretagne, dans les années 1910, au moment même où la famille Larsson atteignait aux sommets de la célébrité. Leurs charmes rappelaient ceux des jeunes chevaliers aux cheveux blonds, comme le Galahad de Tennyson, ou encore ceux des jolis petits garçons de la poésie victorienne, comme l'enfant des *Jours perdus* d'Oscar Wilde : « Un garçon mince et blond, qui ne fut pas créé pour les peines de ce monde/Autour de ses oreilles d'épaisses mèches de cheveux d'or abondent [...] »

En 1914, fussent-ils anglais ou allemands, ces garçons dont les cheveux d'or entouraient toujours le visage innocent devinrent soldats et officiers. Wilfred Owen se rappelle avec plaisir le souvenir d'un marin qu'il avait rencontré dans un train : « Sa tête était dorée comme les oranges/Qui prennent leur éclat au soleil de Las Palmas. » Sassoon fut assez touché par la beauté d'un Allemand blond, mort, pour tirer son corps du tas de cadavres où il l'avait trouvé et l'asseoir sur un banc. « Il n'avait pas l'air d'avoir plus de dix-huit ans... Quel doux visage il a, pensai-je... Peut-être avais-je vaguement conscience de la futilité de ce qui avait causé la perte de ce beau jeune homme. »

L'horreur généralisée que suscitèrent ces absurdes sacrifices de guerre contribua à renforcer l'association entre les jeunes gens aux cheveux blonds et une forme de beauté singulière et sacrée. Peut-être cela explique-t-il le culte dont Rupert Brooke fait l'objet depuis si longtemps. Sa beauté, sa sensibilité et sa blondeur font partie intégrante du mythe qui devait entourer sa poésie, puis son souvenir. Brooke fut le premier des Poètes de guerre, un jeune fils d'Angleterre d'une blondeur absolue, et dont la mort, en avril 1915, symbolisa la justesse de la cause défendue par la nation. Alors même qu'il n'était qu'un petit étudiant de Cambridge, un poème de Frances Cornford rendit immortel ce mythe singulier :

Un jeune Apollon aux cheveux d'or
Se tient rêveusement au bord du combat
Magnifiquement mal préparé
À la longue petitesse de la vie.

Ce texte contient déjà tous les éléments de la légende qui se forma du vivant de Brooke, avant de se développer de façon totalement incontrôlée après sa mort. Bientôt, en 1913, l'Apollon aux cheveux d'or fut immortalisé par une photographie de Sherrill Schell qui parut en première page du recueil de poèmes de Brooke et qui le montre, épaules nues, cheveux au vent. Bien que ses amis aient tous été choqués par cette photo, qu'ils surnommèrent « notre actrice préférée », peu d'entre eux se montrèrent totalement insensibles à la « beauté dorée » de Brooke.

Cette image d'un Brooke tout auréolé d'or acquit une grande portée symbolique : elle représenta le sacrifice romantique anglais. Dans un article de la *Eugenics Review* publié en 1920, G. P. Mudge aligna de grandes envolées lyriques sur cette « grande race blonde », les Anglais, et sur la nécessité de la protéger par l'eugénisme.

Parmi les signes qui montrent que l'Angleterre prend conscience de sa valeur raciale et de tout ce qu'elle a représenté dans la culture, la chevalerie, la justice et le sport dans le monde, nous ne pouvons manquer de rappeler les poèmes de Rupert Brooke [...] il existe encore un grand réservoir des caractères que nous souhaitons, chez les femmes de ce type. L'Angleterre comprend encore un bon pourcentage d'individus appartenant au type bien bâti, blond aux yeux clairs ou bleus ; ce type fut celui des hommes qui construisirent ce pays, et de ceux qui furent les premiers à partir pour la France en 1914 et 1915, de ceux qui fondèrent les traditions de notre vie nationale, de nos institutions et de nos organisations de combattants [...]. Car c'est bien le type qui doit, quel qu'en soit le prix, non seulement se protéger de l'extinction, mais aussi se multiplier pour répondre à tous les besoins de l'Empire.

C'est ainsi qu'une vague d'écrits racistes se répandait des deux côtés de l'Atlantique, pénétrant peu à peu la conscience de la petite bourgeoisie. Les défenseurs des Aryens montraient peu de subtilité. À grand renfort de clichés et de phrases toutes faites, ils assénaient à leurs lecteurs leurs théories de la supériorité aryenne ou nordique en flattant les plus simples instincts des masses ou, souvent, en projetant les valeurs des classes moyennes cultivées sur l'image de l'Aryen, comme s'il s'agissait de qualités de race. Chez les hommes, les cheveux blonds étaient célébrés comme la marque ultime de l'être supérieur.

Jörg Lanz von Liebenfels, ancien moine cistercien très particulier, d'un antisémitisme fanatique, trouva pour ses obsessions personnelles un vaste public en Autriche et en Allemagne. En 1907, Lanz (il s'appelait Adolph Lanz, tout simplement, mais il avait changé de nom pour indiquer son appartenance à la race aryenne dominante) fonda un ordre religieux, l'Ordo Novi Templi. Seuls les blonds aux yeux bleus que la nature avait dotés d'une silhouette

« héroïco-aryenne » pouvaient demander à y adhérer ; ceux qui étaient admis devenaient membres d'une association qui soutenait la race aryenne blonde menacée partout dans le monde. On leur demandait de contracter des mariages racialement corrects et de participer à une étrange liturgie, selon un calendrier de rituels mystiques. Lanz se nomma prieur et installa l'ordre dans un romantique château en ruine, Burg Werfenstein, qui surplombait une abrupte falaise de roche, au-dessus du Danube, près de Vienne. Cette année-là, il fêta Noël en hissant au sommet du donjon un drapeau à svastika.

Les théories excentriques de Lanz étaient déjà bien connues des cercles racistes de Vienne, et le comportement de ses sectateurs, leurs étranges fêtes spectaculaires, leurs rites païens, lui valurent quelque publicité dans la presse nationale. En 1905, il lança sa propre revue raciste, *Ostara*, ainsi nommée d'après la déesse du Printemps. Ce qui menait Lanz, c'était l'idée d'une lutte manichéenne du noble et vertueux blond contre le brun, sombre et bestial, qui tendait à subvertir, à corrompre et à détruire la race aryenne. En termes d'évolution, la dégoûtante promiscuité avec la race juive, rongée par le vice, finirait, pensait-il, par tirer les Aryens vers le bas de l'échelle.

La revue de Lanz était pleine d'appels à la dictature de ce qu'il nommait l'« aristocratie blonde ». Il publiait le profil du vrai blond, des portraits de blonds par des maîtres de la Renaissance, eux-mêmes certifiés blonds, des proclamations de la supériorité physique, intellectuelle et spirituelle des blonds. Ses pages étaient parsemées de slogans comme : « Êtes-vous blond ? Êtes-vous un homme ? Lisez *Ostara*, le journal des combattants blonds pour les droits des hommes. » Si quelques extrémistes de droite contribuèrent à sa revue, il écrivait la plupart des numéros lui-même. La revue était distribuée par les marchands de tabac, avec un tirage respectable et de nombreux lecteurs dans les clubs d'escrime estudiantins. En 1907, Lanz se flattait d'un tirage de 100 000 exemplaires, ce qui était énorme.

Dans *Ostara*, Lanz exposait ses idées pour lutter contre les maux de l'humanité moderne et ouvrir la voie à la domination de la race blonde. Sa solution comportait la déportation, l'asservissement, la stérilisation ou la destruction par incinération des races inférieures. Le socialisme, la démocratie, le féminisme et autres mouvements d'émancipation néfastes devaient être écrasés. Certaines de ses théories extravagantes se trouvent explicitement reprises dans la politique du IIIe Reich. L'extermination des races inférieures, l'interdiction par la loi des mariages interraciaux, l'expansion de la population de sang germanique pur au moyen de la polygamie, le traitement de faveur prodigué aux mères aryennes dans les maternités de la ss *Lebensborn*, tout cela se trouve clairement anticipé dans les pages d'*Ostara*.

Mais tout le monde ne succombait pas au charme de l'absurde rhétorique de Lanz ni des autres ouvrages de la même veine. En 1930, le professeur H. J. Fleure publia un article intitulé « Mythe nordique » dans la *Eugenics Review* anglaise, article qui démantelait les prétendues bases scientifiques de la supériorité des Blancs et exposait au grand jour la « sinistre » propagande politique de ceux qui colportaient de telles théories. Il dénonça, chez Wagner, la « vaste extension de l'égoïsme, jusqu'au racisme, sous l'apparence d'une glorification de l'homme blond aux yeux bleus ». Il condamnait le gendre de Wagner, Houston Stewart Chamberlain. Il désapprouvait une bonne partie de la littérature contemporaine sur le sujet en la qualifiant de « dogme antiscientifique ». Il affirmait, pour conclure, que « l'existence d'un type nordique, grand et blond, à l'état pur, dans un passé lointain, comme souche indigène de la région, n'a pas encore été prouvée. Il n'est pas non plus certain, à aucun point de vue, que le type qui combine ces caractères soit, en temps normal, hautement supérieur ».

Le professeur Fleure menait un combat désespéré. Partout en Europe et en Amérique du Nord, le culte du blond aux yeux bleus était devenu une force puissante. Il suffit de regarder les tableaux d'un artiste du début du XIXᵉ siècle, Fidus, pour comprendre à quel point ce délire blond touchait déjà les Allemands. Fidus, cet artiste sombre à l'allure de loup mélancolique, produisit une sorte de mélange kitsch de gravures de William Blake et de mangas japonais, dominé par le thème du héros grand, blond et solitaire, aux yeux tendres. Pour des raisons tout à fait impénétrables, ce super héros avait tendance à se tenir debout, nu, au sommet de monts venteux, levant victorieusement les bras en contemplant soit un coucher de soleil, soit un vaste paysage en contrebas, tandis que les rameaux et les pousses de sa longue chevelure bouclée, couleur jaune d'œuf, lui donnaient l'air d'une majuscule dans un manuscrit richement enluminé. Invariablement, les hommes que peignait Fidus étaient blonds, et munis d'une grotesque pilosité pubienne assortie. C'est en dieux et en guerriers norvégiens qu'il préférait les représenter, avec leur quota obligatoire de vierges blondes aux ondulations suggestives, et de Dieu sait quelles étranges idées de domination aryenne.

L'intérêt des Allemands pour la race nordique avait nourri une fascination romantique, plus générale, pour la Scandinavie. Dès 1820, les Allemands avaient commencé à visiter cette région, malgré les problèmes de transport et de logement sur place. Mais les touristes arrivèrent en plus grand nombre après que l'empereur Guillaume II prit l'habitude de se rendre chaque année dans les fjords norvégiens à bord de son yacht, avec un groupe de compagnons qui déliraient sur le thème de leur grand passé nordique et se pavanaient sur le pont en se donnant des airs de nouveaux

Vikings. On en rapporta les coutumes scandinaves de gymnastique et d'exercice en plein air, qui furent adoptées avec enthousiasme en Allemagne. Après l'existence indolente et surchargée de la bourgeoisie au XIXᵉ siècle, les gens se sentaient attirés par l'idée d'une réforme de leur mode de vie. Ils se concentraient sur de nouveaux régimes alimentaires (y compris végétarien), l'exercice au grand air, la gymnastique, les médecines naturelles. Le nudisme devint également un moyen, très largement apprécié, de resserrer les liens entre le corps et la nature. En Allemagne, le terme *Nacktkultur* apparut en 1903, sous la plume de Heinrich Scham, dans un ouvrage qui établissait un lien tout à fait discutable, mais néanmoins très durable, entre le nudisme, le végétarisme, le réformisme social et l'« hygiène raciale », en particulier sous sa forme antisémite. Les médecins allemands avaient, par le passé, conseillé le nudisme pour combattre des maladies comme la tuberculose. Mais bientôt des Allemands en parfaite santé, et parmi eux beaucoup de citadins, prirent cette habitude. De ce mouvement naquirent une foule de magazines d'embellissement physique, légèrement répugnants, et, dès la fin des années 1920, des masses de livres extrêmement populaires parurent sur ce même sujet, souvent illustrés de séduisantes beautés blondes pour appâter le lecteur.

Un de ces livres, en particulier, *Der Mensch und die Sonne*, *L'Homme et le Soleil*, de Hans Suren, connut un tel succès qu'il dut être réédité soixante-quatre fois pendant l'année de sa première publication, en 1924. Il ne fait aucun doute que cette énorme réussite s'explique en partie par les nombreuses photographies de nus qui l'illustraient, tous ces jeunes gens séduisants pratiquant divers sports de plein air, la course, la gymnastique, le volley-ball et même le ski. Ils s'exposaient page après page, athlétiques, bien bronzés et, en grande majorité, blonds (il s'agissait surtout d'hommes).

Ils folâtraient dans des prairies arcadiennes parsemées de fleurs, sur des plages idylliques, dans de paisibles marais, ou bien ils descendaient à toute vitesse des pistes alpines tandis que le froid leur donnait la chair de poule. Quoi qu'il en soit, ils arboraient toujours un bronzage magnifique sous un soleil omniprésent. Mais les textes de ce livre, en épousant avec ardeur la cause de la beauté, de la santé et de la force masculines qui justifiaient cette nouvelle culture utopique, séduisirent un public allemand devenu citadin depuis peu et qui aspirait au changement.

La recherche de la beauté, de la santé et de l'uniformité raciale faisait alors partie intégrante des charmes du nudisme. En 1930, on dénombrait plus de trois millions d'adhérents dans les clubs nudistes allemands et soixante mille inscrits dans les écoles nudistes, où l'on assistait nu aux cours. En Grande-Bretagne, on n'en était pas arrivé là ; le nudisme avait néanmoins produit un système de valeurs d'une grande popularité, censé supprimer les inhibitions pour promouvoir un mode de vie sain, en plein air[1].

Le mouvement britannique, lui aussi, flattait bassement certains préjugés politiques, raciaux et esthétiques. « Dans cette association, écrivait un ardent nudiste britannique, prévaut l'idée que le type nordique blond est beaucoup mieux adapté à la gymnosophie [*i.e.* le nudisme] que le type brun méditerranéen [...] ces fanatiques de la race [les dirigeants de la communauté concernée]

---

1. Les associations nudistes britanniques commencèrent comme de ternes petits rassemblements dans les recoins obscurs et infestés de fourmis de certaines forêts isolées. Mais bientôt, un public de plus en plus important nécessita la construction de camps luxueux où, durant l'hiver, l'on se rassemblait autour de lampes solaires. Le nudisme de masse, cependant, ne permettait pas d'effacer les distinctions de classe puisque, dans les camps de luxe, majordomes et serveuses, qui apportaient aux clients leur collation de saumon en boîte sur son lit de laitue, devaient obligatoirement signaler leur statut inférieur en portant cache-sexe et tablier.

sont âprement antisémites et, sous aucun prétexte, ils n'admettraient un juif. »

Pendant que les nudistes blonds proclamaient leur supériorité, de nouvelles pratiques esthétiques élargissaient leur influence, notamment le bain de soleil, lié à l'image des super héros bronzés. Au XIXe siècle, seuls les ouvriers qui travaillaient en plein air étaient bronzés, et l'on pensait que l'exposition prolongée au soleil pouvait endurcir la sensibilité aussi bien que la peau. Mais, au début du XXe siècle, de nombreux emplois subalternes impliquaient de longues heures de travail à l'intérieur, avec très peu de repos ; par conséquent, le bronzage devint, pour ceux qui pouvaient se permettre de prendre des bains de soleil, une façon de montrer leur fortune et leur oisiveté. On dit que cette mode fut inventée par Coco Chanel en 1923, lorsque, séjournant sur la Côte d'Azur, elle descendit la passerelle du yacht du duc de Westminster avec un bronzage apparemment intégral. Les touristes à la mode, du genre des *Beautiful People* de Scott Fitzgerald, se regroupaient dans leurs colonies privées le long de la côte, se déshabillaient rapidement et restaient des heures étendus sous un soleil brûlant pour acquérir le bronzage qu'il fallait avoir. Quelques années plus tard seulement, tout héros sentimental qui se respectait se devait d'être bronzé.

Les habitués de la Côte d'Azur fournissaient, comme le fait remarquer Harold Acton, un aperçu croustillant des changements sociaux. Leurs nouveaux meneurs étaient ce qu'on appellerait des « prescripteurs de mode », des gens qui avaient acquis seuls leur célébrité, comme Coco Chanel. Modiste dans le Deauville à la mode des années 1900, elle avait remarqué que ses clientes, qui s'arrêtaient pour lui faire la conversation pendant la journée, faisaient mine de ne pas la reconnaître lors des soirées mondaines. Dès les années 1920, elle était reçue partout et se faisait photographier dans des attitudes complices avec des dames de la meilleure société ou bien au bras, voire sur les genoux, des hommes les plus titrés. La mode changeait, elle aussi. Pour les femmes, c'était la vogue du bronzage, des cheveux courts, des jupes courtes et des tenues de bain. Il fallait avoir peu de bijoux. La poudre blanche, les vêtements serrés, les chapeaux et les bijoux, excepté les perles, étaient démodés.

Pour la couleur de cheveux, également, de grands changements avaient lieu. Chez les hommes, l'idéal racial européen et américain exigeait depuis longtemps qu'ils fussent blonds, grands et athlétiques, comme Hobey Baker, par exemple, l'athlète le plus brillant qui ait jamais fréquenté Princeton. La grande silhouette blonde de Baker, capitaine de l'équipe universitaire de football américain en 1913, laissa dans la mémoire du jeune Scott Fitzgerald une empreinte indélébile, qui lui inspira le personnage d'Allenby, capitaine de l'équipe de football, dans *This Side of Paradise* (*Bribes du paradis*[2]).

Il se peut aussi que Baker ait servi de modèle à l'*Étudiant chrétien*, statue représentant l'idéal officiel de l'étudiant américain qui se dressa devant la bibliothèque de Princeton jusqu'en 1930.

Si les hommes des années 1920 aspiraient à la blondeur, ce n'était pas du tout le cas des femmes à la mode. Depuis une dizaine de générations environ, les boucles brunes et brillantes ou les cheveux raides d'un noir de jais restaient l'ultime expression de la beauté féminine. C'est que l'association victorienne des cheveux blonds à une forme d'érotisme perfide et dévorant ou à la vulgarité des mœurs légères, restait d'actualité malgré toute la rhétorique raciste de l'époque. L'apparition de la première blonde nue sur un

---

2. Dans ce roman, qui date de 1920, plusieurs personnages clés discutent des raisons pour lesquelles deux tiers des membres de tous les conseils de direction de l'université de Princeton dans les dix années précédentes étaient blonds, de même que plus des deux tiers des présidents des États-Unis. Ils en arrivent à la conclusion que l'homme blond est d'un « type supérieur ».

calendrier, en 1913, ne contribua pas à redorer le blason de la blondeur auprès de la haute société. La photo, qui reproduisait un tableau de Paul Chabas représentant une jeune femme blonde dans un lac, serait sans doute passée inaperçue si elle n'avait été remarquée dans une galerie par Anthony Comstock, membre de la Société new-yorkaise pour la suppression du vice, qui demanda qu'on la décroche immédiatement. Il s'ensuivit un vif débat, qui conféra une certaine notoriété à ce nu blond. L'image fut immédiatement piratée par les éditeurs de calendriers, qui s'en emparèrent pour la faire imprimer et distribuer par centaines de milliers. Plus tard, on devait faire des affiches, la reproduire sur des étuis à cigares, des boîtes de bonbons, des cartes postales et même des bretelles.

En quelques années, dans le microcosme d'avant-garde de la Côte d'Azur, les oppositions se brouillèrent, les perceptions changèrent. On commençait à vendre des teintures à l'eau oxygénée et les femmes étaient prêtes à tenter certaines expériences nouvelles. Les Américains avaient déjà réussi à faire adopter le strass et les paillettes du jazz, avec ses cocktails et sa contagieuse indifférence aux traditions. Un certain nombre d'Américaines commençaient à transformer leurs cheveux courts, décolorés à l'eau oxygénée, en audacieuse déclaration de libération sexuelle. Florence Lacaze, qui introduisit le ski nautique en Europe, était une étonnante et blonde force de la nature. Venue de San Francisco en compagnie de son fabuleusement riche mari, Frank Jay Gould, elle recevait avec faste, collectionnait les œuvres d'art, organisait des déjeuners littéraires dans son immense villa de Cannes et employait des secrétaires pour faire ses lectures à sa place. Sa très chic chevelure blonde, décolorée par le soleil, reçut l'approbation de tout ce que la Côte d'Azur comptait de sommités littéraires et artistiques, ainsi que celle des foules de ducs, duchesses, rois, reines, princesses et comtes, escortés de leurs parasites, qui se pressaient chez elle tous les étés.

Dans ces cercles les plus polis, mondains et artistes, où la mode prenait souvent naissance, un peintre d'origine polonaise, Moïse Kisling, surnommé Kiki, avait épousé Renée Gros, magnifique éclair d'inoubliable vitalité blonde, dont Sybille Bedford fait cette mémorable description :

Un visage aux traits taillés dans le roc, soutenu par un cou épais et de puissantes épaules bronzées, de grands yeux bleus proéminents, des paupières lourdes, largement soulignées de khôl et de bleu profond, des cheveux blonds comme le miel, coupés au carré, sauvagement décolorés et marqués par la mer, l'eau et le soleil, avec une frange qui couvre un côté du large front, un nez comme un bec de perroquet. Des vêtements de couleurs vives et claires, éblouissants. Elle s'habillait simplement, un pantalon de marin, un dos-nu turquoise ou rouge vif, avec un collier de coquillages, des bracelets d'ivoire ou de coquillages au poignet. C'était superbe. Et quand ce monstre souriait, en offrant, peut-être, une tranche de melon, c'était un sourire d'une douceur et d'une sensualité sereines.

Les cheveux blonds, longtemps restés l'idéal chéri des anthropologues, eugénistes, sexologues et autres escrocs, accompagnés de leurs publics en pleine expansion, quittaient le terrain du fantasme pour réapparaître dans la réalité, sur celui de la mode. Cependant, la blondeur comportait encore d'excitantes connotations de menace sexuelle. Lors d'une soirée à Hollywood, au début des années 1930, Jean Harlow, qui venait de demander, plutôt méchamment, à Margot Asquith comment elle épelait son prénom, s'entendit répondre : « Le "t" ne se prononce pas, comme dans "Harlow"[3]. »

---

3. Jeu de mots sur le nom « Harlow » et le mot *harlot*, qui signifie « prostituée » (NDT).

Chapitre 12

L'HOMME QUI VOULAIT ÊTRE DIEU

En 1931 sortit sur les écrans américains un film intitulé *Platinum Blonde (Blonde Platine)* qui provoqua une véritable révolution capillaire. La vedette, Jean Harlow, s'était teint les cheveux d'une éblouissante nuance de blond. Son charme érotique et même salé remplit les salles de cinéma de l'Amérique en dépression. Elle était stupéfiante. Les Américains n'avaient jamais rien vu de tel. Harlow semblait glisser sur l'écran comme une rayonnante hallucination, vêtue de toute une série de robes au drapé voluptueux. Mais tous les yeux se fixaient sur son irrésistible chevelure, qui attirait les regards comme un flambeau. Les femmes voulurent l'imiter. Des fan-clubs apparurent en nombre et, dans tout le pays, les Américaines se précipitèrent dans les pharmacies pour s'y procurer de l'eau oxygénée. Bientôt, on put les voir parader sur tous les boulevards à la mode, de New York à Los Angeles, avec leurs cheveux blond platine.

Il ne fallut pas attendre longtemps pour voir le panthéon entier des déesses américaines, les stars de cinéma, suivre l'exemple de Harlow et se transformer en blondes lumineuses. L'Amérique, préférait les blonds. Ils avaient l'éclat de la séduction. Ils exhibaient par ailleurs un signe tacite de supériorité raciale.

Deux ans plus tard, le Parti national-socialiste d'Adolf Hitler prit le pouvoir en Allemagne. Conformément aux idées racistes de l'époque, l'Allemagne aussi préférait les bonds. Les dieux allemands étaient blonds.

Pendant presque toute la première moitié du XXe siècle, les trois nations les plus dynamiques du monde, l'Allemagne, les

États-Unis et l'Union soviétique suivirent des théories raciales qui, bien qu'elles se fussent développées indépendamment, dérivaient d'origines communes. L'Allemagne tâchait de promouvoir vigoureusement l'Aryen blond en tant qu'idéal racial noble, viril et presque divin, ce qui avait pour corollaire une cruelle diabolisation des juifs. L'Amérique blanche, où se combinaient croyance historique en la supériorité des Aryens, tendances antisémites persistantes, antipathie envers les Noirs, les Hispaniques et les Asiatiques, encourageait le développement d'un idéal du WASP[1], l'Américain de rêve, d'une blondeur solaire. Dans une Union soviétique aux populations hétérogènes, l'hostilité envers les juifs et les autres minorités s'ajoutait au besoin de centraliser et de dynamiser un État en pleine expansion du point de vue ethnique pour entraîner la constitution d'un type comparable : le Soviétique idéal, représentant d'une nation nouvelle, saine et vigoureuse.

Dans ces trois pays, au moment où la guerre éclata, la blondeur était également devenue un symbole de pureté et d'intégrité morale. Les cheveux blonds représentaient une supériorité physique et spirituelle incontestée. Et, en plus, ils étaient beaux. Bien entendu, pendant la guerre, les plus grandes stars de cinéma de ces trois pays furent des blondes. En URSS, Lioubov Orlova, qui fit ses débuts en 1934 dans *Une nuit à Saint-Pétersbourg*, avait cette allure féerique qui fit d'elle l'actrice préférée du public soviétique. En Amérique, la reine incontestée des pin-up du cinéma pour tous les GI de par le monde fut la pétillante Betty Grable, innocente, pure et inoffensive. En Allemagne, ce fut Kristina Söderbaum qui, dans le rôle de la blonde virginale, resta championne du box-office pendant de nombreuses années.

---

1. White Anglo Saxon Protestant, « protestant anglo-saxon blanc ».

Les idéaux blonds allemands trouvaient leur origine dans les théories raciales des XVIIIe et XIXe siècles, qui n'auguraient rien de bon. Mais les nazis étendirent avec une telle efficacité le concept d'une supériorité de l'Aryen blond et le poussèrent à des extrêmes politiques d'une horreur telle qu'il exerce encore aujourd'hui une terrible fascination. Les chefs nazis étaient tous obsédés par leur croyance quasi religieuse en cette race germanique de héros supérieurs, presque divins, qui devait exercer sa domination sur un monde où les faibles auraient été éliminés. L'image du pur Aryen blond constituait le fondement des thèmes les plus importants de leur idéologie : le contraste entre le bien et le mal, le pur et l'impur, l'ordre et le chaos, le salut et la destruction. Himmler avait calculé que, en appliquant à la lettre les lois raciales nazies, il faudrait cent vingt ans pour que le peuple allemand devienne, par sélection génétique, une pure race blonde « nordique ».

Hitler lui-même fut un adepte enthousiaste de ces théories racistes au moins à partir des années 1910, où il n'était encore qu'un peintre viennois sans le sou. Au moment où il se mit à comploter son ascension politique, l'idéal racial était devenu pour lui une sorte de Saint-Graal. Il connaissait bien les théories de la supériorité aryenne formulées par les penseurs du XIXe siècle. Ses biographes montrent également qu'il avait lu les ouvrages d'un certain Guido von List, un fanatique qui pensait que le monde serait à l'avenir dominé par la race blonde aryenne. List fut un auteur très prolixe de la fin du XIXe siècle, qui contribua à faire connaître la svastika, antique symbole hindou représentant le soleil, dont il fit le signe de l'invincible héros germanique. Hitler, lorsqu'il était jeune, connaissait également très bien les idées tordues de Jörg Lanz von Liebenfels et son culte de la blondeur.

Sa propre obsession de la pureté raciale correspondait assez bien à celle de Lanz. Dans *Mein Kampf*, il expose ses idées politiques, fondées sur une thématique violemment nationaliste de la race. Il demande l'extermination des juifs et des marxistes, et l'anéantissement d'idées aussi contagieuses que la démocratie, le progressisme et le féminisme. Il présentait la race germanique blonde, aryenne, comme une race d'un génie supérieur, et consacrait de nombreuses pages à exprimer son aigreur et à dire son mépris des juifs, qu'il maudissait comme des parasites infestant le corps des autres. « Les Juifs ont aujourd'hui entrepris de contaminer systématiquement notre sang, entreprise qui reste ignorée de centaines de milliers de personnes, aveuglées. Systématiquement, ces noirs parasites de notre nation souillent nos blondes jeunes filles innocentes, détruisant ainsi quelque chose d'irremplaçable dans notre monde. »

La rhétorique de Hitler était taillée sur mesure pour renforcer et utiliser l'hostilité contre les juifs, dans une atmosphère générale de xénophobie. Malheureusement pour les nazis, peu de juifs correspondaient au stéréotype que l'on projetait sur eux ; certains le rendaient même complètement ridicule. Dans ses Mémoires, où elle évoque Varsovie pendant la guerre, Lisa Appignanesi décrit les conséquences importantes qu'eut la couleur de cheveux de ses parents sur leur vie. Son père était brun, sa mère avait hérité de sa famille une blondeur naturelle. Dans les terribles conditions de vie qui étaient les leurs, les hasards de la génétique eurent des conséquences psychologiques étonnantes. Son père était peureux et sa mère intrépide. Sous divers noms d'emprunt, tous à consonance « aryenne », elle passait sans problème pour une Allemande, si bien que ses cheveux blonds et ses yeux bleus devinrent un moyen de survie pour sa famille entière. « La blondeur, c'était tout ce qui était désirable, fort et puissant. Puisque ma mère incarnait cette puissance blonde, l'histoire de sa vie ne fut jamais celle d'aucune peur... » D'autres encore réussirent à éviter l'arrestation et la mort en se teignant les cheveux. Ruth Langer, par exemple, championne olympique de natation, autrichienne et juive, réussit à gagner l'Angleterre en 1938 en se décolorant les cheveux et en présentant un faux certificat de baptême.

Il peut nous sembler parfaitement absurde que le racisme nazi se soit si fortement appuyé sur des apparences aussi instables et vulnérables. Mais ce qu'il devait y avoir de plus irritant pour les chefs du régime, c'est que la population allemande dans son ensemble était très loin de ressembler à leurs idoles. Hans Günther, Günther-la-Race pour les intimes, l'un des plus célèbres théoriciens racistes, avait calculé que les purs Nordiques ne représentaient que 6 % à 8 % des Allemands. Seuls 2 % à 3 % de la population étaient constitués de Méditerranéens purs. Les purs Baltes et Alpins en représentaient encore respectivement 2 % et 3 %. Le reste se constituait d'un trouble mélange racial.

Cette proportion relativement basse de purs Nordiques confirmait Hitler dans l'idée que le parasite juif détruisait peu à peu la noble race blonde allemande. Aux yeux des nazis, il fallait absolument soutenir et renforcer les éléments aryens dans la population. Ils pensaient que cela favoriserait la légitime domination des Allemands nordiques sur l'Europe, puis sur le monde. Pour parvenir à leurs fins, les nazis choisirent deux stratégies. La première, culturelle, consistait à créer, grâce à la propagande, une image de pure blondeur aryenne attribuée à l'Allemagne. La seconde, démographique et « curative », comportait deux moyens d'action. Le programme d'*élevage* aryen, tout d'abord, demandait aux hommes et aux femmes physiquement et racialement convenables de « faire un enfant pour Hitler ». Par ailleurs, une politique de kidnapping permettait d'enlever à leurs parents des enfants blonds dans toutes les régions du IIIe Reich en pleine expansion pour les ramener en Allemagne, leur vraie patrie, afin de les « germaniser ».

Ces programmes démographiques étaient placés sous la responsabilité de Himmler, qui voulait parvenir à constituer une nation entière sur le modèle du ss blond d'élite. En 1934, il nomma le ministre de l'Agriculture, Walther Darré, à la tête de son Bureau ss de la race. Ancien éleveur de poules, né en Argentine, Darré avait commis un ouvrage publié par le parti nazi en 1929, *Blut und Boden (Terre et Sang)*, dans lequel il défendait la thèse qu'il fallait encourager la vraie race allemande, d'une qualité exceptionnelle, à se reproduire. Ses vues complétaient parfaitement celles de Himmler.

> Tout comme nous élevons aujourd'hui nos chevaux d'Hanovre avec quelques étalons et quelques juments pur-sang, nous élèverons un jour de vrais Allemands nordiques, par croisements sélectifs, de génération en génération. Peut-être ne parviendrons-nous pas à préserver la pureté du peuple allemand dans sa totalité grâce à la sélection. Mais la nouvelle noblesse allemande possédera un pedigree au sens littéral du terme... À partir du réservoir humain de la ss, nous constituerons une nouvelle aristocratie. Nous devons le faire de façon planifiée, en suivant les lois biologiques.

Deux ans plus tard, Himmler avait fondé l'organisation Lebensborn, qui avait ouvert son premier établissement, à la fois centre médical et maternité. Le Lebensborn venait à l'aide de mères aryennes, mariées ou célibataires, qui devaient donner naissance aux enfants de ss ou d'autres Allemands racialement irréprochables. De fait, les histoires ne manquent pas sur les ss ou les hommes aux gènes aryens recrutés pour le programme et envoyés remplir leur devoir patriotique d'« assistants de conception » auprès de femmes aryennes blondes qui devaient, à terme, offrir au Führer un fils aryen.

Il existait douze établissements de ce type en Allemagne, et il s'en ouvrit également dans les pays occupés : trois en Pologne, deux en Autriche, et un en Belgique, en Hollande, en France, au Luxembourg et au Danemark. En Norvège, où l'on considérait les femmes blondes comme des reproductrices de souche exceptionnelle, on en ouvrit neuf. Le Haut Commissaire allemand pour la Norvège, le lieutenant-général SS Rediess, déclara en 1943 dans une brochure intitulée *SS pour une plus grande Allemagne par l'épée et par le berceau* : « Ce peuple est un peuple germanique, il est de notre devoir d'éduquer ses enfants et ses jeunes gens pour faire à nouveau des Norvégiens un peuple nordique, au sens où nous l'entendons. Il est tout à fait souhaitable que les soldats allemands aient, de femmes norvégiennes, autant d'enfants que possible, fussent-ils légitimes ou illégitimes. » Peu de soldats allemands se montraient prêts à désobéir à de tels ordres.

Nous ne savons pas exactement combien d'enfants virent le jour dans le cadre du projet Lebensborn ; la plupart des historiens estiment ce chiffre à douze mille, ou moins. Mais Himmler lui-même savait que ce projet seul ne suffirait ni à répondre aux demandes immédiates de la guerre, ni à transformer les Allemands en un peuple nordique pur.

Sa seconde stratégie démographique pour encourager l'augmentation des populations aryennes consistait donc à enlever des enfants racialement acceptables dans les pays occupés. On les repérait essentiellement à leurs cheveux blonds et à leurs yeux bleus, et ils devaient être suffisamment jeunes pour subir un lavage de cerveau radical et passer pour de petits Allemands. Après un examen physique et racial complet, les enfants sélectionnés étaient emmenés en Allemagne où on leur donnait un nouveau nom, pour briser tout lien avec leurs parents naturels. On attendait de ces milliers d'enfants blonds, adoptés par des familles nazies, ou bien envoyés en pensionnats et en orphelinat, qu'ils deviennent de parfaits patriotes allemands.

L'une des victimes de ce programme, Helena Wilkanowicz, raconta par la suite son enlèvement d'un orphelinat polonais en 1943 : « Trois SS entrèrent et nous alignèrent contre le mur. Il devait y avoir en tout une centaine d'enfants. Ils sélectionnèrent immédiatement les enfants blonds aux yeux bleus, sept en tout, dont moi, bien que je n'aie pas une goutte de sang allemand dans les veines. J'avais douze ans. Je ne sais comment, j'ai survécu. Peut-être parce que je suis blonde, je ne sais pas. »

Les programmes d'Himmler brisèrent la vie de milliers de personnes, mais restèrent d'une efficacité très limitée en ce qui concerne la transformation des populations allemandes. Si la nation n'était pas près de devenir blonde dans la pratique, les nazis avaient cependant résolu de la considérer comme telle en théorie. Hitler et son ministre de l'Information et de la Propagande, Joseph Goebbels, entreprirent de créer une industrie de la propagande qui devait dominer les arts et l'éducation et faire de l'Allemagne un pays plein de blonds conformes à l'idéologie officielle. L'orthodoxie nazie s'inculquait à tous les niveaux. On ne demandait pas aux professeurs de transmettre la vérité, mais la doctrine officielle de la supériorité aryenne. Les enfants devaient être encouragés à jouer non « aux cow-boys et aux Indiens », mais « aux Aryens et aux Juifs ».

Sous la surveillance attentive du hargneux Goebbels, les arts visuels furent systématiquement expurgés et remodelés pour correspondre à une nouvelle esthétique, qui sanctionnait et illustrait la politique raciste des nazis. Ces nouveaux canons demandaient la suppression de toute forme d'art moderne « dégénéré », lui-même associé à la « dégénérescence » sociale, en particulier au bolchevisme, à la juiverie et à la spéculation capitaliste. Ce qui incluait toute forme d'art abstrait, de l'expressionnisme au cubisme, comme tout ce qui pouvait rappeler la dépravation ber-

linoise, jazz, fox-trot, hauts talons et coupe de cheveux à la garçonne, que Hitler avait en horreur. À la place, les nazis imposèrent
la représentation de grossiers stéréotypes de l'héroïque et noble
race blonde.

En 1936, le professeur Adolf Ziegler, peintre éminent et président de la chambre des Arts visuels du IIIe Reich, se vit confier par
Hitler la présidence d'un tribunal qui devait purger plus d'une centaine de musées allemands en confisquant les pièces ressortissant
à des formes d'art moralement défaillant ou dégénéré. L'année suivante, elles furent exposées à Munich, puis cette exposition d'« art
dégénéré » fit le tour du pays. Ce fut l'exposition qui attira le plus
de visiteurs sous le IIIe Reich : plus de deux millions de personnes
vinrent regarder ces toiles, qui n'étaient pas encadrées, mais parfois légendées de plaisanteries obscènes. Goebbels embaucha
même des acteurs qui devaient se mêler à la foule et faire des
commentaires méprisants sur les œuvres. Cela revenait à clouer
au pilori une culture associée à des idées politiques inacceptables
pour les nazis. La purification esthétique entreprise par les nazis
était le pendant de la purification ethnique qu'ils avaient bien
l'intention d'entreprendre.

L'exposition faisait partie de la grossière mise en scène d'une
épreuve de force politique, la confrontation de deux races, l'une
supérieure, l'autre inférieure, mise en scène qui visait à rendre les
adversaires facilement identifiables. Au même moment, une
« Grande Exposition d'art allemand », installée dans un « temple
de l'art allemand » néoclassique spécialement construit à cet effet,
bénéficiait d'une large publicité. Elle était censée promouvoir l'art
de la race supérieure, celui d'artistes étroitement contrôlés par le
parti nazi. Bien qu'elle ait remporté moins de succès que l'exposition d'« art dégénéré » auprès du public, elle réussit néanmoins à
affirmer de nettes tendances dans l'art du IIIe Reich. De pompeux

héros nordiques – corps masculins monumentaux, torse de sur-homme et poses viriles – dominaient l'exposition. Leurs formes étrangement banales accompagnaient celles d'amazones dont la peau, même dénudée, semblait rester d'une froideur de marbre, d'une perfection sans profondeur et sans vie. Elles réussissaient l'exploit de paraître à la fois asexuées et fécondes, ce qui était fort pertinent pour l'édification des masses.

Cette Grande Exposition d'art allemand constituait une bonne vitrine de la paranoïa nazie. L'adhésion de Hitler au mythe raciste avait provoqué chez lui une obsession de la famille rurale alle-mande et de sa « noble simplicité ». Par conséquent, les œuvres présentées au public incluaient un bon nombre de représentations racialement conformes de la vie à la campagne : idylles sylvestres peuplées de robustes familles de paysans blonds, maniant la faux et les gerbes de blé, dansant autour d'arbres de mai, tous débor-dants d'honnêteté et de vertu, illustrant un mode de vie utopique d'une simplicité intemporelle et bien éloignée de la réalité.

L'un des tableaux préférés de Hitler, *Le Semeur*, fut peint en 1937 par Oskar Martin-Amorbach. Il était accroché dans son quar-tier général de Munich. Un personnage monumental de paysan aux cheveux blond platine traverse son champ à grandes enjam-bées, semant avec satisfaction son grain dans le giron de la terre mère. Au loin, un groupe de fermiers, qui utilisent une charrue parfaitement archaïque tirée par des bœufs, se dirige lentement vers un arc-en-ciel. L'horizon clair est baigné d'une lumière radieuse symbolisant les vertus de cette vie simple et droite. Ce tableau fait fi des progrès techniques qui permettaient alors les débuts d'une agriculture industrielle en Allemagne. Cette mécanisation, les nazis l'accusaient précisément de provoquer l'effacement des caractères ethniques de la glorieuse histoire clas-sique de leur pays. Il fallut attendre le début des combats pour que les artistes nazis se mettent à dépeindre le vaste et inattaquable potentiel de guerre allemand, à débiter des images d'ouvriers industrieux, occupés à fabriquer des armes pour permettre aux soldats de se battre sur le front.

Les esthètes nazis exigeaient également des artistes une profonde révérence pour l'Antiquité. D'innombrables versions de Danaé, Léda, Vénus ou de Pâris rendant son jugement, tous d'un blond soutenu, furent produites à la faveur de ce grand dépoussiérage nordique des mythes antiques. On appréciait aussi les thèmes de la santé, de la jeunesse et des sports en plein air. *Sport nautique* d'Albert Janesh, un tableau datant de 1936, montre quatorze surhommes blonds descendant une rivière en canoë, vêtus seulement de petits shorts blancs très moulants. Pas un qui ne ressemble à un automate musclé aux stéroïdes : même le barreur a les muscles bouffis d'un culturiste. Hitler se réserva cette œuvre pour sa collection privée.

La crème de l'humanité aryenne avait des défenseurs très respectables. Lanz von Liebenfels, dans sa revue *Ostara,* et bien d'autres anthropologues spécialistes de la race avaient fourni à leurs lecteurs des descriptions détaillées des caractéristiques physiologiques aryennes dans leurs hymnes au parfait Aryen. En 1926, une commission composée d'anthropologues et de physiciens, financée par l'éditeur J. F. Lehmann, offrit un prix du « plus beau visage nordique », masculin et féminin. Ce fut le premier concours de beauté officiellement réservé aux blonds. Les magazines spécialisés invitèrent leurs lecteurs à leur envoyer des photos de personnes qui, selon eux, représentaient le type allemand nordique. Quand le concours prit fin, le 1er octobre 1926, ils avaient reçu 793 photos d'hommes et 506 de femmes, et avaient dûment distribué leurs prix. Un an plus tard, on publia un choix de ces photos sous forme de livre. *Deutsche Köpfe Nordischer Rasse* reste un époustouflant étalage de fierté raciale. Les hommes sont tous éminemment sérieux, vêtus de costumes sobres. L'un d'eux pose dans son uniforme de la Première Guerre mondiale, couvert de médailles, un autre fixe dans le lointain un avenir de domination aryenne incontestée, tout en exhibant un torse nu parfaitement glabre. Les femmes, exemplaires vierges blondes, regardent pieusement le premier millénaire aryen qui s'avance. Elles ont les cheveux tressés, ramenés sur le haut du crâne, attachés en chignon. Certaines portent une robe de soirée, d'autres une blouse de paysanne, mais toutes montrent le plus grand sérieux, comme si elles étaient sur le point d'entreprendre une tâche de la première importance pour la nation.

Ce culte de la beauté blonde constituait un élément essentiel des campagnes de propagande orchestrées par Goebbels[2]. Comme les blonds ne représentaient que 6 % à 8 % de la population allemande, il fallait bien piper le jeu pour parvenir à tirer aussi souvent les cartes blondes. Les photos officielles et les affiches de la Hitler-jugend montraient de vigoureux petits garçons et petites filles, tous blonds, qui avançaient à grandes enjambées sous la svastika, s'élançaient à l'assaut de montagnes abruptes, se livraient à des prouesses de gymnastique et, bien sûr, entreprenaient de bonnes actions exemplaires, comme de bons boy-scouts.

Tous ces jeunes blonds en pleine santé symbolisaient la jeunesse du régime nazi, son avenir et ses espoirs. Mais les nazis n'appréciaient pas vraiment l'ironie qu'il y avait à louer des qualités dont leurs chefs étaient dépourvus. Au début de la guerre, Hitler

---

2. Les aspirations nordiques des nazis eurent quelques conséquences inattendues. Ainsi, Arthur Koestler, qui était juif et qui connut la persécution pendant la guerre, en retira par la suite l'impression que, pour obtenir l'agrément de tous, il fallait être vu avec des femmes blondes. D'après l'un de ses biographes, Koestler garda toute sa vie cette préférence pour les blondes.

avait cinquante ans, et il n'était manifestement pas blond, bien que Heinrich Knirr lui ait attribué de beaux reflets dorés dans son portrait datant de 1937, alors exposé au musée impérial de la Guerre. Certains partisans nazis tentèrent de réconcilier l'image de leur chef avec leur idéal racial au prix d'une mauvaise foi comique. Un certain A. Richter ne craignit pas d'écrire dans un opuscule intitulé *Nos chefs à la lumière de la question raciale et de l'étude des types* : « Hitler est blond, au teint rose et aux yeux bleus, il est donc d'essence germanique (aryenne) pure, et c'est la presse rouge, ou noire, qui a répandu dans l'esprit du peuple toutes ces rumeurs sur son apparence physique et sa personnalité. »

La propagande de Goebbels était contagieuse, et elle contribua à la fétichisation d'un pur fantasme, totalement dénué de réalité.

Un seul dignitaire nazi possédait un physique conforme à l'idéal racial du IIIe Reich : Reinhard Heydrich, d'abord bras droit de Himmler dans la ss, puis administrateur délégué du Führer en Tchécoslovaquie. Grand blond athlétique aux yeux bleus, Heydrich était un calculateur d'une intelligence supérieure, avec une inquiétante tendance à la cruauté. En apparence, il incarnait le parfait nazi, mais, ironiquement, on disait aussi qu'il avait des ancêtres juifs. Fort embarrassé par cette tache dans son pedigree, que Hitler et Himmler utilisèrent tous deux pour faire pression sur lui, il devint leur pion et grimpa régulièrement les échelons du parti nazi. À trente-deux ans, il était devenu l'un des hommes les plus puissants du pays, responsable de la sécurité de l'État, surnommé la « Bête blonde » par ses subordonnés terrorisés. Expert en tactique politique, doué d'un sens aigu de la psychologie, il était passé maître dans l'art de la manipulation. À bien des égards, on pouvait le considérer comme représentatif de l'État nazi. Les photographies officielles montrent une silhouette mince et osseuse, voire d'une maigreur frappante, un profil d'aigle et de longues mains presque anémiées. Il a l'air parfaitement maître de lui. C'était le serpent du IIIe Reich, mais c'était aussi un bon père de famille. Sur un cliché où il porte un costume traditionnel bavarois, on le voit jouer avec son jeune fils, sous le regard aimant de sa femme, Lida, vêtue à la Heidi, avec une large jupe à fronces.

Après l'assassinat de Heydrich par des résistants tchécoslovaques à Prague en 1942, Hitler le décrivit, dans son éloge funèbre, comme l'« homme au cœur d'acier ». Dans les cercles avertis, on avait évoqué Heydrich comme successeur potentiel de Hitler ; et, comme le fait remarquer Joachim Fest dans un ouvrage passionnant, *Le Visage du IIIe Reich*, le blond Heydrich était un symbole, peut-être le personnage le plus représentatif du IIIe Reich au sommet de sa puissance. Plus que tout autre officiel du régime, il incarnait la jeunesse, la vigueur et l'intrépidité, mais aussi l'horreur de l'idéal nazi.

L'Allemagne nazie s'était forgé une image d'elle-même qui reposait presque uniquement sur un fantasme. À cet égard, la comparaison avec l'Union soviétique se justifie parfaitement. Malgré des différences politiques, ethniques, géographiques et démographiques évidentes, l'Allemagne de Hitler et l'URSS de Staline partageaient des représentations d'elles-mêmes qui relevaient d'un imaginaire racial similaire.

Staline devait pourtant gérer, dans les frontières de son pays, une diversité ethnique bien supérieure à celle de l'Allemagne. Le colosse communiste des années 1930 était composé d'une variété de populations vertigineuse, des Russes (qui constituaient le groupe de loin le plus nombreux) aux Ukrainiens et aux Biélorusses, en passant par les peuples turcs du Sud, les Lettons, les Lituaniens, les Mongols, les Tatars, les Kazakhs et les Moldaves, sans parler des Iraniens soviétiques, des Coréens, des Chinois, des Kurdes, des Finnois, des Allemands, des Grecs et de bien d'autres encore.

Afin de renforcer l'unité de l'État, et en dépit de ses origines géorgiennes, Staline choisit d'initier, dans les années 1930, une stratégie de centralisation rigide, fondée sur la promotion des Russes à des fonctions clés. Dans toute l'Union soviétique, on se livra à une glorification agressive de l'histoire et des héros russes. Le russe devint une langue obligatoire dans toutes les écoles. Un mois après le début de la guerre, la *Pravda* parlait du « grand peuple russe » comme du « premier parmi tous les peuples égaux de l'URSS ». Au même moment, dans un climat de xénophobie et de paranoïa grandissantes, fut créée un nouvelle catégorie de « nations ennemies », considérées comme traîtresses, ce qui causa de sévères condamnations d'individus mais aussi de peuples entiers, du simple fait de leur identité ethnique. Vers la fin des années 1930, des centaines de milliers d'Estoniens, de Lettons, de Lituaniens, de Polonais, de Kurdes et de Chinois, mais aussi de Tchétchènes, de Tatars, d'Ingouches et bien d'autres encore furent arrêtés pour être déportés en Sibérie ou en Asie centrale, ou bien tout simplement exécutés.

La politique d'assimilation forcée et de répression ethnique menée par Staline reposait sur la promotion constante des Russes. Aussi mit-il sur pied une propagande prorusse très agressive qui présentait ce peuple avec insistance comme le « grand frère » de tous les autres. Ces campagnes accordaient une importance toute particulière aux images. Leurs thèmes, leurs légendes, leur style, tout était décidé par un seul bureau gouvernemental, étroitement surveillé par la censure, supervisé par le comité central du Parti. On peignit un grand nombre de tableaux, systématiquement reproduits pour être distribués à un public plus large : les affiches étaient imprimées en nombre assez grand pour que, dans toutes les régions, rurales et urbaines, dans toutes les usines, les kolkhozes, les cabanes, les maisons, les dortoirs et les appartements, chacun, sans exception, soit placé face à l'image de l'homme ou de la femme soviétiques idéaux.

Ces représentations mettaient l'accent sur leur aspect jeune, vigoureux et soigné. Évidemment, étant donné la politique pro-russe de Staline, il était hors de question que ces héros soient de type tatar, mongol ou sibérien, et parmi la variété de types russes existants, on avait soigneusement sélectionné le blond aux yeux bleus, à la peau claire et à l'ossature fine. Ce Soviétique idéal était indubitablement aryen. Le fait que ces blonds n'aient réellement représenté qu'une petite proportion des Russes et une infime pro-portion des Soviétiques ne semblait guère déranger Staline. Dans les campagnes de propagande, les blonds apparaissaient beaucoup plus fréquemment que tous les autres, et étaient toujours l'image même de la divine supériorité aryenne. Ces nouveaux dieux blonds du communisme étaient d'enthousiastes travailleurs, qui consa-craient toute leur énergie à la construction dynamique d'un paradis soviétique d'harmonie et d'abondance.

C'est aux endroits les plus inattendus que Staline allait trou-ver ces modèles. Comme beaucoup de ses compatriotes, il fut atteint d'américanomania, fasciné par le prestige, la puissance, et les méthodes de production de l'économie capitaliste la plus avancée au monde, celle des États-Unis. Mais Staline n'était pas seulement sensible aux chaînes de montage où les Américains assemblaient de rutilants tracteurs, il était aussi séduit par les jeunes gens et les jeunes femmes, blonds, sains et soignés, qu'il avait vus dans les actualités cinématographiques et les films américains.

Staline étant grand amateur de productions hollywoodiennes, il n'est guère surprenant qu'il ait tenté d'utiliser l'aura et le pou-voir de séduction des blonds, qu'il admirait tant à l'écran, dans ses campagnes de propagande en faveur du Soviétique idéal.

Comme Hitler, Staline n'était plus tout jeune : il avait soixante-dix ans à la fin de la guerre ; pour lui aussi, cette vision d'une jeunesse supérieure, aryenne et blonde, jouait un rôle crucial dans l'évocation d'une image prospère et rassurante de l'avenir du régime.

Dans les œuvres d'art comme dans la propagande ordinaire, apparaissaient de jeunes Soviétiques sains et bronzés, exhibant des rangées de dents blanches, pour construire avec enthousiasme l'avenir technologique de l'URSS. Sous des ciels bleus sans nuages, ils travaillaient infatigablement sur des chantiers de construction, mettaient en culture de vastes étendues de steppe à l'aide de mois-sonneuses, de batteuses et autres manifestations du progrès tech-nique, quand ils ne creusaient pas les tunnels de divers métros. On distinguait des ouvriers, héros du stakhanovisme, que l'on glo-rifiait tout particulièrement. *Femme ouvrière du métro avec marteau piqueur*, toile exécutée en 1937 par Alexandre Samokhvalov, est typique de ces représentations de personnages surhumains, mas-culins et féminins. Une femme athlétique, l'héroïne épique du chantier, une blonde à la poitrine proéminente, aux larges hanches et au superbe profil hollywoodien, s'accorde un moment de repos nonchalant, marteau piqueur à la main, pour jeter un regard au loin, vers la lumière.

Un tableau de Serafima Ryangina, *Toujours plus haut*, montre un jeune couple escaladant – tels de triomphants alpinistes – de hauts pylônes au-dessus de la campagne dans leur effort pour construire le réseau électrique du pays. On croirait la couverture d'un roman Harlequin : lui, brun à l'air farouche, elle, blonde au maquillage parfait, au sourire euphorique, levant les yeux vers le radieux avenir de son pays.

Les affiches contribuaient aussi grandement à glorifier la nou-velle invincibilité de l'Union soviétique. Une œuvre pittoresque, datée de 1933, représente deux jeunes femmes minces et musclées, qui montrent sous leur fichu leur chevelure décolorée, heureuses de se mettre en route, râteau sur l'épaule, pour aller aider les moissonneurs. « Femmes des kolkhozes, soyez les ouvrières de choc de la moisson », dit le texte. Pour se conformer aux déclarations de Staline, qui prétendait que la vie sous le régime soviétique était devenue plus gaie, les ouvriers se devaient d'être souriants. Ainsi, sur une affiche de 1932, c'est un jeune homme blond aux muscles rebondis qui salue joyeusement l'achèvement du barrage du Dnieprostoï. Sur une autre, datant de 1934, une famille d'agriculteurs, significativement blonds, comprenant un petit enfant souriant, aux cheveux blonds dorés, se réunit autour d'un Gramophone, tandis qu'en arrière-plan apparaissent les livres et les certificats témoignant du progrès social et de l'aisance qu'ils ont obtenue par leur travail acharné.

Comme l'écrivit un critique en 1933, l'image de l'ouvrier devait montrer « un visage sain, vif, intelligent, et même intellectuel. C'est le prototype de l'homme nouveau, qui allie à la force physique et à l'énergie la force morale et l'intelligence ». Un autre critique cependant, plus courageux, condamnait ces images d'un irréalisme grotesque, en particulier celle des deux jeunes femmes blondes en route pour la moisson. L'artiste, écrivait-il, « a voulu présenter de jolis visages gais et intelligents, pour montrer que cette femme nouvelle conjugue en elle la force physique et le dynamisme avec un niveau culturel élevé. Il faut reconnaître qu'il a échoué. Ses ouvrières de kolkhoze ne sont en rien typiques. Au lieu de cela, nous avons affaire à un genre de mignonnes Machenka et Dachka au teint rose qui ne sont absolument pas représentatives des masses des kolkhozes ».

Bien sûr, toutes ces images étaient extrêmement éloignées de la réalité. Tous ces tracteurs, ces marteaux piqueurs, ces moisson-

neuses-batteuses et ces pylônes électriques représentaient précisément tout ce qui faisait cruellement défaut en URSS. Dans les
campagnes ruinées des années 1930, un tracteur devait être aussi
rare qu'un bon repas. Les paysans passaient leur vie brève et brutale dans la misère de masures pouilleuses, au toit de chaume et
au sol de terre battue. Des millions d'agriculteurs affamés labou-
raient les champs avec des charrues de bois. Les autres Soviétiques
vivaient le cauchemar et la servitude de la collectivisation forcée,
avec son lot de cuisines et de toilettes communes, de dénonciations
et d'intimidations.

La vie dans les villes surpeuplées, où il fallait faire la queue
pendant de longues heures pour obtenir la moindre nourriture,
découlait de la politique mise en place par Staline, qui consistait
à exporter les céréales produites par les campagnes affamées afin
d'importer les technologies occidentales. Les ouvriers qui
s'acharnaient au travail dans les fonderies et sur les chaînes de
montage, mal équipés, mal formés et mal nourris n'obéissaient
la plupart du temps qu'à la peur. Ils ne ressemblaient en rien
aux top-modèles blonds que débitait une propagande stalinienne
bien huilée.

Pourtant, Staline pensait incarner le progrès. Rien n'aurait pu
compromettre sa détermination à rendre forme à son pays affaibli,
pour lui faire rattraper, *manu militari,* les nations occidentales, par
rapport auxquelles il estimait avoir un retard de cinquante à cent
ans. Staline avait jeté son pays dans une lutte pour la survie et il
savait qu'il avait bien besoin de l'aide des bourgeois occidentaux
pour réussir. S'il put adopter gratuitement l'image des blonds
d'Hollywood pour l'adapter à sa propagande, il eut plus de mal à
se procurer les technologies qui devaient permettre la survie de
son État socialiste. Car le monde capitaliste traversait, lui aussi,
une crise profonde. La Grande Dépression affecta tous les pays qui

traitaient avec les États-Unis, causant une horrible pauvreté, et de terribles guerres. Roosevelt, tout comme Hitler et Staline, ne se priva pas d'utiliser la propagande pour créer un optimisme artificiel, et un monde imaginaire meilleur, peuplé de blonds racialement convenables.

Chapitre 13

LA VÉNUS BLONDE

Lorsque Roosevelt prit ses fonctions de président des États-Unis en 1933, avec son air serein, digne et confiant, son fume-cigarette et son « éternel sourire » bien travaillé, il se retrouva à la tête d'un pays tétanisé par la faim, la peur, et l'imminence de la banqueroute nationale. Au bout de ses cent premiers jours de gouvernement, il avait réussi à éviter le désastre, à rendre aux Américains un certain équilibre psychologique, à leur donner une direction et à leur insuffler une énergie nouvelle. Grâce à une fiévreuse activité législative, l'État fédéral put s'engager à soutenir le secteur financier ; les entreprises privées reçurent, avec l'aide publique, une bonne dose d'optimisme. On mit en route de grands chantiers de travaux publics et l'on créa des camps de travail pour les jeunes sans emploi. Tout comme l'URSS stalinienne et l'Allemagne nazie, les États-Unis recoururent, en quelque sorte, à la planification économique. Et pourtant, ce n'était ni un régime totalitaire ni un régime socialiste, mais un capitalisme d'État qui se fixait pour but la prospérité nationale.

Au début, le New Deal de Roosevelt trouva ses partisans comme ses détracteurs. Bien des mesures étaient improvisées et incohérentes. On créa des dizaines d'agences, désignées par des sigles, que Roosevelt lui-même confondait souvent. Leur fonctionnement souffrait de nombreuses anomalies et de querelles de personnes, leurs attributions se chevauchaient. Par conséquent, leurs résultats ne furent pas entièrement satisfaisants. Mais c'est grâce à l'aura que lui conféra ce type d'action constructive et rapide que Roosevelt réussit à redynamiser son pays, à rendre l'espoir et l'énergie à son électorat. Compréhensif et confiant, il prononçait des discours empreints de courage donnant l'impression qu'il s'était lancé dans une grande aventure héroïque. Il persuada des millions d'Américains qu'il était l'homme providentiel du moment, et, finalement, il réussit à transformer cette énergie en triomphe personnel.

Roosevelt avait eu l'intuition de l'importance des grands médias dans la vie politique moderne. Il organisa sa première conférence de presse pendant la première année de sa présidence. Il devait, au total, en donner presque un millier. La radio diffusa également la première d'une longue série de « causeries au coin du feu ». Il s'assurait que, toute la semaine, on pouvait le voir sur les écrans de cinéma dans les bulletins d'information. Son apparence imposante, sa présence énergique et son optimisme débordant cachaient bien son infirmité, séquelle d'une poliomyélite. Dans la campagne destinée à faire accepter le New Deal aux Américains, le cinéma joua un rôle important. Dans beaucoup de salles, les actualités où l'on glorifiait le président, grâce à des angles de vue flatteurs et à des accompagnements musicaux agréables, duraient presque plus longtemps que le film qu'elles étaient censées précéder.

Tout comme en URSS et en Allemagne, le régime utilisait les pouvoirs de l'illusion ; le grand écran devint son média privilégié où projeter les fantasmes et l'imaginaire de l'époque afin de créer de nouveaux mythes. Mais, pour élaborer et exploiter ces fantasmes, aucune organisation ne pouvait rivaliser avec le pouvoir éclatant d'Hollywood. L'Amérique devint une usine à rêves et à mythes, et le cinéma, l'expression par excellence de sa culture. De la fin des années 1930 à la fin de la guerre, Hollywood produisit des milliers de films qui sanctionnaient et illustraient une préférence raciale généralisée pour les Aryens, films qui furent diffusés partout dans le monde.

Certains exagéraient à l'extrême la représentation du blond incorruptible, symbole de la supériorité des Américains blancs. Pendant les années 1930, toute une série de ce que l'on pourrait appeler des « films d'aventure raciaux » virent le jour à Hollywood. Tournés la plupart du temps en décors artificiels à Los Angeles, ces films racontaient le difficile voyage d'Américains blancs au cœur de la noire Afrique, de l'exotique Asie et d'autres terres hostiles. D'un point de vue ethnographique, les résultats étaient grotesques, mais ils révélaient bien la paranoïa raciale américaine en jouant sur le charme trouble des contacts interraciaux, fussent-ils culturels ou sexuels. Surtout sexuels, en fait.

L'intrigue type reposait sur l'idée terriblement excitante du viol de la belle et innocente blonde par une sombre brute d'une écrasante puissance sexuelle. L'affiche de *The Blonde Captive*, en 1932, par exemple, montrait un indigène simiesque emportant une superbe blonde aux seins dénudés. *Trader Horn*, en 1930, racontait l'enlèvement de la toute jeune fille d'un missionnaire par des cannibales fort peu chevaleresques. Elle grandit dans leur tribu dont elle finit par devenir le chef, tandis que sa volumineuse chevelure blonde fait à la fois office de dos-nu rudimentaire et de symbole de la supériorité blanche au milieu de la sauvagerie noire. Dans *La Vénus blonde*, Marlene Dietrich, véritable déesse blonde, qui avait insisté pour faire poudrer sa perruque de soixante dollars de poussière d'or afin de se donner un petit éclat supplémentaire, apparaît déguisée en gorille au milieu de superbes danseuses brunes tournoyant sur elles-mêmes. En enlevant sa fausse pelisse, elle chante *Hot Voodoo*, qui exprime de façon subliminale de troubles désirs de croisements raciaux.

Mais le film où s'exprime la plus forte dose de paranoïa raciale, de la façon la plus exagérée, restera sans doute *King Kong*. Il naquit d'une idée très particulière de son producteur, Merian Cooper, celle de créer une bête colossale, dont on peut faire une interprétation raciale, une bête « si grande, confia-t-il au journaliste du *Hollywood Reporter* en février 1933, qu'elle pourrait tenir la Belle dans la paume de sa main, et lui enlever doucement ses vêtements jusqu'à ce qu'elle soit complètement nue ». Dans la touffeur de l'île du Crâne, la belle et blonde Ann Darrow, jouée par Fay Wray, est enlevée par des indigènes pour être sacrifiée à la bête, qui l'emporte et la défend contre des dinosaures et autres terribles prédateurs primitifs. Exerçant son droit de cuissage, King Kong commence à lui enlever, un par un, les lambeaux de sa robe, faisant monter la tension, jusqu'au moment où il succombe face à la technologie moderne, un gaz anesthésiant. Enchaîné, asservi, le gorille est emmené en Amérique. Là, pris d'un accès de fureur, il s'échappe dans les rues de New York. Il jette des voitures sur la Bourse de Wall Street, écrase des trains, croque quelques New-Yorkais et finit par escalader l'Empire State Building, le tout avec sa blonde à la main. Le film connut un immense succès international. À une exception près, celle de l'Allemagne, où Goebbels fit interdire le film en raison de la séduction qu'exerçait le singe sur les spectateurs – il se procura néanmoins quelques copies au marché noir, dont le Führer en personne put apprécier la projection avec lui.

King Kong sortit en 1933. Un an plus tard, le cinéma américain s'était radicalement transformé. En juillet 1934, sous la direction du censeur invétéré Joseph Breen, la Production Code Administration commença à examiner systématiquement le contenu de tous les films hollywoodiens. Pendant la Grande Dépression, les producteurs avaient désespérément tenté de remédier à l'effondrement de la fréquentation en proposant au spectateur un régime riche en sang, en sexe, en vice et en violence. Dans l'intérêt de la pudeur et du contrôle social, s'appliquaient désormais de nouvelles règles restrictives. Les représentations d'avortement, d'inceste, de mélange des races et de drogues furent interdites, de même que les baisers excessivement lascifs. Les mots « merde », « Dieu », « poule » et « sexe » furent bannis, sans oublier toute scène de chambre à coucher où les deux partenaires n'auraient pas au moins un pied sur le sol. Il en résulta un désordre assez comique. Pendant que la MGM distribuait à toutes les actrices qui en avaient besoin de faux seins aux tétons bien apparents, les censeurs demandaient à Disney d'enlever le pis des vaches dans ses dessins animés.

Jean Harlow, Mae West et leurs dizaines d'imitatrices décolorées, les vamps d'avant la censure, dont la couleur de cheveux comme toute la personnalité avaient été soigneusement étudiées pour faire d'elles les vendeuses attitrées du sexe au cinéma, toutes ces actrices se virent contraintes d'opérer quelques changements dans cette nouvelle atmosphère puritaine. Harlow réussit à troquer le rôle de la mauvaise fille moderne et provocante pour celui d'une blonde plus douce et plus saine. Elle devint une héroïne de comédies excentriques jusqu'à sa mort subite, à l'âge de vingt-six ans, en 1937. Quelques journaux prétendirent qu'elle s'était empoisonnée avec le mélange toxique qu'elle utilisait pour se teindre les cheveux plusieurs fois par semaine depuis des années. En réalité, pendant les dernières années de sa vie, Harlow porta une perruque, après avoir perdu ses cheveux à force d'y appliquer une mixture diabolique d'eau oxygénée, d'eau de Javel, de savon en paillettes et d'ammoniaque. Cependant, avec ou sans perruque, la blondeur divine et particulièrement photogénique de ses cheveux avait durablement transformé le cinéma et, du même coup, la façon dont les femmes se voyaient. Elle n'a cessé de susciter les imitations, plus ou moins conscientes, plus ou moins ironiques.

Quant à Mae West, reine américaine du sous-entendu sexuel à la démarche chaloupée, elle semble avoir beaucoup mieux négocié le virage. Comme elle s'était construit un personnage de vamp impertinente pleine de repartie, elle refusa d'en changer. Elle négocia des centaines de répliques avec les censeurs ; lorsqu'elle ne réussissait pas à les imposer, personne ne pouvait contrôler son intonation chantante et pleine d'insinuations. Elle fut même interdite à la radio après son interprétation lubrique du rôle d'Ève et de la phrase : « Que dirais-tu, mon chéri, de goûter cette pomme ? » À partir de 1934, cependant, un membre du comité de censure fut toujours présent sur le tournage de tous ses films. Il examinait chacune de ses répliques et ses sous-entendus possibles. L'image publique de Mae West changea donc d'elle-même. Cette année-là, elle posa pour le calendrier publicitaire de la Paramount en statue de la Liberté, dans une attitude qui se rattachait clairement au nouveau type de la blonde, plus saine. Elle se tient debout sur un fond noir, serrée dans une robe moulante à corset. Sa couronne, mise en évidence par l'éclairage, affirme son statut de femme américaine du XXe siècle. Créature des caméras, brillante parodie blonde des reines de beauté, elle pose une main sur sa hanche rebondie et de l'autre brandit la flamme symbolique. Elle lève les yeux vers le ciel, et c'est la certitude que la Paramount survivra à la Grande Dépression, avec toute l'industrie cinématographique, qui semble inspirer son sourire confiant. Elle fut l'une des premières pin-up blondes américaines.

La transformation de Mae West en blonde convenable annonçait l'avenir. Un an plus tard, un monstre d'actrice aux cheveux dorés, une pétillante enfant du nom de Shirley Temple, apparut sur la scène hollywoodienne. L'optimisme artificiel de Temple, ce banal archétype de la câline poupée blonde, était étudié pour remonter le moral d'une société en dépression. Elle se mit au travail pour égayer le pays de gré ou de force. Les producteurs d'Hollywood, qui formaient une clique de rooseveltiens convaincus, avaient reçu des instructions explicites de Washington : ils devaient à tout prix remonter le moral des Américains. Ils obéirent à la lettre avec Shirley Temple, qui fut le centre d'attention d'Hollywood de 1935 à 1938. Son enthousiasme irrépressible la faisait sauter du lit en chanson tous les matins, pour réciter les dialogues du tournage de la journée. Elle recevait 10 000 dollars par semaine. Une somme inimaginable pour des millions d'Américains qui devaient se contenter des aides sociales pour survivre. Mais Shirley savait à peine faire la différence entre une pièce d'un dollar et une pièce de dix cents.

Le contexte politique décidait du sujet de ses films. Dans le rôle soigneusement choisi de l'orpheline ou de l'enfant adoptée, elle devait attendrir le cœur des riches, les encourager à se montrer charitables, intercéder en faveur de plus démunis qu'elle. Ce n'est vraiment pas un hasard si les fossettes de Shirley apparurent sur le grand écran au moment où les ressources des secours publics commençaient à s'épuiser. Elle finissait toujours par rester avec la personne qui avait le plus besoin de son intarissable amour. Quiconque la gardait avec lui possédait une baguette magique capable de changer les ténèbres en lumière. Et ses cheveux blonds étaient essentiels à sa bonté de conte de fées. Sa blondeur était un signe de richesse, représentait une promesse d'abondance, signalait son statut de trésor. Arthur Miller, cameraman des studios Fox, responsable de l'apparence de Shirley, se souvient : « Je l'éclairais toujours de façon que ses cheveux blonds lui fassent une auréole. Pour Shirley, j'ai trouvé le projecteur qui a rendu sa fichue image célèbre dans le monde entier. » Les Roosevelt n'étaient pas aveugles aux aptitudes de Shirley, au fait qu'elle savait tirer le public de sa dépression. Aussi, quand Eleanor invitait les « gens du cinéma » à la Maison-Blanche pour qu'ils confèrent un peu de leur prestige à son mari, Shirley faisait partie des élus. Roosevelt se présentait comme un homme qui savait rester discrètement en contact avec les attentes culturelles et raciales de ses contemporains.

En Union soviétique également, le cinéma reflétait les impératifs politiques de l'époque. Staline considérait le cinéma comme un excellent moyen de propager son message et il avait l'intention de l'utiliser plus que les autres médias artistiques pour parvenir à créer le « nouvel homme et la nouvelle femme socialistes ». Lorsque le comité central du Parti décida d'imposer la doctrine du réalisme socialiste dans tous les domaines artistiques, en avril 1932, Staline put mener à bien son projet de cinéma d'État socialiste destiné à éradiquer toutes les créations expérimentales et les productions d'avant-garde des années 1920. La vision poétique, la portée intellectuelle de ce premier cinéma socialiste, qui en avaient pourtant fait l'industrie cinématographique la plus novatrice d'Europe, furent remplacées par des stéréotypes politiques totalement dénués de sens critique. Quelques réalisateurs eurent le courage de déjouer les pressions de l'administration pour préserver leur intégrité, mais la plupart se contentèrent d'appliquer aveuglément la doctrine et de produire des films insupportablement ennuyeux, conformes aux règles en vigueur. En 1935, Staline écrivit un article dans la *Pravda* pour féliciter le cinéma soviétique à l'occasion de son quinzième anniversaire : « Aux mains du pouvoir soviétique, le cinéma représente une force immense et inestimable. Avec des occasions uniques d'exercer son influence sur les masses qu'il a à sa disposition, le cinéma aide la classe ouvrière et son parti à éduquer les travailleurs dans l'esprit du socialisme... »

Que le Parti ait manifestement eu la main lourde dans de nombreux films ne décourageait pas le public. Son envie de cinéma était irrésistible. Il voulait s'évader de sa misère quotidienne dans un imaginaire lumineux, peuplé de superbes héros. Ce public-là avait cruellement besoin d'espoir. Le cinéma restait l'une des rares formes de divertissement dont disposaient encore les masses urbaines. Staline se faisait un devoir de satisfaire ce désir. On produisit des films à grand spectacle, de grandes épopées comme *Alexandre Nevski* et *Pierre le Grand*, censés raviver la flamme patriotique en évoquant la gloire nationale d'autrefois. Le thème de la Révolution était également traité, ce qui donnait l'occasion de bien montrer la légitimité du pouvoir soviétique. De nombreux films avaient aussi pour cadre l'Union soviétique contemporaine. On est surpris de constater que, malgré l'importance extraordinaire de la propagande économique, peu de ces films se déroulent dans des usines, que même le Parti considérait comme un décor trop austère pour le divertissement cinématographique.

Beaucoup, en revanche, se passaient dans des kolkhozes, en particulier les comédies musicales, qui donnaient l'impression que la vie à la campagne n'était que chants joyeux et danses allègres. Ainsi, *Volga-Volga* de Grigori Alexandrov, qui fut réalisé en 1934, au beau milieu des purges staliniennes. Certains de ses collaborateurs furent exilés et leur contribution ne fut jamais créditée. On dit que c'était le film préféré de Staline et qu'il aurait lui-même prodigué ses conseils au réalisateur. La blonde Lioubov Orlova, l'actrice la plus séduisante et la plus célèbre du cinéma soviétique, y jouait un rôle classique de conte de fées, une jeune fille originaire d'une petite ville qui s'en va porter une lettre à Moscou et finit par y défier les capitalistes qui ont pris la direction d'une troupe d'acteurs amateurs.

Le mariage de Lioubov avec son réalisateur, Alexandrov, ne fut pas non plus nuisible à sa carrière. Comme Staline, c'était un fanatique du cinéma hollywoodien ; il accompagna même Sergueï Eisenstein aux États-Unis au début des années 1930. Il fut particulièrement impressionné par le volume de production des studios d'Hollywood, mais aussi par les films de Busby Berkeley, avec leurs chorégraphies somptueuses, leurs chandeliers de cristal, d'interminables couloirs et des pyramides de danseuses blondes à peine vêtues. De retour dans son pays, il entreprit de développer la comédie musicale soviétique en conjuguant divertissement fantaisiste et idéologie. Il commença à donner quelques rôles importants à Orlova, qui devint la madone des projecteurs dans le rôle de l'éblouissante Marion Dixon, avec *Le Cirque*, tourné en 1936. Ce film comprenait quelques numéros de danse mémorables, évoquant les habitudes de Busby Berkeley, et des chansons qui comptèrent parmi les plus célèbres de cette époque. Mais ce fut surtout le début de la gloire pour Orlova : avec ses enivrants cheveux blonds, ses yeux clairs et son charisme irrésistible, elle devint la coqueluche du public et l'incarnation même de l'idéal féminin soviétique selon Staline.

Au moment où elle tenait la vedette d'une comédie musicale intitulée *Le Sentier lumineux*, en 1939, Staline s'occupait activement du cinéma soviétique. Depuis le milieu des années 1930, il avait pris l'habitude d'intervenir personnellement dans le choix des acteurs, des titres, et s'autorisait même à changer la fin des scénarios. À la fin des années 1930, il jouait le rôle de censeur suprême ; aucun film ne sortait sans qu'il l'ait préalablement vu et approuvé. Il régentait la production et favorisait ses réalisateurs et ses acteurs préférés. Quand les censeurs du Parti jugèrent inacceptable la comédie d'Alexandrov, Staline prit le contre-pied de leur décision : non seulement il autorisa sa sortie sur les écrans, mais il proposa une bonne douzaine de titres et finit par choisir *Le Sentier lumineux* plutôt que *Cendrillon*. C'est une histoire d'ascension sociale très classique, où Orlova incarne une jeune femme qui travaille dans une usine de textile près de Moscou, devient une ouvrière exemplaire et se retrouve au Kremlin où lui est remise la plus haute distinction du Soviet suprême, l'Ordre de Lénine. Ses camarades l'envoient alors suivre des études d'ingénieur et elle finit par devenir elle-même membre du Soviet suprême. Ce film reste l'exemple par excellence de la glorification du stalinisme.

En Allemagne, le cinéma joua également un rôle prépondérant dans le programme politique des nazis, et le public l'adorait. Les Allemands se pressaient dans les salles pour voir des films historiques et sentimentaux, pleins de courtisans à perruque, des épopées de la Première Guerre mondiale, des pastorales peuplées de laitières à tresses et robes à fronces, des histoires d'adolescents persécutés qui prenaient leur revanche dans la Hitlerjugend, des histoires de solidarité entre femmes de soldats. On tournait des quantités de comédies, de films d'aventures, de policiers et de comédies musicales imitant les productions hollywoodiennes, avec des troupes de danseuses qui levaient haut la jambe. Plus d'une centaine de films furent ainsi réalisés sous le IIIe Reich, films qui se conformaient à tous les clichés monumentaux de l'idéologie nazie. Les bonnes petites Allemandes et les gentils garçons étaient tous blonds, les juifs et les ennemis de l'Allemagne étaient tous bruns.

Le cinéma nazi n'était pas renommé pour sa subtilité. *Annelie* est assez typique de ce que l'on servait habituellement au public allemand. Ce drame romantique, situé dans les années 1870, raconte l'histoire d'une jeune Allemande blonde aux yeux clairs – et à robes froncées –, jouée par Luise Ullrich, qui se rebelle dans son adolescence mais devient par la suite une mère et une épouse héroïque. Ce film patriotique et réconfortant fut l'un des plus grands succès de l'ère nazie. Il rapporta 6,5 millions de marks. Il y en eut beaucoup d'autres à l'idéologie répugnante. En 1936, Paul Diehl réalisa un film de marionnettes, adaptation du conte de

Grimm intitulé *Celui qui partit en quête de la peur*. Un jeune garçon quitte son foyer, va dormir sous un gibet, entre dans un château hanté, réussit à vaincre avec enjouement une bonne quantité de monstres, le tout en trois nuits. Il survivra pour réclamer sa récompense, la main d'une princesse. Le héros est blond, ses adversaires sont bruns et basanés avec un nez cochu. Quant à la princesse, elle préfigure étrangement les poupées Barbie avec des yeux énormes et des lèvres gonflées parfaitement dessinées. Ce film faisait partie d'une propagande générale d'endoctrinement racial, et il visait à inculquer l'audace à la jeunesse hitlérienne.

La majorité des actrices allemandes des années 1930 et du début des années 1940 furent blondes ou s'efforcèrent de le devenir. Lois Chlud, Carola Höhn, Trude Marlen, Dorit Kreysler et Hilde Weissner ont toutes le même regard sous leurs sourcils finement arqués, un regard de déesse aryenne sûre de sa supériorité. Zara Leander faisait cependant exception. Cette brune au décolleté impressionnant monta les échelons en jouant les étrangères un peu troubles et les femmes adultères. Pour l'aristocratie du parti nazi, qui manquait cruellement de charme, ces brillantes stars étaient extrêmement séduisantes ; nombre d'entre elles étaient toujours invitées dans les cercles du pouvoir pour leur conférer un peu de leur éclat.

Goering, l'économiste sybarite du IIIᵉ Reich, fut le seul dirigeant nazi qui se donna autant de peine pour soigner son image personnelle. Il élevait des taureaux sur son domaine de chasse, possédait le plus grand circuit de train électrique du monde et faisait porter un pot de diamants par un domestique qui ne devait jamais le quitter, au cas où il aurait subitement ressenti l'envie irrésistible d'y plonger ses doigts boudinés. Après le décès de sa première femme, la belle et blonde Suédoise Carin von Kantzow, morte de la tuberculose en 1931, Goering épousa une autre blonde de luxe, l'actrice Emmy Sonnemann. Cette dernière joua le premier rôle féminin du *Guillaume Tell* de Heinz Paul, une héroïne en sarrau de paysanne, couronnée d'impeccables tresses blondes. Ce fut l'un des rares films allemands de la période nazie à remporter un réel succès aux États-Unis.

La plus grande vedette allemande restait cependant Kristina Söderbaum. Cette aristocrate à l'accent ronronnant et sensuel fut aussi une excellente actrice. C'est du jour au lendemain qu'elle se retrouva star de cinéma, en 1938, après la sortie de son premier film, *Jugend*, dont elle épousa le réalisateur, Veit Harlan. Quelques années plus tard, elle était devenue l'actrice préférée des Allemands. Elle joua les pures jeunes femmes nordiques dans de nombreux films. Mais son rôle le plus mémorable reste celui de l'héroïne du *Juif Süss*, héroïne dont l'enlèvement par un juif constituait le clou du spectacle. Pour faire bonne mesure, le personnage de Söderbaum devait se suicider à l'écran pour expier cette souillure.

En Allemagne, comme partout ailleurs, le cinéma remplissait avant tout une fonction d'évasion. La fréquentation croissante des salles tout au long du IIIᵉ Reich montre bien un besoin généralisé de divertissement. Entre 1933 et 1942, le nombre annuel de spectateurs fut multiplié par quatre. Bien sûr, les films faisaient l'objet d'une minutieuse surveillance, suivant les règles établies par le ministère de Goebbels. Aucune production ne pouvait commencer avant que le scénario, dûment présenté sous forme de tapuscrit dont chaque page devait comprendre trente-quatre lignes de dix-neuf syllabes, n'ait été examiné et approuvé par le ministère.

Hitler était parfaitement conscient des pouvoirs du cinéma, en particulier de son potentiel d'endoctrinement ; il attribua même certaines victoires nazies aux vertus roboratives du cinéma. Comme

Roosevelt et Staline, il s'assura que les actualités cinématographiques seraient diffusées dans chaque salle avant tous les films, et il finit par devenir lui-même un amateur passionné, qui intervenait dans la distribution des rôles de certains films. Il avait l'habitude d'en regarder jusque tard dans la nuit, y compris ceux de Marlene Dietrich, dont il resta un fanatique : le fait qu'elle ait abandonné l'Allemagne nazie pour devenir une star à Hollywood ne semble avoir en rien affecté l'admiration que lui portait le Führer[1].

À son arrivée à Hollywood, Dietrich avait trouvé un monde dont elle avait déjà eu un bon aperçu en Allemagne et où politique raciale et divertissement populaire se conjuguaient symboliquement en la personne de la star blonde. Dans une industrie vouée au profit, la stratégie des studios et les attentes du public imposaient sur les écrans une suite ininterrompue de grandes blondes représentant le rêve américain. Les blondes façonnaient l'image des femmes au cinéma. Joan Blondell, Ginger Rogers, Lana Turner, Alice Faye, Marion Davies, Constance Bennett, Miriam Hopkins, Carole Lombard succédèrent à Jean Harlow et Mae West, sans oublier les blondes occasionnelles, comme Marlene Dietrich, Irene Dunne, Bette Davis, Barbara Stanwyck, Norma Shearer et Joan Crawford.

Au moment où l'Amérique entra en guerre, Hollywood regorgeait de blondes bien sages et racialement supérieures. Shirley Temple avait déjà réduit la blonde apprivoisée au statut d'enfant de chœur lorsqu'en 1941 une nouvelle blonde propre sur elle, mais adulte, apparut à l'écran. Le magazine *Life* détermina à quel instant précis elle fit son entrée :

---

1. Goebbels fit des offres mirifiques à Marlene Dietrich pour la persuader de rentrer en Allemagne. Elle les déclinerait toutes, disait-elle, sauf si on lui permettait d'approcher Hitler d'assez près pour l'abattre.

La 49ᵉ minute du film *I Want Wings* figure déjà parmi les moments historiques du cinéma. C'est à cet instant précis qu'une jeune actrice inconnue, du nom de Veronica Lake, entre dans le champ de la caméra en rejetant en arrière sa longue chevelure blonde, devant un public instantanément ravi... Les cheveux de Veronica Lake suscitèrent les louanges des hommes, les imitations des jeunes femmes, les malédictions de leurs mères et un tollé général chez les moralistes. On baptisa sa coiffure "style strip-tease", "style chien de berger" ou "style mauvaise fille" (bien que seules les filles comme il faut l'aient arborée), mais, pour la plupart des spectateurs, elle n'en resta pas moins le "style Veronica Lake".

Et *Life* de poursuivre en informant ses lecteurs que : « Miss Lake a sur la tête près de 15 000 cheveux, d'environ 0,006 centimètre de diamètre chacun. Leur longueur varie de 43 centimètres sur le devant à 60 centimètres sur l'arrière, et ils lui descendent environ 20 centimètres sous les épaules. Ils restent raides sur plusieurs dizaines de centimètres depuis le sommet de son crâne, puis il commencent à onduler doucement. » Ce magazine complète le tableau avec plusieurs informations capitales, dont la perle suivante : « Ses cheveux prennent souvent feu lorsqu'elle fume. »

Mais la pin-up incontestée, pendant toute la durée de la guerre, fut Betty Grable, autre blonde comme il faut, qui régnait sans partage sur les plateaux de la Twentieth Century Fox, transformant en immenses succès commerciaux tous les films dans lesquels elle jouait. *Pin-Up Girl, Coney Island*, et *Song of the Islands* battirent ainsi des records d'entrées historiques. Grable encaissa cent millions de dollars pendant ses années de gloire et, à bien des égards, elle constituait un instrument de propagande idéal. Grande blonde un peu commune, elle présentait bien et semblait toujours prête à exécuter un numéro de chant et de danse plein d'entrain. Très loin des vamps vénales, à l'érotisme torride, Grable dégageait une chaleur saine et jouait les bonnes filles au cœur d'or, nostalgiques et vertueuses, prêtes à retrousser leurs manches pour contribuer à l'effort de guerre.

La photo la plus célèbre de Grable, sa photo de pin-up où on la voit de dos, regardant par-dessus son épaule, debout sur des jambes assurées pour un million de dollars, représentait tout ce à quoi aspiraient les soldats américains. Les GI en achetèrent 20 000 exemplaires en une semaine, emportant sa banale image souriante partout où ils allaient, pour l'afficher au-dessus de leur lit dans des milliers de préfabriqués militaires. Pour ces combattants américains, la pneumatique silhouette de Betty Grable, belle blonde convenable, fidèle et inoffensive, représentait un rêve inaccessible, tout le contraire de la guerre. Son charme était si puissant qu'en 1943, elle vendit une seule paire de ses bas 40 000 dollars pour une organisation caritative.

Les problèmes raciaux expliquent en grande partie l'avènement de cette nouvelle génération de blondes bien comme il faut à Hollywood pendant la guerre. La grande peur raciale avait toujours été celle des Noirs. Pendant la période qui précéda la guerre, leurs revendications civiques furent accentuées par la politique de recrutement ouvertement discriminatoire de l'état-major. Mais le problème noir était vieux comme les États-Unis. Pendant ces mêmes années, les sondages d'opinions montraient que, en dépit du chauvinisme et de la xénophobie ambiants, peu de gens déclaraient avoir de l'antipathie pour les Américains d'origine allemande, très bien intégrés. En revanche, ils se méfiaient des juifs plus que de toute autre population européenne, à l'exception des Italiens. Les préjugés fleurissaient. Juifs et Italiens étaient considérés comme des individus de souche raciale inférieure, bruns et basanés, qui venaient menacer cette pureté nordique américaine censée constituer la force du pays[2].

Après l'attaque de Pearl Harbour par les Japonais, le racisme américain changea de cible : les préjugés les plus haineux visèrent désormais les Américains d'origine japonaise. Le gouverneur de l'Idaho, qui déclara qu'ils « viv[ai]ent comme des rats, se reproduis[ai]ent comme des rats et se comport[ai]ent comme des rats », proposait qu'on les déporte tous au Japon et que les États-Unis provoquent l'engloutissement pur et simple de l'archipel. Au total, plus de 100 000 Nippo-Américains, dont deux tiers de citoyens, furent déportés hors des trois États de la côte pacifique, emmenés loin vers l'intérieur du pays, et se virent priver de leurs droits civiques et confisquer leurs biens.

J. Earl Warren, procureur général de l'État de Californie, expliquait fort bien pourquoi : « Nous pensons que, lorsque nous avons affaire à des Caucasiens, nos méthodes éprouveront leur loyauté... Mais, lorsque nous avons affaire à des Japonais, nous sommes dans un domaine entièrement différent et nous ne pouvons nous former aucune opinion fiable. » Voilà une intéressante manifestation de la grande division par pigmentation : avec les blonds à la peau claire, on peut s'entendre, mais les bruns basanés, on ne peut pas leur faire confiance.

Chauvinisme et préjugés raciaux vinrent renforcer la croyance américaine en une supériorité des blonds[3], croyance qu'Hollywood

---

2. Les stéréotypes raciaux étaient tellement répandus qu'un professeur de médecine juif tenta de les réfuter en classant les nez de 2 836 hommes juifs new-yorkais. Seuls 14 % d'entre eux avaient un nez aquilin « typique ».

3. En 1921, Miss Gorman, une lycéenne de quinze ans, blonde aux yeux bleus, devint la première Miss Amérique. Depuis, les blondes et, en grande majorité, les fausses blondes représentent environ un tiers des lauréates. La première Miss juive, Bess Myerson, fut élue en 1945.

s'efforçait de rendre apparente. Mais, pour permettre la diffusion de cette aura blonde, il fallait que les actrices effacent toute trace de ces caractéristiques habituellement attribuées aux minorités ethniques, sur leur corps aussi bien que dans leur comportement. La carrière de Rita Hayworth représente sans doute le plus extraordinaire exemple de transformation. Ce fut une pin-up hors du commun, une bombe sexuelle telle que l'on peignit même sa silhouette sur la bombe atomique qui fut testée sur l'atoll de Bikini, dans le Pacifique-Sud. Jusqu'à son apothéose, Rita, de son vrai nom Margarita Cansino, espagnole de naissance, avait joué les bouillantes et brunes héroïnes latines des films de Charlie Chan. En 1937, elle épousa un ancien vendeur de voitures d'occasion, Edward Judson. Son mari comprit que, tout comme les voitures qu'il exposait dans son magasin, sa femme avait besoin d'une nouvelle carrosserie. Sans aucun scrupule, il se lança dans de grandes opérations de transformation pour faire d'elle l'essence de la parfaite beauté blanche, à consommer sans modération en temps de guerre. Tout d'abord, il lui attribua le pseudonyme de Hayworth, qui rappelait aux GI nostalgiques leurs rêves d'Amérique rurale[4]. Ensuite, il lui fit teindre ses cheveux en blond vénitien et modifier leur implantation par électrolyse. Finalement, il lui fit prendre des cours de diction pour éradiquer tout accent espagnol. Elle se fit photographier devant des décors idylliques de campagnes américaines, dans des tenues patriotiques bleues, à rayures rouges et blanches. Elle devint l'une des plus grandes stars du box-office.

Tandis que la plupart des productions hollywoodiennes exhalaient un charme domestique, les studios américains réussirent aussi à présenter l'image de la jeune Américaine sur le front. L'un des films les plus enthousiastes de cette catégorie est sans conteste

---

4. *Hay* signifie « foin » (NDT).

So Proudly we Hail, produit par la Paramount en 1943 avec trois grandes stars, Veronica Lake, Claudette Colbert et Paulette Goddard. Ce film reconstituait, sans être entièrement convaincant à cet égard, la vie d'un petit groupe d'infirmières sur l'île de Corregidor, dans la baie de Manille, pendant les attaques japonaises. La Paramount décida de laisser de côté le quotidien terrible et déshumanisé des infirmières qui survivaient sur l'île bombardée, dans des tunnels à plus de cent mètres sous terre. On décida également de garder la lumière douce réservée aux plus belles stars, mais de ne leur autoriser que le strict minimum de maquillage. Le moment crucial de l'histoire repose sur le personnage d'Olivia, incarné par Veronica Lake, une sorte de furie animée par sa haine des Japonais depuis la mort de son fiancé à Pearl Harbor. Les femmes sont prises au piège dans leurs quartiers, sans accès au véhicule qui devrait leur permettre de s'échapper. Il ne leur reste qu'une seule grenade pour repousser l'ennemi. Olivia s'avance et la saisit : « Au revoir, Davie. Merci pour tout... c'est notre seule chance... c'est moi seule ou nous toutes... Au revoir. » Un gros plan particulièrement long permet de lire la résolution dans ses yeux. Elle détache ses cheveux, enlève l'épingle et se dirige lentement vers l'ennemi. Elle tourne le dos à la caméra et une foule de Japonais tout excités l'encerclent comme des fourmis qui auraient trouvé un pot de miel. Quelques instants plus tard, la grenade les extermine tous. La chevelure blonde de Veronica Lake est devenue le charme ultime de la femme fatale. On peut dire qu'elle aura été la bombe la plus explosive du cinéma de guerre.

Chapitre 14

TAIE D'OREILLER SALE

Bien entendu, c'est Marilyn Monroe, cette chaloupante incarnation de tous les rêves d'adolescents, qui fut la grande prêtresse des blondes. Brillantes boucles d'or, larges hanches, poitrine digne d'un personnage de bandes dessinées, lèvres d'un rouge profond. Matérialisation de tous les fantasmes, invitant les regards concupiscents, elle devint l'ultime objet des désirs interdits.

Monroe, dont la mission était d'illuminer les années 1950 et de se rendre disponible, fut soigneusement étudiée pour catalyser le voyeurisme masculin. Ce personnage de blonde prétendument idiote prit forme sous l'influence pernicieuse du soleil californien, lorsque la directrice de l'agence Blue Book, une certaine Emiline Snively, persuada Norma Jean Mortenson de teindre en blond ses cheveux châtains. La petite histoire voudrait qu'elle lui ait également conseillé d'avoir un talon d'un demi-centimètre plus bas que l'autre pour provoquer un déhanchement. Groucho Marx repéra immédiatement son charme lumineux et lui écrivit un petit rôle dans un de ses films, *Love Happy (La Pêche au trésor)*. « C'est Mae West, Theda Bara et Bo Peep en une seule femme », s'extasiait-il. Les décideurs d'Hollywood, tous des hommes, prirent rapidement le relais pour transformer un mannequin prometteur en dévastateur ange du sexe, du nom de Marilyn Monroe. Elle n'avait pas signé son premier contrat avec la Twentieth Century Fox que les publicitaires s'en mêlaient déjà, envoyaient partout ses photos et faisaient paraître ses portraits dans la presse écrite. Les mensurations de son corps de rêve furent mobilisées pour cette campagne, tout comme les plus petits détails de son passé malheureux.

Le canevas du personnage se définit très tôt, pour ne plus changer. Les courbes exquises et les cheveux blonds de Marilyn (elle avait choisi une nuance appelée « taie d'oreiller sale »), ses yeux mi-clos et sa façon de susurrer innocemment des allusions sexuelles firent d'elle la première star de cinéma internationale. D'un exhibitionnisme naturel parfaitement maîtrisé, elle s'installa avec bonheur dans son rôle de *playmate*, décrocha des premiers rôles, épousa Joe DiMaggio et apprit à faire l'amour à la caméra. Dans un contexte culturel d'une pudibonderie toute victorienne, qui assimilait le sexe à la dépravation, l'abandon sexuel de Marilyn, à la fois total et innocent, faisait sensation.

Mais son statut et son salaire commencèrent à être en complet décalage avec sa popularité car le contrat d'« esclavage » qu'elle avait signé avec la Twentieth Century Fox la retenait prisonnière et l'empêchait de prendre la moindre décision concernant sa carrière. Son numéro habituel de blonde idiote lui apporta la gloire, mais elle souhaitait également convaincre le public qu'une actrice sérieuse se cachait sous ses boucles épaisses. Bien qu'elle ait créé sa propre société de production, qui lui permit de tourner quelques rôles d'un comique plus subtil, elle ne réussit jamais à se débarrasser de celui de la gentille petite bécasse. Daryl Zanuck, directeur de la production à la Twentieth Century Fox, ne cessa jamais de la surnommer « Tête-de-Paille ». Son statut de blonde la plus torride du monde allait de pair avec celui de blonde la plus bête du monde. Les représentations de *Will Success Spoil Rock Hunter*, de George Axelrod, qui débutèrent en 1957, à Broadway, rappelèrent à tous que bien des gens la trouvaient ridicule. Monroe, qui assista à la première, dut supporter de voir sur scène un personnage de sex-symbol, une blonde narcissique et complètement idiote, « dont les boucles d'or et la croupe fabuleuse avaient suscité la bienveillance du public dans le monde entier ».

Le personnage de la blonde idiote, qui fit son apparition dans les années 1950 aux États-Unis sous les formes inoubliables de Marilyn Monroe, fut créé, intentionnellement ou non, par des hommes pour des hommes. Son élaboration répondait, au moins en partie, à l'assurance croissante des femmes américaines. En 1945, en rentrant de la guerre, les hommes les trouvèrent plus confiantes et plus indépendantes que jamais. Des centaines de milliers de femmes, déjà impatientes d'entrer sur le marché du travail, avaient franchi le pas en remplaçant les soldats aux postes qu'ils occupaient avant le conflit. Elles avaient apporté la preuve de leurs compétences sur les chaînes de montage et dans les centrales électriques, qui jouaient un rôle crucial dans l'effort de guerre. Elles avaient gagné leur vie (certes, moins bien que les hommes) et s'étaient montrées capables d'exercer des métiers d'hommes. Elles y avaient gagné en pouvoir et en assurance. Quand les vétérans comprirent ce qui s'était passé, ils se rendirent compte qu'elles étaient en train de déstabiliser les bases essentielles de la société. Ce qui était en jeu, c'était le mythe voulant que les femmes soient uniquement destinées à devenir des épouses et des mères.

Les sondages réalisés à la fin de la guerre révèlent que 65 % des femmes qui exerçaient alors des métiers peu traditionnels pour leur sexe ne souhaitaient pas y renoncer. Deux mois après la fin des conflits, deux cents ouvrières montèrent un piquet de grève devant les portes d'une usine de Detroit, avec des pancartes qui disaient : « Non à la discrimination contre les femmes ». Ce petit groupe d'activistes particulièrement combatives était déterminé à garder et à répandre la conscience qu'elles avaient prise de leurs capacités, et de l'inégalité de traitement entre les hommes et les femmes. Même si elles restaient bien moins payées et bien moins représentées que les hommes, elles exprimaient des attentes, dont la génération suivante hériterait.

Le climat politique était cependant profondément hostile à toute idée de changement. C'étaient uniquement des hommes qui régnaient sur Hollywood. Leur fonction consistait à anticiper et à refléter les désirs sociaux de leurs contemporains (masculins). Ils réagirent à ce récent état de fait en créant une star complètement nouvelle, destinée à contrer, plus ou moins consciemment, l'assurance naissante des femmes. Tous les modèles de femmes travailleuses et raisonnables qui retroussaient leurs manches, se passaient de maquillage et faisaient leur boulot, ces rôles féminins typiques des films tournés pendant la guerre, disparurent complètement des écrans. Les producteurs les remplacèrent par Monroe. C'était une démarche résolument réactionnaire. Douce rêveuse, vulnérable et dépendante, cette grande poupée faisait preuve d'un tel manque de confiance en elle qu'elle avait toujours besoin de l'approbation d'un homme. Elle était si féminine qu'on l'adorait. Sa sexualité généreuse faisait d'elle un objet d'imitation pour les femmes et de rêve pour les hommes.

Et, comme les hommes d'Hollywood faisaient partie des admirateurs les plus serviles des blondes, elle se devait d'être blonde.

C'était la chevelure lumineuse de Monroe qui conférait à son personnage un érotisme extraordinairement puissant. Billy Wilder se souvient qu'elle en était parfaitement consciente. « Elle le savait. Il y avait une autre fille dans l'orchestre [dans *Certains l'aiment chaud (Some Like it Hot)*] qui avait les cheveux blonds. Et elle me dit : "Pas d'autre blonde ici. Je suis la seule blonde." Et quand une brune jouait avec Monroe, son personnage aurait aussi bien pu être peint dans le décor, cela n'aurait pas changé grand-chose. Quelques années plus tard, elle se plaignit encore au réalisateur de *Let's Make Love (Le Millionnaire)*, avec Yves Montand, qu'une autre actrice, qui jouait un rôle secondaire, s'était fait faire des mèches blondes. Elle refusa de revenir sur le tournage avant que cette actrice change sa couleur ou bien soit dûment renvoyée. Monroe elle-même consacrait plus d'argent et de temps à ses cheveux qu'à tout autre aspect de son apparence physique. Dans son autobiographie[1], Simone Signoret explique en détail ses habitudes de décoloration :

> Tous les samedis matin, la décoloratrice de la regrettée Jean Harlow prenait son avion à San Diego, atterrissait à Los Angeles ; la voiture de Marilyn l'attendait à l'aéroport et la conduisait jusqu'à la cuisine, ou plutôt la kitchenette du bungalow n° 21. Avant de lui laisser sortir son vieux cabas et ses vieux flacons d'eau oxygénée, depuis longtemps dépassés par la technique moderne, Marilyn (qui avait dressé un petit buffet, sorte de brunch ou de cocktail party auquel la voyageuse se restaurait abondamment) venait taper à ma porte : que je prenne vite les serviettes de toilette du bungalow n° 20, la fête à la décoloration allait commencer... Quand elle partait, Marilyn et moi étions impeccablement blondes, elle platine et moi plutôt auburn.

À Hollywood, la déesse de l'amour était blonde, son personnage fantasmatique se trouvait déjà bien défini par les magazines, les romans, le théâtre. Il constituait le sujet favori de l'illustrateur Varga, dont les blondes aux formes invraisemblables devinrent les pin-up de calendriers les plus célèbres des années 1930 et 1940. P. G. Wodehouse évoque également son charme dans ses romans : « Comme bien des Américains importants, il s'était marié jeune et avait continué à passer de blonde en blonde, comme

---

1. Simone Signoret, *La nostalgie n'est plus ce qu'elle était*, Paris, France Loisirs, 1980.

un chamois des Alpes sautant de rocher en rocher. » Quant à Raymond Chandler, il créa une belle collection de blondes séduisantes, comme celle de *Farewell, my Lovely (Adieu ma jolie)* : « C'était une blonde. Une blonde pour qui un évêque aurait pu donner des coups de pied dans un vitrail. » Au milieu des années 1950, des bataillons entiers d'actrices cherchaient à entrer dans le moule qu'avait établi leur piquant archétype, Monroe. Anita Ekberg, Suédoise de naissance, réussit à convertir sa quatrième place au concours de miss Univers en carrière cinématographique. Ses débuts furent timides. Puis, grâce à sa crinière léonine de cheveux blond platine, à son tour de poitrine de 102 centimètres et à un coup de chance, elle remplaça Monroe pendant la tournée des bases militaires de Bob Hope en 1954. Quatre ans plus tard, en compagnie de son mari Anthony Steel, elle se rendait à Rome, où les nuits qu'ils passèrent à flirter, à boire, à danser pieds nus et à se quereller en public offrirent aux paparazzi locaux leurs meilleurs scoops depuis de nombreuses années. La chevelure d'Ekberg et ses proportions de Minerve lui attirèrent immédiatement la sympathie de Federico Fellini, qui lui offrit le rôle de Sylvia dans *La Dolce Vita*. Quiconque a vu ce film ne regardera plus jamais la fontaine de Trévise de la même façon.

Diana Dors, elle, représente la contribution de l'Angleterre à cette image de la blonde aux formes généreuses. Elle fit sensation au Festival de Cannes en 1956, lorsqu'elle arriva en Cadillac rose, montrant une importante partie de ses formes épanouies et traînant derrière elle une volumineuse chevelure blonde décolorée. Promue sex-symbol, elle refusa d'assumer le rôle de la blonde idiote mais sexy. Au contraire, elle dirigea habilement sa carrière, parsemée de scandales et de querelles professionnelles, dans la plus pure tradition hollywoodienne, pour connaître une longévité exceptionnelle à la télévision. Quant à la Française Brigitte Bardot, ancien mannequin aux proportions magnifiques, et qui teignait en blond ses longs cheveux, la presse la qualifiait de « bombe anatomique[2] ».

Jayne Mansfield, autre suiveuse de Monroe que l'on considérait habituellement comme une blonde idiote, fit une brève carrière grâce à son tour de poitrine, à ses cheveux et à son air vulgaire. Comme le disait Bette Davis : « Pour elle, l'art dramatique consiste à savoir remplir un pull. »

Ces blondes à forte poitrine constituaient un objet de dérision de plus en plus fréquent. Ces femmes, projetées sur les écrans dans les années 1950 et 1960, et qui satisfaisaient toutes les exigences d'Hollywood pour que leur image puisse être vendue comme une marchandise, étaient pourtant des sex-symbols professionnels hautement qualifiés. Les gros producteurs hollywoodiens, pour la plupart des mégalomanes vaniteux, des exploiteurs et des dictateurs au petit pied, avaient tendance à confondre les bons films avec les films qui rapportaient. Et cela impliquait très souvent la présence d'une star blonde à la poitrine avantageuse. On dit que, lorsqu'il apprit la mort de Marilyn en 1962, le lubrique directeur de la Columbia, Harry Cohn, se mit à hurler : « Trouvez-moi une autre blonde ! » Sa collection de blondes devait, pendant de longues années encore, réduire tous les hommes adultes à leurs fantasmes d'adolescents pubescents.

---

2. En 1957, lorsqu'elle fut la vedette de *Et Dieu créa la femme*, le magazine *Ciné-monde* racontait qu'un million de lignes lui avaient été consacrées dans les quotidiens français, deux millions dans les hebdomadaires, une logorrhée illustrée par 29 345 photos. Ce magazine prétendait aussi qu'elle constituait le sujet de 47 % des conversations dans l'Hexagone.

Tous, sauf un. Pendant les années 1950, et jusqu'au début des années 1960, il y eut à Hollywood un réalisateur spécialisé dans la torture des blondes. C'était Alfred Hitchcock, qui choisissait des blondes fines et élégantes, des actrices au physique éthéré, avec juste une ombre de sexualité refoulée dissimulée sous une surface parfaitement lisse. Madeleine Carroll, Ingrid Bergman, Grace Kelly, Kim Novak, Eva Marie Saint, Janet Leigh et Tippi Hedren appartenaient toutes à un même type physique et psychologique. Dans la délicatesse de leurs traits, dans leur façon de se maîtriser, de présenter une apparence de dame convenable, dans leur vulnérabilité, mais aussi dans leur blondeur, Hitchcock trouvait une certaine excitation. « Le suspense, déclara-t-il en 1957, l'année où il tourna *Sueurs froides* (*Vertigo*), c'est comme une femme. Plus on en laisse à l'imagination, plus l'excitation est grande... La blonde conventionnelle, avec sa poitrine proéminente, n'est pas mystérieuse. Et qu'y a-t-il de plus évident pour moi que ce type de femmes un peu désuet, à velours noir et rang de perles ? La parfaite "femme à mystères" doit être blonde, subtile et nordique. »

De fait, toutes les actrices préférées de Hitchcock étaient blondes, subtiles et nordiques ; et ce raffinement extrême, il l'opposait dans leur personnage à une sensualité brutale. « Les déchirer dès le début, affirmait-il, sardonique, c'est le meilleur moyen. » D'ailleurs nous n'ignorons pas le plaisir impavide qu'il prenait à se montrer cynique, sadique et barbare avec elles. Psychologiquement, il les mettait à nu. Il les manipulait et les brisait pour se nourrir d'elles comme un vampire. « Les blondes font les meilleurs victimes, expliquait-il, elles sont comme une neige virginale qui révélerait des empreintes sanglantes. »

Quand Tippi Hedren commença à jouer le personnage de Melanie, dans *Les Oiseaux*, elle avait les cheveux d'un blond champagne attachés en un chignon impeccable, un costume élégant et un maquillage rutilant, absolument parfait. À la fin du tournage, elle était dans le même état que le personnage de Melanie. Elle resta terrorisée pendant les sept jours de tournage qui furent nécessaires pour la scène cruciale du grenier, une scène terrible. « J'étais couchée sur le sol, avec des oiseaux attachés à ma robe, par les trous qu'ils étaient censés y avoir faits. Eh bien, un de ces oiseaux m'a griffé l'œil. C'en était trop. Je me suis assise et je me suis mise à pleurer. C'était une incroyable épreuve physique », se souvint-elle plus tard.

« Il faut torturer les femmes », dit un jour Hitchcock, en plaisantant. Dans *Sueurs froides*, James Stewart soumet Kim Novak à une intense torture psychologique. Dans *Pas de printemps pour Marnie*, Sean Connery fait de même avec Tippi Hedren. On raconte aussi comment Hitchcock terrifia la fille de Tippi Hedren en lui offrant un minuscule cercueil : à l'intérieur se trouvait une poupée, exacte réplique de sa mère en miniature dans le costume qu'elle portait pour *Les Oiseaux*, avec un parfait petit chignon blond. Hitchcock semble avoir fait des cheveux blonds une sorte de fixation érotique. Un bon nombre de ses films contiennent des plans assez longs de cheveux de femmes. Une obsession se cache derrière ce plaisir esthétique. Son Jack l'Éventreur, dans *Les Cheveux d'or (The Lodger)*, film qu'il réalisa en 1926 à Londres, n'agresse et ne tue que des blondes. Dans *Pas de printemps pour Marnie*, la première scène avec Tippi Hedren la montre en train de laver ses cheveux, qui laissent échapper dans l'eau des volutes de teinture brune, avant qu'elle ne réapparaisse blonde. Dans *Les Oiseaux*, c'est une Hedren décolorée qui soigne ses blessures avec une bouteille d'eau oxygénée. Dans son magnifique petit livre sur ce film, Camille Paglia remarque que ce produit semble la faire renaître, comme s'il s'agissait d'un élixir magique. Paglia note également que

Hitchcock la place ironiquement devant une pancarte qui dit : « Articles emballés, en vente ici ».

Pour lui, ces femmes étaient fascinantes mais dangereuses : leur blondeur, cette belle couleur mensongère, cachait quelque chose de sombre et de menaçant. Le camouflage des cheveux manifestait une hypocrisie inhérente au personnage, ce que Hitchcock trouvait particulièrement piquant. D'un naturel rêveur, il s'imaginait souvent piégé à l'arrière d'un taxi, avec l'une de ses blondes comme il faut, au moment même où son armure se fendillait et où elle laissait enfin libre cours à une sexualité jusqu'alors refoulée. Quels que fussent les petits plaisirs personnels de Hitchcock, ses films avaient pour effet de présenter les femmes blondes comme des déesses, des maîtresses femmes dont le triomphe provoquait la chute, chute qui les transformait en victimes à violer et à torturer.

Lorsque Paglia vit *Les Oiseaux* pour la première fois, en 1963, « les reines des sororités, toutes blondes, régentaient la vie sociale des lycées américains, une tyrannie que j'admettais comme si elle avait été de droit divin. Melanie Daniels [Hedren] a l'arrogance des gens qui pensent que tout leur est dû, ces gens très beaux qui ont toujours atteint facilement les sommets, de la *stoa* athénienne à la discothèque new-yorkaise en passant par les salons parisiens. La nature les a gâtés, mais la nature peut aussi leur reprendre ce qu'elle leur a donné ». Hitchcock ne se limitait pas à reprendre. Il terrassait littéralement ses blondes et les détruisait. Dans le contexte américain de l'après-guerre, cela constituait, au même titre que la création de la blonde idiote, une tentative d'étouffer le pouvoir grandissant des femmes.

Mais c'étaient là des stratégies périlleuses, même si elles n'étaient qu'inconscientes. Hollywood dépendait des femmes : elles représentaient 65 % de son public et ce n'était pas nécessairement une bonne idée que de les chasser en leur montrant des blondes soit idiotes, soit torturées. Au début des années 1960, Hollywood subit également les effets du progrès de la télévision, dont les magnats sans scrupule avaient fort bien compris que leur avenir dépendait de l'endoctrinement des adolescentes. Ils entreprirent de les séduire et ne mirent pas longtemps à inventer un troisième type de blondes, que des femmes jeunes seraient plus à même d'apprécier. Cette mademoiselle Tout-le-Monde, énergique et pleine d'entrain, fut incarnée à l'écran par les charmantes Debbie Reynolds, Doris Day et Sandra Dee, qui portèrent un coup supplémentaire aux tentatives d'émancipation féminine. Tendres et innocentes, elles représentaient la version adulte de Shirley Temple, de gigantesques poupées roses, qui devaient constamment déborder d'exubérance enfantine. Elles se comptaient par douzaines à Hollywood dans les années 1960, ces filles à papa au petit nez retroussé, presque toutes identiques. Elles reflétaient parfaitement l'attitude docile que les hommes auraient préféré voir les femmes adopter dans la société américaine de l'après-guerre.

À côté d'elles, les actrices aux formes avantageuses, comme Marilyn Monroe, avec leur égocentrisme et leurs démons, avaient l'air de plaisanteries obscènes, bien appétissantes, certes, mais incapables de faire de bonnes épouses ou de bonnes mères. Ces blondes guillerettes et inoffensives, en revanche, représentaient une forme de sexualité propre et bénigne. On disait que Doris Day était si pure que Moïse lui-même n'aurait pu lui écarter les genoux. Voici ce que dit Dwight McDonald de cette Américaine de rêve dans son livre publié en 1969, *On Movies* :

> Elle est aussi saine qu'un bol de corn flakes et au moins aussi sexy. Elle possède la silhouette américaine typique : avec de longues jambes, plutôt grande (tout en elle est *plutôt* ceci ou cela) avec une

poitrine plutôt haute et plutôt petite, ni hanches ni fesses qui vaillent la peine d'en parler. Sans oublier le visage féminin américain typique, en termes d'aspiration plutôt que de réalité : une blonde nordique aux traits réguliers, au petit nez droit, aux lèvres plutôt fines, aux pommettes marquées... Sa beauté, saine et antiseptique, se double d'une personnalité de chic fille que la classe moyenne américaine (c'est-à-dire presque tout le monde) se fait un devoir d'admirer. Surtout les femmes : elles ne sont pas en concurrence.

Ainsi donc, la blonde – élégante et froide, aux courbes généreuses ou douceâtres – restait le type féminin dominant à Hollywood et, en tant que telle, représentait les aspirations d'une bonne partie des Américains. Naturellement, l'attention inépuisable dont bénéficiaient ces déesses blondes commençait à agacer un bon nombre de femmes qui, elles, ne l'étaient pas. Comme l'écrivait ironiquement Eleanor Pollock dans *Good Housekeeping* en 1955 :

Au cours de mon étude comportementale des blondes, j'ai rencontré des forces de la nature aux cheveux jaunes, qui savaient très bien réparer une voiture, diriger un bureau, parler pertinemment de la bombe H et faire tout ce que sait faire un homme, et même le faire mieux. Tant qu'il n'y avait pas d'homme aux alentours. Qu'il en apparaisse un et, aussitôt, notre experte aux cheveux d'or devenait aussi fragile et vulnérable qu'une biche éblouie par les phares d'une voiture. C'est instantané, même chez les blondes qui ont choisi de le devenir. Et qui plus est, ça marche. J'aimerais bien voir une brune à qui l'on pardonnerait ce genre de comportement ! On lui dirait qu'elle a une cervelle d'oiseau. Mais on ne fait jamais ce genre de réflexion à notre chère petite mésange jaune.

Carrol Channing se rendit compte, lorsqu'elle joua dans la comédie musicale tirée de *Les hommes préfèrent les blondes*, que les hommes se penchaient en avant pour l'entendre parler du temps qu'il faisait : « Je n'avais pas besoin d'être intelligente, personne ne me demandait de l'être. Tout ce que j'avais à faire, confia-t-elle au magazine *Good Housekeeping*, c'était d'être blonde. »

Pour une femme des années 1950, la blondeur faisait partie d'un fantasme, celui d'être universellement désirable. Mais cela participait aussi d'un fantasme d'intégration. Pour celles qui se trouvaient exclues des classes sociales supérieures simplement parce que leurs familles n'étaient pas originaires d'Europe du Nord, le développement de teintures plus efficaces, et utilisables à domicile, accroissait les chances d'assimilation. Ces teintures donnaient l'idée exaltante que l'on pouvait changer d'identité à volonté, rien qu'en passant vingt minutes dans sa salle de bains. Désormais, tout le monde pouvait se procurer les attributs de la classe supérieure, dont la blondeur faisait encore partie.

En 1956, Clairol mit sur le marché de nouveaux produits de teinture trois-en-un, qui permettaient de décolorer, de laver et de soigner les cheveux en même temps, le tout chez soi. Comme le dit Bruce Gelb, alors PDG de cette firme, ils étaient à la teinture ce que les ordinateurs étaient aux caisses enregistreuses. Cependant le préjugé associant les cheveux blonds aux femmes faciles persistait. Malcolm Gladwell décrit très bien ce dilemme dans un excellent article, publié par le *New Yorker* en 1999, sur l'histoire de la teinture et la face cachée de l'Amérique de l'après-guerre. Clairol confia sa campagne publicitaire à l'agence Foote, Cone & Belding, où une jeune rédactrice, Shirley Polykoff, inventa ce pétillant slogan : « *Elle veut ou elle veut pas ?* Seul son coiffeur le sait. »

Ce message justifiait l'artifice pour autant qu'il était convaincant. Le nouveau produit se vendit comme des petits pains. Pour la campagne suivante de Clairol Madame, Shirley Polykoff eut l'idée de : « C'est vrai que les blondes s'amusent plus dans la vie ? » Puis de l'un des slogans les plus célèbres de l'histoire de la publicité : « Si je n'ai qu'une vie, ce sera celle d'une blonde. » Être blonde n'était plus seulement une question d'apparence, c'était toute une psychologie. Selon son biographe, Betty Friedan fut à tel point ensorcelée par ce slogan qu'elle se fit teindre en blonde pendant l'été 1962, juste avant la publication de *La Femme mystifiée*. Ce rêve blond n'épargna pas non plus le peintre David Hockney : après avoir vu le spot publicitaire un soir très tard à la télévision, il se précipita dans un drugstore qui restait ouvert toute la nuit pour acheter un tube de Clairol et se décolorer immédiatement les cheveux.

Clairol achetait page publicitaire sur page publicitaire, pour les remplir d'images de jolies blondes élégantes, préparant avec satisfaction le dîner de leur famille ou se prélassant joyeusement sur leur pelouse, en compagnie de leurs enfants assortis, donc également blonds. La société s'était fixé pour objectif de rendre la décoloration aussi respectable que possible. Un subtil changement sémantique l'aida à réussir. Tout comme les perruques, pudiquement renommées « postiches », gagnèrent en respectabilité dans les années 1920, Clairol bannit l'usage du mot « teinture » pour lui substituer celui de « couleur ». À travers tous les États-Unis, les femmes se réjouirent intérieurement et commencèrent à expérimenter cette pratique autrefois scandaleuse. En 1957, le magazine *Look* affirmait que 55 millions d'Américaines ajoutaient une couleur à leurs cheveux. Pendant les vingt années que Polykoff passa au service de Clairol en tant que rédactrice publicitaire, la proportion de femmes qui se teignaient les cheveux passa de 7 % à plus de 40 %. Elle-même brune et juive, fille d'un représentant en cravates et d'une femme au foyer, Polykoff pensait que toute femme devait avoir la possibilité de devenir ce qu'elle voulait, y compris blonde. Depuis l'âge de quinze ans, elle se teignait les cheveux en blond. Lorsque sa fille eut treize ans et que ses cheveux commencèrent à s'assombrir, elle se mit à les lui teindre aussi. Elle croyait aux apparences, qui selon elle permettaient de se réinventer un personnage. Encore adolescente, Shirley Polykoff avait sollicité une place d'employée d'assurances, et elle avait vu sa candidature rejetée. Elle envoya le même dossier à une autre compagnie sous le nom de Shirley Miller, et obtint un poste équivalent. À cette époque, juifs, Italiens et Irlandais déployaient fréquemment de tels efforts d'intégration. Tous essayaient de se faire accepter au sein d'une nation que les problèmes de race inquiétaient encore. Le fait que personne ne puisse savoir qui l'on était vraiment se trouvait au centre de la campagne « *Elle veut ou elle veut pas ?* » de Polykoff. Au fond, ce que disait vraiment le slogan, c'était : « Est-ce une femme au foyer satisfaite de son sort ou bien une féministe ? une juive ou une goy ? ou rien de tout cela ? »

Dans les années 1960, ce désir de devenir blanc et, si possible, blond, se faisait encore fortement sentir. En Californie, État qui donne souvent le ton des tendances et des présupposés nationaux et internationaux, la culture américaine de la jeunesse se consacrait au soleil, au surf et aux étés interminables. Là-bas, on considérait le bronzage et la blondeur comme les deux étalons de la perfection. Les Beach Boys chantaient entourés de jeunes femmes blondes, les adeptes de la plage passaient des heures à se décolorer les cheveux au soleil ou dans l'eau de mer. Pour ceux qui n'avaient pas le temps d'y aller, il restait Clairol ou bien Raymond, l'un des premiers coiffeurs de grande réputation qui ait élaboré ses propres teintures. Sa spécialité consistait à teindre en blond cendré tous les cheveux quelle que fût leur couleur naturelle, en les décolorant complètement avant de les reteindre avec du thé ou du café très fort et d'ajouter deux gouttes d'huile essentielle de clou de girofle pour en masquer l'odeur particulière. La blondeur était une norme à laquelle aspiraient tous les Américains.

Les jeunes Américaines disposèrent d'ailleurs bientôt d'un modèle bien défini sur lequel calquer leur apparence physique : une poupée aux orteils pointus, maigre comme un clou, moulée dans un plastique rose indestructible par un industriel de l'armement expert en revêtements de missiles : Barbie. Quand Barbie et les missiles de croisière qui lui servaient de poitrine débarquèrent dans la culture populaire, avec son épaisse chevelure, ses habitudes de shopping, ses costumes de ballerine et ses soirées entre copines en pyjama, elle devint immédiatement l'emblème du rêve américain des années 1960. Elle représentait l'idéal d'aisance et de confort matériel qui façonnait l'économie de consommation américaine, alors en pleine expansion. En apparence, c'était une société conservatrice et conformiste, centrée sur la famille idéale vantée par les médias. Le père, soutien de famille, et la mère, femme au foyer, vivaient heureux avec leurs deux à quatre enfants dans une maison de banlieue. Barbie devait naturellement être un modèle pour la fille de la famille. Mais, en dépit de ces apparences de bonheur familial, les rôles rigides attribués aux deux sexes, les distinctions de classe et le conformisme social subissaient de sérieuses attaques. Les jeunes allaient résolument bouleverser la mode, la musique et l'idéal de la génération précédente, et cette fois l'élan viendrait de Londres.

Chapitre 15

PRINCESSES, PUNKS
ET PREMIERS MINISTRES

Nous sommes à Soho, dans la boîte de nuit la plus branchée de Londres. Des faisceaux de lumière rouges, verts, bleus vont et viennent en balayant la foule qui danse, fendant un épais brouillard de fumée de cigarettes. Des mannequins aux cheveux blonds très courts et des hommes en pantalon pattes d'ef s'enlacent au bar. Un groupe de musiciens *beat* très dynamique martèle des morceaux radicaux et, sur la piste, c'est une frénésie de longues jambes en minijupes. Parmi elles, peut-être celles de Julie Christie et de Marianne Faithfull, près des jeunes gens à la mode, David Bailey, Terry Donovan, peut-être Terence Stamp ou Michael Caine, s'ils sont à Londres en ce moment. À une table, plus ou moins constamment réservée aux Beatles, Ringo Starr fait les yeux doux à Maureen. Dans les rues alentour, des dizaines d'autres boîtes vibrent de l'énergie de ces jeunes corps fringants qui dansent tard chaque nuit : *Annabel's* pour les gens élégants et l'aristocratie, *The Scene*, dans Greatwindmill Street, pour les étudiants, *Ronnie Scott's* pour le jazz et *The Flamingo* pour les beatniks.

Qu'est-ce qui a bien pu créer le *swinging London* des années 1960 ? John Crosby, un journaliste américain, chercha la réponse à cette question pour un article qui parut dans le *Daily Telegraph* en avril 1965, et la trouva :

> Ce sont les filles. Les Italiens et les Espagnols sont tous fous des Anglaises... Ici, les filles sont plus jolies que partout ailleurs... elles sont plus que mignonnes, elles sont jeunes, sensibles, intelligentes, elles ont de la repartie et elles rayonnent de vie. Même dans

les partouzes de Chelsea, chez les fumeurs de joints, il y a de la vie et de la passion et on pourrait même dire une sorte d'innocence. À Rome, à Paris, les parties fines sont réservées aux vieux, fatigués, dégoûtants et dégoûtés. Les jeunes Anglaises ont goûté au sexe comme à une friandise. Et elles adorent ça.

D'hypnotisantes déesses blondes animaient cette scène. Julie Christie avait remporté un oscar en 1965 pour son rôle dans *Darling*. Marianne Faithfull était la reine des chanteuses de rock. Verushka s'était entièrement peinte d'or. Quant à Ursula Andress et Catherine Deneuve, elles étaient tout simplement incandescentes sous leurs crinières dorées. Ces blondes dégageaient un charme magnétique. Et puis, en 1966, Twiggy devint le mannequin le plus célèbre du monde, avec son maigre corps enfantin (Barbie, moins les seins) et sa coiffure de Gavroche à la coloration immaculée qui demandait huit heures de préparation. Cette belle blonde juvénile représentait un mélange détonant d'innocence et de sexualité. Elle aurait pu être la fille de Greta Garbo et d'un ange. Des milliers de jeunes filles s'empressèrent de se décolorer les cheveux, avant de les couper très court et de se boudiner dans des minijupes droites avec des motifs op art et des bottes en PVC. Twiggy, qui se rendit aux États-Unis en surfant sur une vague d'anglomanie, incita Mia Farrow à se couper et à se décolorer les cheveux, elle aussi. La mode anglaise s'était, on ne sait comment, associée à la redéfinition radicale des attitudes sociales et culturelles et à l'idée éphémère, un peu folle mais contagieuse, que tout était possible.

En Amérique aussi, de façon assez inattendue, la couleur des cheveux devenait significative. Entre la fin des années 1960 et le début des années 1970 se situe une étrange période de l'histoire sociale, période où les campagnes publicitaires qui visaient à faire vendre des teintures se lièrent étroitement aux politiques d'assimilation des minorités, au féminisme et à l'image que les femmes avaient d'elles-mêmes. « Les femmes devinrent actives, se battirent pour leur émancipation sociale, obtinrent la pilule, et traitèrent différemment leurs cheveux, écrit Malcolm Gladwell dans le *NewYorker*. Quand on examine les campagnes publicitaires de cette époque, pour les teintures, on voit tous ces éléments rassemblés, du plus profond au plus trivial. Aurions-nous oublié un aspect important de l'histoire des femmes de l'après-guerre, leurs cheveux ? »

En effet, il semble bien que nous ayons laissé de côté ce problème en écrivant l'histoire de cette période sans nous intéresser, par exemple, au rôle étrange que jouèrent les cheveux dans le mouvement d'émancipation des femmes, qui prenait alors son élan. Dans les années 1960, les femmes nées pendant la Grande Dépression étaient déchirées entre la réalité et l'idéologie dominante. La plupart des médias, les enseignants et les hommes politiques continuaient à louer les joies des satisfactions domestiques, partant du principe qu'une femme mariée devait consacrer sa vie entière à sa famille. Leur message, constamment répété, disait que les femmes n'avaient pas besoin de mener de carrière professionnelle et que leur rôle de mère justifiait leur existence. Mais ce message ignorait complètement la réalité. À une époque où semblaient s'ouvrir des possibilités grisantes, qu'incarnaient les jeunes et la contre-culture, où de plus en plus de femmes fréquentaient l'université, où les familles se réduisaient avec la fin du baby-boom, où se multipliaient les incitations financières et intellectuelles à chercher du travail, où se développait le secteur tertiaire, les femmes, tout en se sentant coupables d'entretenir de telles pensées, prenaient vaguement conscience du fait qu'elles attendaient autre chose de leur vie. En l'absence de mouvement féministe visible et face à l'image omniprésente de la mère au foyer, pleinement épanouie et satisfaite, elles ne pouvaient interpréter ces aspirations que comme des frustrations personnelles.

Alors qu'une écrasante majorité (96 %) des femmes au foyer interrogées en 1962 s'estimaient extrêmement heureuses ou très heureuses, 90 % d'entre elles n'en espéraient pas moins que leurs filles ne mèneraient pas la même vie qu'elles. Leurs filles parta-geaient ce souhait. Vers la fin des années 1960, des manifestations massives eurent lieu, des textes comme *La Femme mystifiée* se répandirent, des groupes féministes structurés virent le jour dans la plupart des villes américaines. Ils protestaient furieusement con-tre l'attitude du gouvernement, qui consistait à banaliser toute dis-cussion des problèmes de discrimination. Ils se mirent à exercer des pressions en faveur d'un débat public sur les réformes concer-nant l'égalité des droits. Les femmes des classes moyennes com-mençaient aussi à se reconnaître dans ce mouvement. Mais on refusait souvent d'admettre son existence : lors d'une conférence nationale de la Nouvelle Gauche américaine, en 1970, une organi-sation de femmes dut se battre pour obtenir le droit d'être inscrite sur le programme et de pouvoir s'exprimer. Quand vint leur tour, le modérateur refusa de leur donner la parole et tapota les cheveux de leur déléguée, Shulamith Firestone, en lui disant : « Allez jouer, ma petite, nous avons des problèmes plus importants à dis-cuter ici que l'émancipation des femmes. »

Au début des années 1970, les filles de ces féministes avaient une vingtaine d'années et elles se trouvaient face à des choix de vie qui allaient probablement impliquer un certain degré de dis-crimination. L'une d'elles, Ilon Specht, avait abandonné l'univer-sité. Elle travaillait en tant que rédactrice publicitaire sur Madison Avenue, femme jeune dans une profession dominée par des hommes âgés. Chaque fois qu'elle écrivait un slogan contenant le mot « femme », un homme le raturait et le remplaçait par

« fille ». En 1973, elle intégra une équipe qui travaillait sur une nouvelle campagne publicitaire pour L'Oréal. Cette société essayait de gagner des parts du marché des teintures sur son concurrent américain, Clairol, et elle avait du mal à trouver l'image appropriée pour une nouvelle teinture blonde nommée « Préférence ». Dans une interview avec Malcolm Gladwell, Specht révèle à quel point ce problème particulier reflétait les problèmes sociaux de l'époque.

> Ils avaient cette image traditionnelle de la femme... Moi, je n'avais pas l'impression de devoir écrire une publicité sur « comment plaire aux hommes », ce que, selon moi, ils étaient en train de faire, eux. Et puis je me suis dit : qu'ils aillent se faire foutre ! Je me suis assise à mon bureau et je l'ai écrite, en cinq minutes. C'était un texte très personnel. Je peux encore vous le réciter en entier, parce que j'étais tellement en colère quand je l'ai écrit ! *[Elle baissa la voix pour dire son texte]* « Pour mes cheveux, j'utilise la couleur la plus chère du monde. Préférence, de L'Oréal. Ce n'est pas que l'argent soit important pour moi. L'important, c'est mes cheveux. Pas seulement la couleur. J'attends une couleur formidable. Mais ce qu'il y a de plus important pour moi, c'est leur texture. Ils doivent être doux et soyeux, mais aussi avoir du corps. Il faut que ce soit agréable de les sentir dans mon cou. En fait, ça m'est bien égal de dépenser plus pour L'Oréal, parce que je... *[et ici, Specht se frappa la poitrine du poing]*, parce que je le vaux bien.

Cette publicité opérait une adaptation intransigeante et très efficace du message de Clairol en faisant passer l'accent d'une femme dépendante, qui voulait se faire belle pour un homme, à une femme indépendante et désinvolte, qui recherchait la beauté pour sa propre satisfaction. Jamais on n'avait entendu sur les ondes d'association aussi explicite entre couleur de cheveux et estime de soi. En une phrase, L'Oréal avait exprimé les sensibilités féministes de son époque, comme Shirley Polykoff avait réussi à le faire vingt ans auparavant. Préférence connut un succès immédiat, qui permit à L'Oréal de contester la domination de Clairol sur le marché des teintures. Ce spot publicitaire fut une telle réussite que, quelques années plus tard, L'Oréal reprit cette phrase pour en faire le slogan général de la compagnie. Depuis des années, des centaines de blondes qui ont passé l'audition pour dire cette phrase ont vu leur candidature rejetée. « Il y avait ce casting que nous avions fait avec Brigitte Bardot, se rappelle Ira Madris, rédactrice publicitaire chargée d'une campagne à cette époque, et Brigitte, parce qu'elle était ce qu'elle était, a eu le plus grand mal à dire cette réplique. Quelque chose en elle refusait d'y croire. » Le « parce que je le vaux bien » de Brigitte Bardot manquait cruellement de conviction. C'était une douce poupée blonde de la vieille école, de celles qui se teignaient les cheveux pour plaire aux hommes, et non pour elles-mêmes.

La teinture devint un étrange symbole de l'émancipation féminine. Les jeunes se teignaient les cheveux pour se faire plaisir, sans se préoccuper de ce que les hommes pouvaient bien en penser. Et ces hommes, élevés avec des idées sexistes complètement dépassées de domination masculine naturelle, s'accrochaient aux potiches blondes. Leurs efforts concertés s'attachaient à conserver le personnage de la blonde idiote, de plus en plus représenté par les blagues sur les blondes. « Pourquoi trouve-t-on les lettres L.O.A. sur les chaussures d'une blonde ? – Les orteils d'abord. » « Comment appelle-t-on une blonde avec deux neurones ? Une femme enceinte. » Des quantités de blagues de ce genre virent le jour dans les pubs et les clubs, à partir des années 1970, et vinrent grossir les rangs des blagues sur les Irlandais et autres Belges qui circulaient déjà depuis longtemps.

En 1977, Charles Marowitz pouvait encore écrire, dans un article intitulé « L'irrésistible idiote blonde » publié par le magazine *Listener* :

> Voici une créature qui n'a aucune prétention à être instruite, ni même informée. Elle ne s'adonne pas à des jeux de mots sophistiqués, n'a aucun concept avec lequel elle puisse jongler, ni aucune théorie à défendre. Ses points culminants sont physiques, et imprégnés d'une sorte de sexualité irrésistible. Sa chair invite les approches animales. Son aura laisse entendre que son anatomie a été spécialement étudiée pour le plaisir. Sa conversation insipide, sa futilité et même ses idioties constituent, d'une certaine façon, des attributs nécessaires. En fait, ils mettent en valeur ses autres charmes.

Pour maintenir ce mythe de la blonde idiote, les magnats d'Hollywood et de la télévision en fabriquèrent encore des dizaines. En 1977, Farrah Fawcett, une blonde appétissante, avec juste ce qu'il fallait de muscles bronzés, fit son apparition dans *Drôles de dames*, une série télé qui flirtait avec le sexisme. Du jour au lendemain, elle imposa le type américain de la décennie. Pour donner à ses longs cheveux, décolorés par le soleil californien, leur apparence « sauvage, libre et naturelle », il fallait les dégrader soigneusement avant de les ébouriffer. Et ils furent à la base de mythes internationaux d'érotisme, de réussite et d'aventure. Huit millions de personnes achetèrent le poster où l'on voyait Farrah ôter une combinaison de plongée ouverte. Sa sexualité propre et inoffensive était juste assez alléchante pour initier les très jeunes adolescents aux plaisirs du voyeurisme. « C'est la plus mauvaise actrice du monde, déclara un fan new-yorkais, mais j'adore ses cheveux. » Beaucoup partageaient cette opinion. La chevelure libre et sauvage de Farrah concentrait l'essence de la Californie, son culte de la beauté physique, son obsession de la santé, de la vigueur et du *sex appeal* des gens en pleine forme. Farrah devint l'icône de son époque, l'incarnation des fantasmes américains de réussite et de beauté.

En Grande-Bretagne, au moment où les premières fans de Farrah Fawcett s'aventuraient timidement dans les banlieues humides, avec d'hésitantes imitations de sa coiffure, leur look, voué à la disparition, subissait déjà les premières attaques. Des cohortes d'adolescents blasés se regroupaient, attirés par l'infamie et l'anarchie. Élevés dans le terne contexte de l'implacable récession des années 1970, nombre d'entre eux faisaient partie de ces jeunes de la classe ouvrière qui, déprimés et peu instruits, se retrouvaient au chômage. Ils exaltaient cette exclusion, qu'ils embrassaient volontairement, en portant des tenues d'une éblouissante obscénité.

La secte punk prit racine vers le milieu des années 1970, dans une petite boutique de King's Road, qui s'appelait SEX et qui fit sensation. Son nom s'étalait effrontément, en énormes lettres de vinyle rose délavé, sur une enseigne exposée au-dessus de la vitrine, comme une énorme sculpture pop art un peu spongieuse. C'était terrifiant. Des dizaines de mannequins nus décapités s'entrelaçaient dans la vitrine, comme s'ils s'adonnaient à une orgie géante, pour attirer le client. Les gens assez courageux pour y entrer se retrouvaient dans une sorte de gymnase fétichiste, aux murs couverts de latex rose et de barres où pendaient fouets, menottes et autres objets exotiques à la gloire du sordide, de l'inconvenance et du mauvais goût. À la tête de ce petit supermarché de la provocation, deux blondes faisaient office d'icônes du mouvement punk : Jordan et Vivienne Westwood.

Jordan, née de parents ouvriers irréprochables, venait de Seaford, petite ville côtière du Sussex dont la population ensommeillée, constituée principalement de retraités distingués, continuait à bricoler tranquillement, sans avoir la moindre idée du vitriol qui s'accumulait sur King's Road. Évidemment, Jordan ne leur ressemblait pas. Tous les matins, dans le train qui l'emmenait à Londres, elle retrouvait les employés de bureau aux costumes sobres. Elle portait des talons aiguilles, des bas résille déchirés maintenus par des bretelles, et elle ornait son maillot de vinyle noir d'un harnais de chaînes. Ses cheveux étaient décolorés, d'une violente nuance de blond platine, et laqués pour former comme une ruche rigide sur sa tête. Pour donner un peu plus de piquant à son intention manifeste d'*épater le bourgeois*[1], tous les matins, elle se soulignait soigneusement le contour des yeux d'une abondante quantité de khôl et se peignait les lèvres de noir ou d'un mauve foncé parfaitement macabre. « Si vous voulez, l'incarnation de l'impressionnant et de l'imposant, c'était moi, se souvenait-elle. Il en fallait, du courage, pour entrer dans ce magasin. » Debout à côté d'un lit couvert d'un drap de latex, dans son uniforme de vendeuse, un soutien-gorge de cuir clouté et des cuissardes, Jordan incitait ses clients à enfiler tenues de latex moulantes et harnais de cuir. Comme on lui demandait souvent de dessiner ces vêtements elle-même, elle devint la star du magasin et, plus tard, lorsqu'elle joua dans le film de Derek Jarman, *Jubilee*, l'emblème officiel du mouvement punk.

Vivienne Westwood, sa patronne, possédait le magasin avec Malcolm McLaren. Elle créa une ligne de vêtements customisés qui plus tard constitueront l'essentiel de la garde-robe des Sex Pistols. Comme Jordan, elle affectait une personnalité d'imposante dominatrice, portant l'excentrique attirail de cuir fétichiste avec des talons aiguilles. Elle imaginait aussi ses propres tee-shirts, ornés avec désinvolture des images les plus provocatrices qu'elle pouvait inventer. La tête coupée de la reine, les svastikas et les sexes

---

1. En français dans le texte (NDT).

masculins constituaient ses grands classiques. Pour être sûre de provoquer un choc esthétique maximal, elle se décolorait agressivement les cheveux et les taillait au rasoir, en pointes qu'elle faisait tenir avec du gel. Une coiffure que David Bowie devait adopter par la suite.

Cette décoloration-là se devait d'être volontairement répugnante. Dans un but subversif, elle était étudiée pour avoir l'air artificielle, chimique, et laisser visibles des racines brunes. C'était une réaction haineuse contre le look naturel, enfantin et docile de la très saine beauté californienne, réaction qui fut rapidement associée au mauvais goût vulgaire. Elle se vit également attribuer des connotations perverses supplémentaires par deux photos qui avaient fait le tour du monde quelques années auparavant, celle de Ruth Ellis, puis celle de Myra Hindley, qui les montraient toutes deux écartant leurs cheveux pour y révéler de grandes balafres de racines brunes négligées.

Vers le milieu des années 1970, dans un contexte britannique où l'on ne pouvait évoquer ouvertement la sexualité, et encore moins l'exposer, SEX et ses deux punks blondes provoqua un choc profond et pervers. Westwood avait toujours eu un penchant pour la révolte, et des adolescents blasés ou angoissés s'empressèrent d'adopter ses idées. Bientôt, on put apercevoir de jeunes banlieusardes paradant sur King's Road avec leurs cheveux décolorés, un épais maquillage noir, et des tee-shirts représentant Blanche-Neige entourée de sept nains dans un état d'excitation sexuelle manifeste. Chrissie Hynde se souvient d'avoir croisé, ailleurs dans Londres, de jeunes garçons aux cheveux décolorés portant des blousons noirs. Ils provoquaient ainsi un scandale tout à fait satisfaisant chez leurs parents, leurs professeurs, et leurs aînés en général. Vers la fin de la décennie, Debbie Harry et son groupe surexcité, Blondie, atteignirent les sommets des hit-parades internationaux.

Elle arborait une chevelure décolorée, aux anarchiques racines brunes exposées par une raie, coiffure qui devint le *nec plus ultra* du chic alternatif et l'emblème de la rébellion féminine.

Dix ans plus tard, Vivienne Westwood, fille indigne d'un gentil petit couple d'ouvriers provinciaux, amateurs de danses de salon, et qui avait tenu pendant un moment le bureau de poste de Tintwistle, dans le Derbyshire, fit la couverture de *Tatler* grimée en Margaret Thatcher. Sous la photo on pouvait lire ce titre aguicheur : « Cette femme a été punk. » La ressemblance était frappante et hautement subversive. Le photographe, Michael Roberts, se souvient qu'au début Vivienne refusait de participer à cette parodie parce qu'elle détestait Margaret Thatcher. Mais, une fois convaincue de son caractère choquant et subversif, « elle l'imita tellement bien que cela faisait peur ». Vêtue d'un tailleur comme il faut, avec un rang de perles et une perruque blonde bouffante, elle raconte que, pour poser, elle s'imagina penchée sur le lit d'un enfant hospitalisé, tout en se répétant qu'elle était très préoccupée.

L'histoire ne dit pas ce que Margaret Thatcher fit de la couverture du numéro de *Tatler* daté du 1er avril cette année-là. Si Westwood s'était résolument plongé les cheveux dans l'eau oxygénée au début des années 1970, pour relever la tête ruisselante du vitriol de la révolte, la chevelure de Margaret Thatcher, quant à elle, subit une transformation plus progressive, qui la fit passer d'un châtain terne à une blondeur souveraine. Ce changement coïncida avec de profonds bouleversements sociaux. Depuis la guerre, l'uniforme de la femme conservatrice type comprenait un tailleur discret, un collier de perles et des chaussures confortables. Au début des années 1980, tout cela était en train de changer. Les couleurs se faisaient plus vives. Des mèches blondes apparurent ici et là dans les coiffures. Les talons se rehaussèrent, des épaulettes poussèrent sur les tailleurs. Les femmes étaient plus nombreuses à travailler, parfois à des postes de responsabilité, et elles avaient assez confiance en elles pour inventer leur propre style. On était bien loin du temps de Monroe, où les blondes restaient dépendantes des hommes. Ces nouvelles blondes de pouvoir faisaient exactement ce qu'elles voulaient. Qu'un homme un peu bête les qualifie d'idiotes, et elles lui auraient ri au nez.

Parmi ces blondes de pouvoir, Mme Thatcher fut l'une des plus puissantes. Encore très jeune, sa candidature à un emploi, rejetée, avait suscité la note de service suivante : « Cette femme est têtue, obstinée et dangereusement sûre de ses opinions. » Jeune députée à la Chambre des communes, Mme Thatcher n'avait guère changé, mais elle avait appris à beaucoup mieux dissimuler sa détermination. Néanmoins, personne ne se serait permis de lui dire ce qu'elle devait faire, et encore moins comment elle devait se coiffer.

Dans ce domaine, il lui fallut un petit bout de temps pour faire évoluer son style. Au fur et à mesure qu'elle avait gravi les échelons du Parti conservateur, sa chevelure s'était peu à peu disciplinée. Encore jeune députée, au début des années 1960, elle coiffait ses cheveux bruns vers l'arrière, où elle les laissait boucler librement. Quand elle devint ministre, elle se les fit teindre d'un blond agressif et, toujours peignés vers l'arrière, ils lui faisaient comme un casque, que la laque rendait rigide. Au moment où elle devint chef de l'opposition, en 1975, ils avaient pris un volume considérable, pour former une étonnante sphère lisse autour de son crâne, dans laquelle chaque mèche était parfaitement disciplinée. Enfin, lorsqu'elle s'installa à Downing Street, en 1979, ses cheveux semblaient un énorme halo impérial, intransigeant et doré, symbole de confiance en soi, d'assurance et de pouvoir. Le côté « shampooing mise en plis » allait résolument à l'encontre de la mode ; c'était le signe d'un règne incontestable, durable, inaltérable.

Brian Carter, le fidèle coiffeur de Mme Thatcher, qui se chargeait également de ses colorations, affirme que la blondeur adoucit les traits et aide les femmes à combattre le vieillissement. En 1979, on lui confia la mission d'atténuer l'agressif blond platine de Mme Thatcher pour lui donner un air d'autorité plus digne. Sa transformation en blonde obéissait à d'autres motivations. Tout comme la reine Élisabeth Ire ainsi que d'autres femmes de pouvoir avaient utilisé le symbole de la blondeur et son charme sensuel à leur avantage, Mme Thatcher comprit qu'elle pouvait en bénéficier elle aussi. Les cheveux blonds capturaient la lumière, retenaient l'attention. Ils manifestaient une fortune et un statut social. Ils fournissaient à la nation un modèle parfait. Comme Grant McCracken le fait judicieusement remarquer dans sa très drôle étude anthropologique intitulée *Big Hair,* la chevelure de Mme Thatcher « évoquait par sa profusion l'abondance que le Parti conservateur avait promise à l'Angleterre au début des années 1980. (L'abondante chevelure de Ronald Reagan revêtait la même signification aux États-Unis.) En plus, elle restait parfaitement homogène, l'image même de la nation soumise à une volonté unique. »

Manifestement, Mme Thatcher n'avait pas lu l'ouvrage de John Molloy intitulé *Mesdames, vous vêtir pour réussir,* ou bien elle avait décidé de passer outre ses recommandations. En effet, cet « ingénieur du vêtement » prétendait aider les toutes nouvelles femmes cadres à choisir la tenue la plus appropriée aux conseils d'administration où dominaient les hommes. Il leur conseillait de se donner un air « sérieux », c'est-à-dire pas trop féminin. Il fallait éviter les cheveux longs, trop féminins et trop sexy, tout comme les cheveux ondulés ou bouclés, qui dénotaient un manque d'autorité. Quant à la décoloration, c'était un interdit absolu. « Les blondes peuvent bien s'amuser plus que les autres, il n'en reste pas moins que les brunes ont plus d'autorité. Les cheveux bruns sont signe de pouvoir et les cheveux blonds, de popularité. Si vous lisez ce livre et que vous êtes blonde, jolie et plutôt petite, vous allez devoir décider de vos objectifs : souhaitez-vous vous amuser plus que les brunes, ou bien avoir plus de pouvoir ? » Tout au long des années 1980, Mme Thatcher bénéficia d'un pouvoir considérable, ce qui ne l'empêchait pas de s'amuser aussi, dans une certaine mesure. Avec son embonpoint rassurant, son regard de basilic, ses grands sacs à main et son intransigeant casque blond, elle n'eut aucune peine à maîtriser fermement un gouvernement chahuteur et une opposition encore plus bagarreuse. Lors de ses voyages officiels, elle traînait toujours dans son sillage une ribambelle d'hommes d'État étrangers admiratifs.

Pendant ce véritable règne, d'autres femmes à poigne suivirent son exemple en teignant en blond leurs cheveux châtains. Sans jamais être accusées de bêtise, ces blondes gravirent les échelons de leur profession ou se hissèrent tout simplement vers les sommets du pouvoir et de l'influence. Ce fut le cas de Hillary Clinton, par exemple. Comme Margaret Thatcher, elle passa les premières années de sa vie politique dans une brune obscurité. Mais, au moment de la campagne présidentielle de 1992, elle s'était radicalement transformée. Elle commença à se maquiller, laissa tomber les lunettes pour les lentilles de contact, adopta une coupe de cheveux plus seyante, avec quelques mèches blondes ici et là. Au moment où les Clinton s'installèrent à la Maison-Blanche, elle était devenue une blonde à part entière. Sa coiffure évolua encore, mais plus sa couleur de cheveux. Si Hillary Clinton a choisi de devenir blonde, c'est pour les mêmes raisons que Mme Thatcher : cela lui donne l'air plus jeune, retient l'attention, exerce une certaine séduction et manifeste son statut et son pouvoir. Jamais couleur de cheveux ne fut plus judicieusement utilisée que par Hillary Clinton lorsqu'elle fit la couverture de *Vogue*, blonde, calme et parfaitement maîtresse d'elle-même, à un moment où le public était bombardé de photos d'une brune aux cheveux bouclés ébouriffés du nom de Monica Lewinsky. Ce n'était pas tant une question d'opposition entre bien et mal qu'un contraste entre une femme qui savait ce qu'elle faisait et son mari, un homme qui ne se contrôlait plus.

Toujours pour ces mêmes raisons, jeunesse, beauté, statut social et pouvoir, de nombreuses femmes célèbres ont opéré le même changement de couleur de cheveux, Tina Brown, Jennifer Saunders, Kiri Te Kanawa, Camilla Parker Bowles et bien d'autres encore. La très blonde Denise Kingsmill, avocate spécialisée en droit du travail et auteur d'un rapport gouvernemental qui porte son nom, sur l'emploi et la rémunération des femmes, rend visite à son coiffeur deux fois par semaine pour faire retoucher ses racines. Personne ne se risquerait à la qualifier d'idiote.

Cinquante ans après l'arrivée fracassante de Marilyn Monroe sur les écrans de cinéma du monde entier, l'association des mots « blonde » et « potiche » est-elle encore automatique ? En fait, cela dépend de quel genre de blonde il s'agit. La cadre blonde au tailleur aussi impeccable que sa coupe de cheveux n'éveillera aucun soupçon de bêtise. Bien au contraire. Ses cheveux symbolisent calcul et contrôle de soi. Mais la blonde aux cheveux longs ou volumineux, qui arbore aussi une poitrine proéminente, plus ou moins naturelle, des lèvres siliconées, de grands yeux et des vêtements purement symboliques, celle-là a toutes les chances de s'attirer l'étiquette de « potiche ». Pamela Anderson, Claudia Schiffer, Caprice, Dolly Parton et Ivana Trump en sont de vivants exemples. Elles exhibent toutes la même ressemblance avec des poupées gonflables. Elles sont étudiées pour plaire aux hommes, et elles auraient beau avoir le QI le plus élevé du monde, leur apparence physique n'en resterait pas moins un signe de soumission.

Hugh Hefner a un faible pour ce genre de blondes. Il partage sa demeure de millionnaire, en Californie, avec ses sept petites amies, Katie, Tina, Tiffany, Cathi, Stephanie, Regina et Buffy. Hugh a soixante-quinze ans, et toutes ces jeunes filles sont âgées de dix-neuf à vingt-huit ans. Elles ont toutes de longs cheveux blond platine, de grands yeux de petit animal sans défense, des personnalités exubérantes, des sourires d'orthodontiste, et des seins qui débordent de leurs petits bikinis comme d'énormes melons. On a dû les cloner sur commande. En 2001, Hefner expliquait à un journaliste de *Vanity Fair* qu'il traversait sa « période blonde ». « Il y a quelque chose de touchant et de très mignon dans le fait qu'elles ont toutes l'air de mademoiselle Tout-le-Monde... On fait des choses extraordinaires tous ensemble. On va à Disneyland ensemble. On va au cinéma ou en boîte. »

À l'âge canonique de soixante-quinze ans, Hefner se dit encore capable de faire « un numéro exceptionnel », avec l'aide d'un peu de Viagra, et, manifestement, ça plane pour lui. Ses petites amies passent leur temps à ne rien faire, dans un monde ensoleillé et plein de night-clubs, de soirées, de vêtements hors de prix et de corps dociles. Elles partagent à plusieurs des chambres décorées de poupées Barbie et de posters des pages centrales de *Playboy*. La plupart d'entre elles semblent d'ailleurs s'être embarquées dans un interminable casting pour accéder, elles aussi, à ces mêmes pages centrales.

Le remarquable succès du look Barbie dure depuis très longtemps. Cindy Jackson dirige à Londres un bureau de conseil pour les gens qui envisagent un recours à la chirurgie esthétique. Elle a elle-même subi plus de vingt opérations pour réaliser son rêve : ressembler à Barbie, qui selon elle représente la perfection de la beauté féminine. Les meilleures caractéristiques de cette poupée seraient, selon elle, sa vulnérabilité, ses longues jambes, son petit menton et ses grands yeux, sa peau douce et ses longs cheveux blonds. La chevelure blonde est essentielle, mais c'est ce qu'il y a de plus facile à obtenir : il suffit d'aller régulièrement chez le coiffeur. Pour compléter le tableau, il faut ajouter ses multiples nettoyages de peau, ses opérations du nez, peelings chimiques, implants mammaires posés puis enlevés, sans oublier des liposuccions. Un grain de beauté qu'elle a aujourd'hui sur la joue, au niveau du nez, se trouvait autrefois sur son menton : il remonte à chaque lifting. Justement, son obsession pour Barbie date de 1988, l'année de son premier lifting. À cette époque, elle recherchait la beauté, la séduction et le pouvoir. À présent, avec toute la panoplie de Barbie en place, elle affirme que les hommes qui lui courent après feraient mourir d'envie toutes les femmes. Après quinze années de chirurgie esthétique et une dépense d'environ 100 000 dollars, Barbie a bien mérité la douteuse récompense d'avoir James Hewitt pour petit ami.

C'est que les amours précédentes de James Hewitt incluent l'une des blondes les plus célèbres du monde, la princesse Diana. Comme bien d'autres femmes, la princesse était blonde lorsqu'elle était enfant, puis ses cheveux s'assombrirent à l'adolescence et, une fois adulte, elle décida d'inverser le processus. Au fur et à mesure que son pouvoir augmentait, elle devenait de plus en plus blonde. D'une façon très classique, sa blondeur devait souligner son charme, attirer l'attention et lui donner l'air plus jeune. À mesure qu'elle apprenait à manipuler la presse, et qu'elle dépendait aussi plus de son image publique, après son divorce, Diana devint d'une blondeur de plus en plus insolente, jusqu'au blond platine qu'elle arborait à sa mort, en 1997. Pendant les dernières années de sa vie, Diana fut un personnage complexe, à la fois sainte, martyre, amazone vengeresse et petite fille sans défense. Tous ces rôles requéraient qu'elle fût blonde. Elle voulait se présenter comme une épouse lésée, se défendre, et attirer l'affection.

Diana se fia toujours à son apparence pour attirer l'amour des foules. Après son mariage, en 1981, la jeune femme un peu boulotte, intimidée par les caméras, s'épanouit rapidement pour devenir une parfaite séductrice blonde, une sorte de top-modèle royal qui savait estimer la publicité photographique à sa juste valeur. Selon son ami James Gilbey, Diana avait un sixième sens qui lui permettait de repérer les photographes dans un rayon de trois cents mètres. Elle semblait adorer se trouver sous les projecteurs et susciter l'adoration du public, qu'elle attirait par un *sex appeal* de plus en plus évident. Sa garde-robe se transforma pour passer d'un style chichiteux légèrement désuet à des lignes plus épurées et des couleurs plus vives. Peu de temps après son mariage, Kevin Shanley, du salon Headlines, à Kensington, commença à ajouter quelques mèches blondes ici et là dans ses cheveux châtains, lui rendant ainsi la blondeur de son enfance. D'après les commentateurs, c'est à ce moment-là qu'elle sembla prendre peu à peu confiance en elle. Elle cessa définitivement de voûter les épaules. Comme elle se préoccupait de plus en plus de son apparence, elle s'adressa alors à deux des plus célèbres stylistes londoniens, Sam McKnight, qui lui coupait les cheveux toutes les six semaines, et Daniel Galvin, qui retouchait ses mèches dans son salon de Mayfair. Au milieu des années 1990, elle dépensait 3 600 livres par an pour se faire teindre les cheveux.

Au summum de sa blonde influence, Diana fit une apparition remarquée à New York, à l'occasion d'un gala de charité où se rassemblait la crème de la bonne société américaine. Huit cents personnes, parmi les plus riches de la côte Est, avaient payé huit cents dollars chacune le privilège de dîner avec la personnalité la plus célèbre du monde. Ils s'attendaient à trouver une princesse, ils virent arriver une superstar hollywoodienne. Elle fit son entrée et traversa la salle d'un pas élégant. Avec ses talons hauts, elle mesurait plus d'un mètre quatre-vingts. Ses courts cheveux blonds lui faisaient un halo lumineux alors qu'elle fendait tranquillement la foule. Sa robe Jacques Azagury, audacieusement révélatrice, attirait les regards admiratifs sur son décolleté. Des boucles de diamants et de perles scintillaient à ses oreilles. Elle était stupéfiante. En tout cas, Henry Kissinger avait l'air abasourdi. Des centaines d'Américains tombèrent sous le charme. Diana devait recevoir un prix spécial de l'Association de lutte contre les paralysies cérébrales, récompense qui venait couronner des années de participation car sa collaboration et son mécénat avaient permis à cette organisation d'élargir considérablement son champ d'action. On peut douter que tout cela serait arrivé si elle avait encore eu les cheveux châtains.

Diana, icône universelle, connut sa véritable apothéose un an après son divorce, lorsqu'elle décida de revoir sa garde-robe. Christie's organisa des enchères qui rassemblèrent tout ce que Londres comptait de personnalités importantes, et au cours desquelles soixante-dix-neuf de ses anciennes tenues de soirée furent vendues à d'avides collectionneurs, ce qui permit de recueillir six millions de dollars pour diverses organisations caritatives. Deux ans plus tard, une autre icône blonde fournit l'objet d'une vente chez Christie's. Il s'agissait cette fois de Marilyn Monroe. Six cents de ses vieilles frusques furent vendues, rapportant ainsi plus de treize millions de dollars à une poignée d'organisations caritatives et à la veuve de Lee Strasberg. Une paire de chaussures rouges à talons aiguilles incrustées de faux diamants fut adjugée pour la modique somme de 48 300 dollars. Un gilet marron tricoté main se vendit 52 900 dollars et la robe fourreau couverte de minuscules strass qu'elle portait pour la cérémonie d'anniversaire de John Kennedy en 1962 dépassa le million de dollars. Cette offre battit le record du monde des robes, jusqu'alors détenu par la Victor Edelstein de velours bleu de lady Diana, qui avait été adjugée pour 222 500 livres. Le permis de conduire de Monroe rapporta 130 000 dollars, son nécessaire à maquillage atteignit 240 000 dollars et quelqu'un acheta même un petit lot de déchets, qui comprenait une tasse en plastique, un cache-boîte de Kleenex et un petit morceau de papier où étaient inscrits au crayon les mots : « Il ne m'aime pas. » Le public fit preuve d'une insatiable avidité pour toute parcelle de célébrité, même de propreté douteuse. Un an plus tard, Christie's fit encore une excellente affaire en vendant un autre article sale, qui avait appartenu à une troisième star internationale blonde. Il s'agissait de Madonna et du soutien-gorge de satin noir Jean-Paul Gaultier qu'elle avait porté pendant sa tournée « World Ambition ». Son prix atteignit 20 000 dollars.

Ce n'est peut-être pas une coïncidence si les trois icônes blondes les plus célèbres du XXe siècle se sont littéralement vendues à tous, à la télévision, en photo, et en distribuant au public le contenu intime de leur garde-robe pour qu'il se l'arrache, avant de l'adorer comme autant de reliques. Aucune d'elles n'aurait jamais atteint ce degré de célébrité sans un goût immodéré pour la manipulation des foules. Comme Monroe et Diana, Madonna est naturellement brune et présente elle aussi une nette tendance à l'exhibitionnisme. Une fois qu'elle eut goûté à la blondeur et à la célébrité, elle devint incapable de se passer de l'adoration du public. « J'ai toujours été provocante, depuis que je suis toute petite. Ça m'intéresse beaucoup d'être séduisante », confia-t-elle. Madonna, qui avait toujours ouvertement recherché la célébrité, d'abord comme danseuse puis comme chanteuse, actrice et enfin superstar, mit cinq ans à l'atteindre. Au fur et à mesure qu'elle progressait au hit-parade des stars, elle fit de l'adoration des masses une véritable drogue. Pour développer sa propre forme de sexualité rebelle, elle pilla l'image d'autres sex-symbols et s'appropria certaines de leurs caractéristiques, comme les clins d'œil suggestifs de Mae West ou la bouche humide et sensuelle de Marilyn, afin de donner un peu plus de piquant à son propre numéro d'actrice. Mais la différence entre Monroe et Madonna représente assez bien les bouleversements sociaux et sexuels qui se sont produits depuis les années 1980. Alors que Monroe avait été créée par des hommes pour des hommes, Madonna a toujours considéré les femmes comme le sexe supérieur. Elle a toujours su rester indépendante, matériellement et psychologiquement, diriger ses affaires avec sang-froid et exploiter sa propre image. La profonde intelligence du marketing dont elle a toujours fait preuve lui a permis de rester au sommet pendant des années. Pour beaucoup de gens, elle a provoqué une véritable révolution dans la pensée politique féministe. Sa sexualité débordante, sa puissante ambition et sa personnalité, qui la poussait à défier le regard des hommes plutôt qu'à le rejeter ou à se rabaisser devant lui, tout cela constituait, pour des milliers de femmes, la preuve qu'elles aussi pouvaient se montrer fortes et maîtresses d'elles-mêmes, sans renoncer pour autant à leur féminité. Elle a fait la preuve que le sexe d'un individu n'est pas un obstacle à sa réussite.

Une partie de son charme vient de ce qu'elle incarne le rêve américain. D'origine italienne, Madonna, alors brune, commença sa carrière d'artiste comme meneuse de *pom-pom girls* quelque part dans une banlieue de Detroit. Il lui fallut peu de temps pour rallier New York, avec trente-cinq dollars en poche. Là, elle se mit à poursuivre infatigablement son rêve. Grâce à une compréhension intuitive de l'esthétique pop et du marché de la musique, elle parvint peu à peu à s'assurer la fidélité de centaines de millions de fans. Vingt ans plus tard, elle était devenue l'une des femmes les plus riches du monde, avec une fortune estimée entre trois cents et six cents millions de dollars. Sa blondeur a nettement contribué à ce succès. Elle commença à manipuler ce code de couleurs avec son album intitulé *True Blue*, sorti en 1986 : sur la pochette, elle faisait sa première apparition en blonde platine, dans une pose d'abandon érotique. Les ventes enflèrent pour atteindre vingt millions d'exemplaires dans le monde. Ses albums précédents, où elle s'affichait en brune, s'étaient vendus à environ cinq millions d'exemplaires. Madonna comprit immédiatement la valeur commerciale de la blondeur, qu'elle décida d'adopter pour de bon. Un an plus tard, pour son album suivant, *Who's that Girl*, elle exécutait d'exubérantes imitations de Marilyn Monroe, très voluptueuse, dans une robe qui ne cachait pas grand-chose. Madonna comprit qu'elle était à son avantage en blonde, que l'objectif faisait ressortir les contrastes de son visage, qui ressemblait à un masque, avec ses yeux soulignés de khôl, sa peau blanche et ses lèvres rouges. Les cheveux bruns étouffaient sa beauté, la blondeur l'exaltait pour faire d'elle une déesse. Et cela signifiait qu'elle allait vendre plus de disques, devenir une plus grande vedette, acquérir plus de pouvoir.

Madonna, très consciente de la valeur marketing du changement d'apparence physique, est sans doute la star qui a le plus fait travailler ses cheveux. Elle est parfois revenue à sa couleur naturelle, ou même à un brun plus sombre, souvent à des périodes de grands bouleversements affectifs. Elle s'est teint les cheveux en brun pendant sa liaison avec son garde du corps, Tony Ward, puis quand elle a fréquenté le basketteur Dennis Rodman. Mais que ses cheveux soient raides, bouclés, longs, courts ou en brosse, ils finissent toujours par redevenir blonds. « Être blonde, c'est vraiment un autre état d'esprit, expliquait-elle à un journaliste de *Rolling Stone Magazine*, je ne pourrais pas bien le définir, mais la blondeur artificielle a d'incroyables connotations érotiques. »

Madonna est peut-être le type accompli de la blonde de pouvoir. Les ventes de son dernier album ont dépassé les cinq cents millions d'exemplaires et elle a maintenant à sa disposition les meilleurs paroliers, les meilleurs chorégraphes et les meilleurs producteurs, pour se maintenir au sommet pendant bien des années encore. C'est une femme américaine moderne, une personnalité ambitieuse et complexe et un modèle pour des millions de femmes dans le monde entier.

L'Amérique est l'usine à rêves mondiale. Elle les exporte et les vend, prêts à consommer dans leur emballage tape-à-l'œil, à des milliards d'admirateurs dans le monde entier, par l'intermédiaire de la télévision, du cinéma et des magazines. Ces millions de gens regardent les belles vedettes blondes et minces de *Sex and the City*, de *Friends* et d'innombrables autres films et séries. Ils s'habituent au riche nuancier des cheveux blonds : camomille, cuivré, doré ou abricot, voire « Baïkal » ou « Sahara ». Ils voient des milliers de présentatrices blondes à la télévision, suivent l'ascension de personnalités du petit écran et de stars de la chanson également blondes. À Hollywood, ils constatent que ce sont les actrices blondes qui remportent les récompenses, le succès et la célébrité. Ils regardent les blondes qui font la couverture des magazines internationaux et des magazines de luxe comme *Cosmopolitan*. Ils subissent des campagnes publicitaires mondiales qui vantent dans toutes les langues l'éclat de la blondeur occidentale. Leur imaginaire finit par les faire entrer dans ce monde occidental blanc et blond, quelle que soit la distance qui les en sépare en termes ethniques ou économiques. Ces qualités semblent tout apporter : la réussite, le sexe, la beauté. En se teignant les cheveux, des millions de femmes, de Jakarta, Lima, Seattle ou Cardiff, cherchent à s'approprier, en même temps que cette magie de la séduction, un peu de dignité et de confiance en soi. Elles tentent d'approcher, juste d'un petit peu plus près, l'idéal américain.

Li'l Kim, Tina Turner et parfois Naomie Campbell ont porté des perruques blondes pour attirer l'attention par le contraste inattendu des cheveux blonds sur leur peau noire. RuPaul, écrivain noir américain et *drag queen*, explique cette logique : « Quand je porte une perruque blonde, je ne trahis pas ma *négritude*. Porter une perruque blonde ne va pas me rendre blanc. Je ne vais pas passer pour blanc, et ce n'est pas ce que j'essaie de faire. La vérité sur la perruque blonde, c'est tellement simple ! Ça saute aux yeux. Je veux juste faire sensation, créer le scandale. Et des cheveux blonds sur une peau noire, c'est une association magnifique et scandaleuse. »

Au Japon, des milliers de jeunes femmes utilisent aujourd'hui des teintures industrielles pour rendre blond platine leurs cheveux d'un noir profond, comme le signalait récemment un article en première page du *International Herald Tribune*. « Je veux avoir l'air plus américaine », m'a expliqué une jeune femme de vingt ans que j'ai récemment rencontrée à Tokyo. « C'est une forme de rébellion que de rejeter mon identité de Japonaise pour avoir l'air plus occidentale, peut-être même l'air d'une star de cinéma. » Les magazines féminins, les affiches publicitaires et les mangas japonais représentent souvent de belles blondes qui donnent aux produits qu'ils vantent une sorte de supériorité occidentale magique. C'est aussi le cas en Chine. Au Brésil, les magazines de mode présentent toujours des blondes en couverture, bizarrerie qui poussait le *New York Times* à faire remarquer qu'un étranger pourrait très bien « prendre ce pays à la population arc-en-ciel pour un poste avancé de la Scandinavie... ce sont de sveltes blondes qui sourient sur les couvertures de magazines et les visages blancs dominent toute la presse à l'exception des magazines sportifs ». Et ce en dépit du fait que seuls 40 % des Brésiliens sont blancs. Et même si les Blancs constituent le groupe le plus riche et le plus puissant du pays, très peu d'entre eux sont naturellement blonds.

La beauté féminine est devenue une marchandise industrielle, ostensiblement blanche, occidentale, mince, jeune, aisée et typiquement blonde. Une machine culturelle globale, contrôlée par les États-Unis, répand cette image partout dans le monde. Et pourtant, nous pourrions nous demander pourquoi la société américaine, qui tente encore de surmonter ses problèmes ethniques, manifeste toujours cette fascination pour la blondeur. Serait-ce à cause d'Aphrodite ? Ces mythes culturels sont-ils si profondément ancrés dans notre esprit ? Cela aurait-il quelque chose à voir avec la jeunesse, dans un pays où les implants mammaires et les liftings sont devenus la norme pour les actrices d'Hollywood et quelque chose de parfaitement courant chez la ménagère moyenne ? Ou bien obéirait-elle à des motivations plus inquiétantes, à des messages subliminaux inhérents à notre maquillage ? Ceux qui se teignent les cheveux en blond cherchent-ils encore inconsciemment à se démarquer de groupes ethniques plus bruns, à la peau plus mate, qui auraient moins de pouvoir ? Les brunes qui se décolorent cherchent-elles également à passer pour membres d'une élite anglo-saxonne ? Il n'existe pas de réponse claire à ces questions, qui ne laisseront pas de nous intriguer, alors même que nous contemplons ces millions de blondes étincelantes à travers le monde, lumineuses et scintillantes, ravissantes et séduisantes aux yeux de tous, qui nous révèlent leur ensorcelant pouvoir de fascination.

INDEX

Acton Harold 187
Adam 51
Addison Thomas 177
Agrippine la Jeune 36
Alberti Leon Battista 85
Alcman 20
Alcmène 20
Alexandre VI 80
Alexandrov Grigori 219
Alfonso, duc de Bisceglie 81
Alphonse d'Este 81
Andersen Hans Christian 143
Anderson Pamela 260
Andrea 87
Andress Ursula 247
Antonin le Pieux 42
Apelle 26
Aphrodite 17
Appignanesi Lisa 194
Apulée 97
Arès 31
Arétin Pietro Aretino dit l' 98
Arkwright Richard 177
Armand Brachet 107
Arnold Thomas 165
Asquith Margot 190
Auguste 31
Aulnoy Marie Catherine, comtesse d' 139
Axelrod George 231

Bailey David 246
Baker Hobey 188
Baldwin de Canterbury 63
Barbara Villiers 131
Bardot Brigitte 235, 251
Baring Rosa 157
Barrett Elizabeth, ép. Browning 149
Bartolo di Fredi 51
Bartolome Veneto 80
Bartolomeo Fra 91
Basile Giambattista 140
Bedford Sybille 190
Bell Laura 154
Bembo Pietro 79
Benivieni Girolamo 91
Bennett Constance 224
Bergman Ingrid 237
Berkeley Busby 220
Bismarck Otto, prince von 165
Blake William 184
Bloch Konrad 107
Blondell Joan 224
Blondie (groupe musical) 255
Boccace, Boccacio Giovanni dit 90
Borgia 35, 81
Borgia César 81
Borgia Lucrèce 80
Borgia Rodrigo (Alexandre VI) 80
Botticelli Sandro Filipepi dit 17

Bowie David 255
Breen Joseph 214
Brentano Clemens 142
Brigitte, sainte 60
Bromyard John 49
Brooke Rupert 180
Browning Robert 149
Brunton 48
Bulwer John 58
Byron, lord 84

Cagnacci 30
Cagnolo Niccolo 82
Caine Michael 246
Caligula 42
Campbell Naomie 269
Cansino Margarita *voir aussi* Rita
    Hayworth 228
Cantimpre Thomas 53
Caprice 260
Caracalla 43
Carlyle Thomas 164
Carpaccio Thomas 93
Carroll Lewis Charles Dodgson dit
    159
Carroll Madeleine 237
Carter Brian 258
Catanei Vannozza 80
Catulle 31
Cecil lord 117
Cendrillon 24
César 30, 81
Chabas Paul 189
Chamberlain Houston Stewart 173
Champaigne Philippe de 128
Chan Charlie 228
Chandler Raymond 234
Chanel Gabriel dite Coco 187
Channing Carrol 241
Charles II 132

Châteauroux Eudes 52
Chaucer Geoffrey 57
Chlud Lois 222
Chrétien de Troyes 72
Christie Julie 246
Christie's 264
Clairol 244
Claude 33
Clément d'Alexandrie 44
Cléopâtre 30
Clinton Hillary 259
Cnide 17
Cocteau Jean 141
Cohn Harry 236
Colbert Claudette 229
Coleridge Samuel Taylor 136
Commode 43
Comstock Anthony 189
Congreve William 177
Connery Sean 238
Constantin le Grand 45
Contarini Alexandre 94
Cook John, DR 136
Cooper Merian 213
Cora Pearl 153
Corinne 32
Cornford Frances 180
Cornforth Fanny 151
Coryate Thomas 77, 99
Crawford Joan 224
Crosby John 246

Daniel Arnaud 71
Dante Alighieri 102
Darré Walther 196
Darwin Charles 168
Davies Marion 224
Davis Bette 224
Day Doris 240
Debussy Claude 155

Dee Sandra 240
Demy Jacques 141
Deneuve Catherine 141, 247
Diana, princesse 262
Dickens Charles 146
Diehl Paul 221
Dietrich Marlene 213
Disraeli Benjamin 166
Dixon Marion 220
Dodgson Charles 159
Dolce Ludovico 94
Domecq Adèle 159
Domenico Venier 102
Donovan Terry 246
Dors Diana 235
Dowson Ernest 162
Dunne Irene 224
Durfort, duc de 138
Duthé Rosalie 137

Egbord Valentine d' 153
Eisenstein Sergueï 219
Ekberg Anita 235
Eliot Marie Ann Evans dite Georges 147
Élisabeth Ire 110
Ellis Henry Havelock 176
Ellis Ruth 255
Épiclès 24
Ève 50

Faithfull Marianne 246, 247
Fantham Elaine 28
Farrow Mia 247
Faustine l'Ancienne 42
Fawcett Farrah 252
Faye Alice 224
Fellini Federico 235
Fest Joachim 204
Fidus 184

Firenzuola 97
Firestone Shulamith 249
Fitzgerald Francis Scott 187
Förster Bernard 170
Förster-Nietzsche Élisabeth 170
Fra Angelico 64
Franco Veronica 102
Franques 68
Friedan Betty 243
Frobisher 177

G. P. Mudge 180
Gabriel 64
Galton Francis 169
Galvin Daniel 263
Garbo Greta 247
Gelb Bruce 242
Gérôme Jean Léon 27
Gheeraerts Marcus le Jeune 118
Gilbey James 263
Gilles d'Orléans 53
Ginzburg Carlo 96
Giovanni Battista Della Porta 107
Giovanni Marinelli 106
Gitter Elizabeth 145
Giustinian Lorenzo NT 88
Gladwell Malcolm 242, 248
Gobineau Joseph Arthur de 168
Goddard Paulette 229
Goebbels Joseph 198, 214
Goering Hermann 222
Goethe Johann Wolfgang von 152
Goffen Rona 99
Gordon Charles dit Gordon Pacha 177
Gould Frank Jay 189
Grable Betty 192, 225
Gray Effie 159
Green John 165
Greenaway Kate 159

GrimmJacob 141
Gros Renée 190
Guenièvre 72
Guido von List 193
Guillaume II 184
Günther Hans 195

Hadrien 43
Harlan Veit 223
Harlow Harlean Carpentier dite
    Jean 190
Harry Debbie 255
Hayworth Rita 228
Hedren Tippi 237
Hefner Hugh 261
Heinz Paul 223
Héliodore 96
Heneage Thomas 113
Henriette Julie de Murat 140
Heydrich Reinhard 203
Hildegarde, sainte 65
Hilliard Nicholas 113
Himmler Heinrich 193
Hindley Myra 255
Hitchcock 17
Hitchcock Alfred 237
Hockney David 243
Homère 17
Honorius Flavius 43
Hope Bob 235
Hopkins Miriam 224
Horace 32
Hugh Platt 123
Hughes Arthur 160
Hynde Chrissie 255
Hypéride 27

Ibn Ibrahim Jaqub 69
Imad ad-Din al-Isfahani 68
Iseult 72

J. Earl Warren 227
Jackson Cindy 261
Jacques Roergas de Serviez 35
Janesh Albert 201
Jarman Derek 254
John de Mirfield 48
John Waldeby 48
Jonson Ben 123
Jordan 253
Judson Edward 228
Julie 41
Jung Bahadur 154
Jupiter 31
Juvénal 33

Kanawa Kiri Te 260
Kantzow Carin von 222
Keats John 155
Kelly Grace 237
Kennedy John 265
Kim Li'l 269
King (docteur) 116
Kingsmill Denise 260
Kisling Moïse 190
Kissinger Henry 264
Knirr Heinrich 203
Kreysler Dorit 222

L'Héritier de Villandon Marie
    Jeanne 140
L'Oréal 250
La Marche Olivier de 63
La Touche Rose 159
Lacaze Florence 189
Lake Veronica 225
Lancelot 72
Landrin 137
Langer Ruth 195
Langtry Lillie 154

Lanz Adolph, voir aussi Lanz von Liebenfels 181
Lanz von Liebenfels Jörg 181
Larsson Carl 177
Laure 79
Le Nain (frères) Antoine, Louis, Mathieu 128
Leander Zara 222
Lebrun Charles 129
Lee Henry 115
Lehmann J. F. 201
Leigh Janet 237
Lely Peter Van der Faes dit sir Peter 131
Léonard de Vinci 95
Leprince de Beaumont Jeanne Marie 141
Lesbia 32
Lewinsky Monica 260
Liddell Alice 160
Lilith 151
Lizzie Siddal 151
Lochner Stephan 64
Lombard Carole 224
Lorris Guillaume de 74
Louis XIV 129
Lucien de Samosate 23
Lucius César 43
Lucius Verus 43
Luigini NT 97
Lyly John 124

Machiavel Nicolas 81
Madonna 17, 265
Madris Ira 251
Maître de la Madone Straus 62
Mansfield Jayne 236
Marc Antoine 30
Marie 113
Marie Madeleine 51

Marlen Trude 222
Marowitz Charles 252
Mars 31
Marston John 121
Martial 34
Marx Groucho 230
Masaccio Tomaso di Ser Giovanni dit 52
Masolino da Panical 51
Maugny comte de 154
McCracken Grant 258
McDonald Dwight 240
McKnight Sam 263
McLaren Malcolm 254
Médicis, famille 84
Melville James 120
Ménandre 19
Mendelssohn-Bartholdy Felix 165
Ménélas 21
Messaline 33
Meung Jean de 74
Mignard Nicolas dit Mignard d'Avignon 1606-1668 129
Millais John Everett 162
Miller Arthur (cameraman) 217
Milton John 135
Molloy John 258
Monroe 17
Monroe Marilyn 26
Montaigne Michel Eyquem de 102
Montand Yves 233
Montespan Mme de 130
Mörike Eduard 142
Mortenson Norma Jean voir aussi Marilyn Monroe 230
Mountague Roger 120

Napoléon III 153
Néron 36
Newton 177

Nicomède 22
Novak Kim 237

Octavie 36
Orlova Lioubov 192, 219
Orsini, famille 86
Oskar Martin-Amorbach 200
Ovide 17, 32
Owen Wilfred 179

Paglia Camille 238
Palladio Andrea di Pietro dit 103
Palma le Vieux Iacopo Nigretti dit
  94
Parker Bowles Camilla 260
Parton Dolly 260
Paul, saint 58
Pausanias 26
Peel Robert 177
Pepys Samuel 130
Périclès 28
Perrault Charles 139
Pétrarque 79
Philip Stubbes 123
Philippe II 94
Phryné 24
Pierre dit le Romain 1613-1695 129
Pinturicchio Bernardino di Betto
  dit 80
Pitt William (le Second Pitt) 134
Pline l'Ancien 22
Politi Ambrosio 95
Pollock Eleanor 241
Polykoff Shirley 242, 251
Pope Alexandre 136
Poppée 36
Poséidon 25
Poussin Nicolas 129
Praxitèle 17
Properce 30

Raphaël Raffaello Sanzio ou Santi
  dit 157
Raymond 244
Reagan Ronald 258
Rediess 197
Rembrandt Harmenszoon Van
  Rijn 130
Reynolds Debbie 240
Riario Girolamo 86
Richter 203
Ricimer 43
Rivoli, duc de 153
Robert Peake 119
Robert Rypon 48
Robert Tofte 122
Roberts Michael 256
Rodman Dennis 267
Rogers Ginger 224
Roosevelt 210
Rosetti Christina 150
Rosetti Dante Gabriel 150
Rossetti 17
RuPaul 269
Ruskin John 94
Ryangina Serafima 207

Saint Bernardin 49
Saint Eva Marie 237
Samokhvalov Alexandre 207
Sandwich, comte de 131
Sanger William 25
Sapho 21
Sassoon Siegfried Lorraine 179
Savonarole Jérôme 89
Scham Heinrich 185
Schell Sherrill 180
Schiffer Claudia 260
Schiller Friedrich von 164
Schubert Franz 164

Schumann Robert 164
Scott Walter 166
Sforza Catherine 85
Sforza Galéas-Marie Galeazzeo Maria 86
Sforza Giovanni 81
Shakespeare 122
Shanley Kevin 263
Shearer Norma 224
Shelley Percy Bysshe 152
Signoret Simone 234
Silius 35
Sixte IV 86
Sixte V 111
Skittles 154
Smollett Tobias George 177
Snively Emiline 230
Socrate 28
Söderba Kristina 192
Sonnemann Emmy 223
Specht Ilon 249
Staline Joseph 204
Stamp Terence 246
Stanwyck Barbara 224
Star Ringo 246
Steel Anthony 235
Stewart James 238
Stoker Bram 154
Strasberg Lee 264
Strauss 165
Stuart Marie 113
Suren Hans 185
Sylvanus 57

Tacite 36
Taddeo di Bartolo 52
Tatcher Margaret 256
Temple Shirley 216
Tenniel John 161
Tennyson Alfred 150

Tertullien 45
Thackeray William Makepeace 147
Theodoric d'Eternacht 67
Thomas d'Aquin, saint 57
Thomas Tomkis 124
Tiepolo 30
Titien 92
Titus 41
Tristan 72
Trump Ivana 260
Turner 165
Turner Lana 224
Turner Tina 269
Twiggy 247

Ullrich Luise 221

Van Dyck Anton 130
Varga 234
Vasari Goigio 30
Vecellio Cesare 105
Vénus 17, 31
Vermeer Johannes 130
Verushka 247
Victoria 148
Viehmann Dorothea 141
Vitellius 35
Vouet Simon 128

Wagner Richard 72
Ward Tony 267
Weissner Hilde 222
West Mae 215
Westminster, duc de 187
Westwood Vivienne 253
White Charles 167
Wilde Oscar 179
Wilder Billy 233
Wilhelm 141
Wilkanowicz Helena 198

Wilton 64
Wodehouse P. G. 234
Wordsworth William 158
Wray Fay 214

Zanuck Daryl 231
Zeus 31
Ziegler Adolf 199

TABLE DES MATIÈRES

p. 5   Note de l'auteur

p. 7   Remerciements

p. 9   Introduction

        Chapitre 1
p. 17   La naissance d'Aphrodite

        Chapitre 2
p. 30   La perruque de l'impératrice

        Chapitre 3
p. 47   Le savon du démon

        Chapitre 4
p. 59   Une femme en or

        Chapitre 5
p. 77   La blonde Lucrèce et le cardinal

        Chapitre 6
p. 92   Quatre blocs de caviar et un matelas de plumes

        Chapitre 7
p. 110 La reine vierge

        Chapitre 8
p. 128 De l'or à damner les saints

        Chapitre 9
p. 144 Les cadavres palpitants de leurs victimes

Chapitre 10

p. 164   La naissance de l'Aryen

Chapitre 11

p. 176   Corps politiques

Chapitre 12

p. 191   L'homme qui voulait être Dieu

Chapitre 13

p. 211   La Vénus blonde

Chapitre 14

p. 230   Taie d'oreiller sale

Chapitre 15

p. 246   Princesses, punks et Premiers ministres

p. 273   Index des personnages

DANS LA MÊME COLLECTION

Botanique du désir
Michael Pollan

La Callas, l'opéra et le souffleur
Philippe Olivier

Créateurs de l'ombre
Mathias Goudeau avec la collaboration de Patrice Tourne
Photographies d'Albin Quénet-Jeantet
Préface de Jean-Jacques Goldman

Le dernier éléphant
Jean-Luc Ville et Abajila Guyo

L'homme qui entend les parfums
Chandler Burr

Stratégies de la framboise
Dominique Louise Pélegrin

Jardins et cuisines du diable
Stewart Lee Allen

*Marcher sur les pieds
de la femme qu'on aime*
Alain Le Ninèze

Des mots de voile et de vent
Maurice Duron

Pamukalie, pays fabuleux !
Eugène

Des taureaux dans la tête
Tome I
François Zumbiehl

Des taureaux dans la tête
Tome II
François Zumbiehl
Photographies de Michel Dieuzaide

Trains de vie
Enquête sur la SNCF d'aujourd'hui
Ariane Verderosa

Ulysse et Magelan
Mauricio Obregón

Belleville Blues
Joseph Bialot

Achevé d'imprimer en janvier 2005 sur les presses de l'imprimerie Corlet N°82040
à Condé-sur-Noireau (Calvados) pour le compte des Éditions Autrement,
77 rue du Faubourg-Saint-Antoine, 75011 Paris.
Tél. : 01 44 73 80 00 Fax : 01 44 73 00 12.
ISSN : 1248-4873.
ISBN : 2-7467- 0607- 5.
Dépôt légal : février 2005